上學記

上學記

何兆武 口述
文靖 執筆

OXFORD
UNIVERSITY PRESS

Oxford University Press is a department of the University of Oxford.
It furthers the University's objective of excellence in research, scholarship,
and education by publishing worldwide. Oxford is a registered trade mark of
Oxford University Press in the UK and in certain other countries

Published in Hong Kong by
Oxford University Press (China) Limited
39th Floor, One Kowloon, 1 Wang Yuen Street, Kowloon Bay,
Hong Kong

First Edition published in 2022

上學記

何兆武口述

文靖執筆

ISBN: 978-988-877796-9

2 4 6 8 10 11 9 7 5 3

1939年初在貴陽，何兆武十七歲

1946年春在昆明，離開西南聯大前

1941年3月，與姐姐何兆南、妹妹何兆華，攝於昆明

2006年5月，攝於《上學記》定稿時

歷史學本身沒有意義，它的意義是歷史學家所賦予的。人生本來也沒有意義，它的意義是你所賦予的。

—— 何兆武

目錄

第一章
(1921–1939)

第二章

（1939–1946）

第三章
（1946–1950）

修訂版序

何兆武

這本小書《上學記》確實是一個偶然的產物。四年前，青年友人文靖女士來找我談話，想從我這裏了解一些舊時代學生生活的情況。當時我沒有任何思想準備，更談不到思想上的醞釀，只是東拉西扯地信口閒談。文靖女士據此寫了幾篇小文，居然得到刊載，這或許引起了她的興趣，於是又連續和我幾度閒談。就我而言，事先並無寫書或出書的念頭，只不過是零星回憶一些往事而已，所以全然沒有一個整體的構思，閒話太多，較重要的事情卻多有遺漏，乃至後來讀到成稿時，已經難以重起爐灶，只不過在個別字句上略加修飾，點綴成文。

我想有一點是要特別加以說明的。回憶錄不是學術著作，也不可以以學術著作視之，讀者切不可用所要求於學術著作的，來要求個人的回憶錄。學術著作要有嚴格的客觀根據，絕不能只根據作者個人的主觀印象。而個人的回憶錄則恰好相反，它所根據的全然是個人主觀的印象和感受，否則，就不成其為個人的回憶錄了。詩人歌德青年時曾熱戀綠蒂，甚至於想要自殺，終於寫出了《少年維特之煩惱》，一瀉千里地發抒了自己火熾的熱情。及至晚年寫自己的回憶錄《詩與真》時，他卻對自己青年時的熱情出之以嘲諷的態度。然則「兩般誰幻又誰真？」我以為，兩者都是同樣的真實，都是詩人自己個人真實的寫照。

《上學記》一書出版後，我送給當年同在北京(北平)師大附中讀書的一位老同學，當時我們同樣經歷了盧溝橋事件和中日戰爭的爆發，也同樣對當時政局的內幕一無所知。不過據我當時的印象，宋哲元只是一心想在夾縫之間做他的土皇帝。7月7日盧溝橋開火，幾天之內日方就以重兵包圍了北京城，而當時的宋哲元卻還一味地大談其甚麼：「和平、和平，能和就能平，能平就能和。」純屬一派胡言，癡人說夢，不知所云，足可以和閻錫山的哲學(甚麼「存在就是真理，需要就是合法」之類的混沌邏輯)相媲美。正當他大做其和平美夢的時候，就被日軍打了個落花流水，不但北京淪敵，29軍還犧牲了一個副軍長和一個師長。1940年，宋哲元逝世於四川綿陽，臨死時還感嘆：「這個局面怎麼向國家交代？」這是我對他的印象，而我的老同學則認為宋哲元還是抗日的。當然，他也同樣地不了解當時的內情，這只不過是他個人的感受。我想，我們盡可以有各自不同的感受和印象。如果是寫回憶錄，我們每個人都可以、而且都應該忠實於自己的感受和印象，至於歷史的真相究竟如何，那是學者研究的事情。我們兩個人的感受不同，回憶各異，但這並不妨礙我們的友情，更不妨礙事實的真相。相反，你必須盡量使每個人都忠實地回憶，才能盡可能地得出真相。

我的回憶中還有一樁，即我對殷福生(海光)學長的印象。有一年顧壽觀學長和我同住一個宿舍，殷福生常常跑來和他高談闊論。我和顧壽觀很要好，覺得他忠厚樸實且又好學深思，但對殷福生則印象不佳，總覺得他彷彿是高人一節，褒貶人物毫不留情，尤其在反共這一點上，不愧是一個法西斯。但後來的情況卻又大謬不然。他到臺灣之後，成為了自由主義的一面旗幟，成為臺灣青年一代知識分子最有影響的思想導師，受到臺灣當局的迫害，致使英年早逝。我對他早年的印象竟然是完全錯誤的。但是作為回憶錄，我以為仍然應該如實地記錄下當時自己的感受。當然，也包括自己今天的歉疚之情。

至於書中提到馮(友蘭)先生的地方，我不想多做辯白。凡是親身經歷過西南聯大那段生活的人，我想都會一清二楚。鄒承魯院士的學術和人品大概是學術界耳熟能詳、一致公認的，他對當時老師的月旦，可謂要言不繁、一語中的(見《科學文化評論》2004年第一卷第一期，第122頁)。凡是對當時同學們的諸多壁報還有所記憶的，大概也不會忘記當時大量嚴厲的批判文字。本來君子之過如日月之蝕，盧梭的一篇《懺悔錄》是千百篇盧梭傳記無法望其項背的。為尊者諱、為賢者諱，並不是真正對人的尊重。一個人的思想本來是活潑的、與時俱進的，又何必一定要把它弄成一種思想上的木乃伊，讓人去頂禮膜拜呢？

以幾度私下的閒談而居然能濫竽於正式出版物之列，未免令我惶恐。許多重要的遺漏，如舊時代學校中的生活，自己思想所受的影響，以及個人對當時學術界的感受和批評，都無法在這裏一一補充了，這是要告罪於讀者的。最後我要衷心感謝友人文靖女士為此書所付出的辛勤勞動，感謝曾誠先生，感謝三聯書店編輯吳彬女士為此書所承擔的那麼多意外的麻煩。

2008年2月28日
北京清華園

序

那一代中國知識分子的幸福和自由

葛兆光

小引

近十來年裏，何兆武先生和我都在清華大學教書，雖然説起來可以算是同事，但因為他很早退休，所以，見面常常是在同去辦公室取郵件的時候，或者是在清華園裏散步購物的時候。不時收到何先生贈送的新著和新譯，不由得感嘆他的學術生命力。何先生生於1921年，比我父親還長一歲，我一直把他看成是我的父輩，輕易不敢去打擾。這次，看到何先生口述他求學經歷的《上學記》，不知為甚麼，想起兩年前的夏天。那時我父親還沒有過世，在病榻上，很少談起甚至好像有些忌諱談起往事的父親，望着天花板，突然給我講起了他往年的經歷。斷斷續續講了一整天，從福州的家辦私塾到官立學堂，從抗戰時期流轉山區的暨南大學，到已是「晴朗的天」的南京軍政大學，讓我覺得，他們那一代中國的知識分子，執着地追求國家富強和相信普遍真理，人生經歷和心路歷程，真的是和我們不同，有點兒像精衛填海，也有點兒像飛蛾投燈。

現在，看到何先生講述他從北京的師大附中，到雲南的西南聯大，再回到北京的革大，彷彿那一天和我父親的談話仍在繼續。

1. 親歷歷史：那一代的人和事

慢慢地看這份珍貴的口述資料，好像隨何先生重新行走在那個時代的歷史之路上。

這個歷史之路好像很熟悉，又好像很陌生。之所以熟悉，是因為它好像千百次地出現在我們各種的歷史書裏。何先生求學的時代，正是中國最痛苦的時代。五四退潮以後的中國是一連串的戰爭，軍閥互相打，國共也在打，日本人打進來，把中國成了一個殺戮場，八年抗戰剛剛結束，中國又成了另一個大戰場。杜甫說，「烽火連三月，家書抵萬金」。可是，那個時候的烽火豈止是連三月，簡直是連了幾十年。不過，這個烽火歲月是我們的歷史記憶和歷史敘述篩選後的簡明大綱，可歷史並不僅僅是「大綱」。正像何先生評論西南聯大歷史書的編纂一樣，有時候歷史被寫得就像「註冊組的報告」，讓我們看不到真正的生活。其實在生活世界裏，畢竟不僅僅有烽火和殺戮，因此，當我們隨着這些親歷歷史的長者進入細節，歷史便好像變得陌生起來，彷彿另有一個我們沒有見過的時代。

在何先生的往事記憶中，那個時代，不僅有北京從軍閥的「五色旗變成青天白日滿地紅」，有

「一二·九」那一年多雪的冬天，有北平中學裏的尊孔讀經和白話教育之爭，有那個時代中學生「無事亂翻書」的愉快，還有短暫平安時期看西洋電影的震撼。儘管他事後想起來，最好的讀書日子，只有「從初二到高一這三年，另一次就是西南聯大的七年」，但是，就在這一樣放不下一張平靜書桌的三年和流離顛沛的七年中，畢竟他還有讀《莎氏樂府本事》、*Gulliver's Travels*（《格列佛遊記》）的時候，還有「逃課、湊學分與窗外的聆聽」的時候，還有自由選修諸如鄭天挺、陳福田、沈從文、錢鍾書那些風格各異課程的時候。也許，那只是歷史的細節，可是正像現在流行的一句話，「細節決定一切」一樣，看到歷史的細節，常常會反過來，讓你更加理解歷史的脈絡和輪廓。

這份口述歷史之所以對我們很重要，還因為有很多已經進入歷史的人物，隨着何先生的回憶，又從歷史裏面走了出來。記得前年夏天，父親談起他在閩北山區流亡的暨南大學的生活，對於我，好像就陌生一些。因為畢竟他是學國際貿易的，他身邊的那一圈人，我大多不熟悉，只是聽他談起何炳松先生，讓我對這個《新史學》的翻譯者有一些新印象。何兆武先生是歷史學家，又遠比我父親閱歷豐富，他的記憶中有一團熱情的聞一多、有民主人士張奚若、有戰國策派雷海宗、有歷史學家吳晗、有哲學史家馮友蘭、有邏輯學家金岳霖，有「中國通溫德，白俄噶邦福」、有化學家兼教育家曾昭掄，當然，還有他看到的和大多數印象不同的殷福生(海光)，更有他一生都引以為榮的朋友王浩。這些我們文史領域的人耳熟能詳的學者，就活生生地出現在我們眼前，為我們重構了那一代學術和文化的歷史，也為我們重建了何先生求學時代的文化環境，讓我們知道何先生是在甚麼樣的歷史中成為知識分子的。

讓我特別感興趣的，是在他回憶他和王浩交往的那一段裏，他和王浩關於「幸福」的討論。也許，這是理解何先生那一代知識分子的鑰匙：

> 人是為幸福而生的，而不是為不幸而生。王浩喜歡談人生，就「甚麼是幸福」的話題我們討論過多次，我也樂得與他交流，乃至成為彼此交流中的一種癖好。他幾次談到，幸福不應該僅僅是pleasure，而應該是happiness。前者指官能的或物質的享受，而幸福歸根到底還包括精神上的，或思想意識上的一種狀態。我說，幸福應該是blessedness(賜福)。《聖經》上有云：「饑渴慕義的人有福了。」可見「福」的內涵是一種道義的，而非物質性的東西。他說，那麼宗教的虔誠應該是一種幸福了。我說，簡單的信仰也不能等同於幸福，因為它沒有經歷批判的洗練，不免流入一種盲目或自欺，只能是淪為愚夫愚婦的說法。一切必須從懷疑入手，於是我引了不久前看到的T. S. Eliot的一段話："There is a higher level of doubt, it is a daily battle. The only end to it, if we live to the end, is holiness. The only escape is stupidity."(有一種更高層次的

懷疑，它每天都在不斷地〔與自我〕戰鬥。如果我們能活到有結果的那一天，它唯一的歸宿就是聖潔，唯一的逃脱辦法就是愚蠢。）他聽了非常欣賞。幸福是聖潔，是日高日遠的覺悟，是不斷地拷問與揚棄，是一種"durch Leiden, Freude"（通過苦惱的歡欣），而不是簡單的信仰。

據説，何先生與王浩之間有過多次討論，「每次談論總是他説服我，這一次我説服了他，不禁心裏一陣快慰。」那麼多年以後，他仍然記得那一次談論，説明這一觀念在何先生心中根深蒂固到甚麼程度。

2. 幸福：甚麼是那一代中國知識分子的追求？

除了這一次和王浩的談話中，説到「幸福是聖潔，是日高日遠的覺悟，是不斷地拷問與揚棄」，把幸福看成是追求理性的超越和超越的理性之外，我注意到，何先生在口述自傳中，還特別反覆鄭重地提起「幸福」一詞。他説那時他曾想要寫一本《幸福論》，他覺得，人是個複雜的動物，不能單純從物質角度衡量，或者單純用金錢衡量，是不是錢越多就越幸福？好像並不是那樣，畢竟人所願望的是幸福，而不僅僅是物質或金錢的滿足。在一處他又説：「幸福的條件有兩個。一是你必須覺得個人前途是光明的、美好的，可是這又非常模糊，非常朦朧，並不一定有甚麼明確的目標。另一方面，整個社會的前景也必須是一天比一天更加美好，如果社會整體在腐敗下去，個人是不可能真正幸福的。」在另一處他再次強調：「幸福最重要的就在於對未來的美好希望。一是你覺得整個社會、整個世界會越來越美好，一是你覺得自己的未來會越來越美好。只有具備這兩個條件，人才真正的幸福。」也就是說，個人的幸福和整個社會的幸福是密切相關的。我想，對於理性始終的追求和對於社會始終的責任，也許是我們同情地理解那一代知識分子的關鍵。生在中國已經不再是天朝大國，而是積衰積弱的時代，何先生他們那一代人在戰亂中一邊上學、一邊觀察社會，上學也許既是一個學知識，成為有技術的專業人員的過程，也是一個成為有社會關懷的知識分子的過程。

何先生回憶中有一段話，給我的印象很深，他說：「我們這一代人對日本的仇恨非常強烈，我想現在的年輕人已經不會有這種感受了。可以說，對日本人的仇恨是我們這代人難以了卻的情結。比我年輕一代的，也就是解放以後一直到文革時候的中小學生，他們大概也有一個情結，就是對個人崇拜的情結。一聽到偉大領袖，馬上淚流滿面，現在的青年人恐怕也沒有那種情結了。一個時代有一個時代的情結，我們那個時代的情結就是仇恨日本。」這當然不是一種狹隘的仇日情緒，其實應當理解為對民族命運的普遍焦慮。現實的危機，加上自從1895年割地賠款的《馬關條約》簽訂以來，到1931年的東北淪陷，到1937年的七七事變，這一次次的受辱，自然積成了這種心情。

在這種心情中，他們這一代知識分子自然把追求國家富強當作自己的理想，把建設科學理性當作自己的目標，而把民族的整體崛起看作個人幸福的基礎。這是一代人的感情傾向。記得那一年我曾經問我父親說，為甚麼要放棄上海好端端的金飯碗，跑到南京軍政大學去吃八路的小米乾糧？父親沉吟半晌，只簡單地說，這是潮流。不過，追趕潮流並不意味着是見風使舵的政治傾向。何先生對於政治，對於那種被政黨意識形態壟斷了的所謂「政治」並不熱心，這也許是他父親的遺傳。在這份口述歷史中，他說：「我的父親不是國民黨黨員，至少我不知道他是。父親一生討厭政治，認為政治是黑暗的、骯髒的，小時候我經常聽他這麼說，所以我想他不是黨員。」在另一個地方他又說，上學的時候也參加過學潮，大都是不滿當時的政府，不然也不成其為「潮」，包括「一二．九」運動。他說，凡遊行他都參加，但是有一個界限，那就是只參加愛國學潮。原因是甚麼呢？他說：「第一，自己不是(政治)那塊材料，既不會唱、不會講演，也不會寫文章做宣傳。第二，從小我就有一個印象，政治是非常之黑暗、複雜、骯髒的東西，一定要遠離政治，父親也是這樣告誡我的。所以實際上，我就給自己劃了條底線：愛國是大家的義務，反對侵略者是國民的天職，遊行我參加，回來也是挺興奮的，宣言裏也簽名表態，但是實際的政治活動我不參加。」

有人說，自從十九世紀末以來，中國整個地向西轉了，是西風壓倒東風，所以知識分子的主要傾向就是「西化」。不過，這個理解可能太簡單，應該看到正是在這種情勢下，中國知識分子以向西方「現代性」看齊的方式，反過來以西方的自由、民主和科學的訴求，追尋民族和國家自立、富強的願景，在「世界主義」的外衣下，凸現着一種曾經被稱作是「民族主義」的感情。這就是我常常說的，以世界主義的面目成就民族主義，以民族主義目標接受世界主義。雖然這種糾纏的心情，有時候會被看成是「救亡壓倒啟蒙」，但是，因為救亡是追求富強，依靠的是西方式的自由、民主和科學，所以，啟蒙和救亡始終是一體兩面。因此在中國，知識分子常常會自覺不自覺地追隨那些可以拯救國家、導致富強的大潮流，特別是在外敵壓境的危機中，更是常常希望「東方紅，太陽升」。這種心情，是很多沒有經歷過那一代歷史的人所不太能夠理解的。

「現在的年輕人也許不太能理解那個時代的知識分子，他們的幸福觀和自由觀好像都有些太單純，甚至太簡單」，何先生很感慨。的確是很單純、很簡單，但單純和簡單未必就不美好。比如說他們愛國，國家富強是他們觀念世界中最優先的選項，在這個選項下，他們會接受能夠達成目標的觀念、制度和策略，而批判或抵制不能達成這一理想的做法。正像何先生所說的「人類總有一些價值是永恆的、普世的，我們不能總是強調自己的特色，而抹殺普遍的價值。中國有沒有特色？有特色，但是這特色你不必強調。」現在，流行時尚是批判普遍真理，質疑源自西方的民主、科學和自由，強調文化多元，似乎要特立獨行，鄙視遵守規則，覺得知識分子永遠是冷峻而超然的批判者和攪亂者。這也許有它的洞見，但是，在現代中國歷史中，我們卻需要理解和尊重那個時代知識分子對於西方所謂普遍真理和永恆價值的選擇。在那個時代，他們卻寧願相信「歷史的普遍規律」，相信民主、自由和科學。因此，他們會對國民黨搞黨國一體的專制非常反感，覺得它是看錯潮流走錯了路，「在二十世紀二三十年代初期，專制獨裁乃是一種世界性的潮流。甚至張學良下野到歐洲遊歷一番後，也相信了法西斯主義，認為只有法西斯主義才能救中國。在這種世界歷史的背景之下，國民黨沒有跟隨英美民主，而效仿蘇聯的專政體制，便不足為奇了。」憑了這一點，他們對解放區、新中國有好感，但同樣也批評解放後的胡攪蠻幹。何先生引用了張奚若先生的話，「好大喜功，急功近利，鄙視過去，迷信將來」，他說：「那十六個字還是有道理的，我們是有些鄙視過去、迷信將來。其實有些傳統的東西和階級鬥爭沒有關係，那是人類經驗的積累、人類智慧的結晶，不能隨隨便便就否定了。比如紅燈的波長最長，看得最遠，所以紅燈停、綠燈走。這是有科學依據的，全世界都是這樣，資產階級、無產階級都得按信號燈走。」

對國家(不是政府)的忠誠，對政治(不是政黨)的疏離，看起來衝突，實際上統一，我相信這就是那一代中國有立場的知識分子。並不是有專業的人就是知識分子，甚麼是知識分子，甚麼是知識分子的立場？關於這一話題，現在討論的著作已經很多了，不過書本常常只是一些理論，並不好拿它來截長續短、按圖索驥。特別是像何先生那一代中國讀書人，身處萬方多難的社會中，成為一個有立場的知識分子，好像並不如書本上說的那麼簡單。我以前讀薩義德的《知識分子論》，看到裏面說，知識分子的公共角色應當是「局外人」(outsider)，認為他需要的是「反對的精神(a spirit in opposition)，而不是調適(accommodation)的精神。」在中國現實中，這話也許只對一半，因為在「中華民族到了最危急的時候」那種精神緊張和生存危機中，人們無法不心嚮往一個光明的未來和富強的國家，他們無法成為「局外人」，也不可能僅僅是「反對」。何先生那一代人，追隨着五四時代的精神，把民主、自由和科學當作矢志不渝的追求，把國家整體的富強當作永恆的理想，這是超越專業技術人員，成為「中國」的知識分子的基礎。

3. 風度與修養：現在還需要紳士嗎？

2001年，清華大學曾經試圖為何先生舉辦一個八十壽辰慶祝會，邀請了一些人來座談。我記得有當時還在歷史研究所的李學勤先生、北師大的劉家和先生、近代史所的劉志琴先生、世界史所的于沛先生等等，這些都是何先生的熟人，但是何先生一直婉拒，理由是他不是大人物，不配開頌壽會，也不配出紀念集。也許，有的人以為這只是做做謙讓的姿態，但是那天早上，他的學生彭剛去接他，他卻把家門鎖上，一人飄然離開。我參加過很多次大大小小的祝壽會，而這次主角缺席的祝壽會，卻是我印象最深的一次。現在學術界、文化界的風氣，不說大家也知道，可是，我見到的何先生，始終謙和而從容。在大家談興很高的時候，他會笑眯眯地在旁邊聽着，如果話音稍停，他也會很高興地說上兩句，絕不讓大家掃興。說起來，他的著作和譯作等身，我們這一代人對於西方歷史和思想的理解，多少都得益於他的翻譯和介紹，但他卻始終處世很低調。

我常常在想，人怎樣才能像何先生那樣有修養。「修養」這個詞，其實翻過來說就是「文明」。按照一種說法，文明就是人們越來越懂得遵照一種規則生活，因為這種規則，人對自我和欲望有所節制，對他人和社會有所尊重。但是，僅僅懂規矩是不夠的，他又必須有超越此上的精神和樂趣，使他表現出一種不落俗套的氣質。《上學記》裏面有一段話我很同意，他說：「一個人的精神生活，不僅僅是邏輯的、理智的，不僅僅是科學的，還有另外一個天地，同樣給人以精神和思想上的滿足。」可是，我近來越來越感到，這種精神生活需要從小開始，讓它成為心底的基石，而不是到了成年以後，再經由一陣風似的惡補，貼在臉面上掛作招牌。儘管他自己很謙虛地說到，他這一代人國學的基礎都非常差，沒有背過四書五經，但是，他從中學起就讀「開明青年叢書」，讀冰心的散文、徐志摩的新詩，讀顧頡剛和朱光潛，讀《神秘的宇宙》和《物理世界真詮》，也看西洋電影和武俠小說，高中時還唸*Tales From Shakespeare*（《莎氏樂府本事》），肚子裏面積攢了東方和西方的好多文化知識。他也曾看了《英文一百零一名歌集》(*The One Hundred and One Best Songs*)後，學唱英文歌曲，他回憶那個時候聽的法國古諾《小夜曲》、舒曼的《夢幻曲》、舒伯特的《小夜曲》和《聖母頌》，覺得「迴腸盪氣的，簡直令人銷魂……覺得美極了，靈魂都像上了天一樣」。

愛德華·席爾斯(Edward A. Shils)在《傳統》(*Tradition*)裏面曾經說到，「何謂傳統？凡是代代相傳的事物、信念、形象、行為和制度都是傳統，自覺性的高低是次要問題，但必須通過三代(時間的長短不拘)，也就是通過兩傳才能成為傳統。」我不知道那種從容、自省和樂觀的氣質，是不是也需要兩三代家庭的薰陶和從小浸染才能夠獲得，但是這種近乎貴族氣質的傳統，在現在這個變動不居、關係萬千重的社會中，似乎是越來越難以見到了。古代中國經常的改朝換代，近代中國太多的底層革命，使得氣度好像成了虛偽，風度可能是無能的別名。非得「幸分一杯羹」才能成為勝者，不顧孤兒寡母才能黃袍加身，「我是流氓我怕誰」才無往不利，「千萬別把我當人」倒成了可誇耀的名言。世事對何先生這樣的人未必公平，社會對有修養的傳統也不見得接受，「王侯將相寧有種乎」，在人心中絕對的政治正確，這是很可悲的。席爾斯説，英文字tradition的拉丁語根是traditio，在羅馬法中意指一種繼承私有財產的方式，但今天英文中的tradition則指一切在傳承中能維持不變或重新呈現的東西。但是，不僅在「君子之澤，五世而斬」的古代沒法延續，在「你方唱罷我登場」、「天翻地覆慨而慷」的現代，我總擔心，那份從容和寬厚，還能夠不受世事的衝擊而繼承下來嗎？

何先生在回憶西南聯大的生活時，説到日本轟炸時的梅貽琦和吳晗，「大凡在危急的情況下，很能看出一個人的修養。比如梅校長，那時候五十好幾了，可是頂有紳士風度，平時總穿得很整齊，永遠拿一把張伯倫式的彎把雨傘，走起路來非常穩重。甚至於跑警報的時候，周圍人群亂哄哄的，他還是不失儀容，安步當車慢慢地走，同時疏導學生。可是吳晗不這樣，就知道慌着逃命一樣。有一次拉緊急警報，我看見他連滾帶爬地在山坡上跑，一副驚惶失措的樣子，面色都變了，讓我覺得太有失一個學者的氣度。」在「安步當車」和「連滾帶爬」之間，立刻就顯示了一個人的氣度或風度，而這種氣度或者風度，需要長期的修煉和薰染，也需要一個人對一切置之度外的胸襟。

結語

《上學記》談到1949年便戛然而止，這讓我覺得很遺憾。

前半生上學的過程，保留在何先生的記憶裏，而在絕大多數的讀者記憶中，卻是後半生的何先生。何先生曾參加過侯外廬先生主編《中國思想通史》的寫作，他自己在中國青年出版社出版的《中國思想史》，不僅有中文本，還有英文本；對於西方歷史學理論和方法，他有精確的評述，在香港牛津大學出版社出版的論文集《歷史與歷史學》就記錄了他在這方面的思考；他翻譯的許多西方古典，更是影響了一代，甚至好幾代人，像我印象最深的《思想錄》、《歷史的觀念》、《二十世紀的歷史學》等等；對於明清兩代西洋傳教士來華的歷史，他也有自己的研究，《中西文化交流史論》就廣泛討論了自徐光啟到李善蘭，明清兩代中國與西洋的文化接觸。可惜的是，這些在《上學記》裏面都沒有提到，我曾經向何先生建議把口述歷史繼續下去，何先生笑而不答。

同住清華，常常看到何先生騎着自行車來往照瀾院和普吉院，覺得他真是很健康，從心裏為他高興，有時候和何先生遇見，也只是寒暄幾句。可是，當我寫這篇小文的時候，何先生因為偶然病恙，卻兩次住進醫院，讓人察覺到他已經八十五歲了。八十五歲的老人，那一生經歷該是多麼豐富而複雜。前些天，我和何先生的學生彭剛一起去醫院看望他，被醫生命令不准下床的他，手裏正拿着《資治通鑒》。看到這一幕，不知為甚麼我卻有一種奇怪的聯想。如果說，《資治通鑒》記載的是古代中國的整體歷史，而拿着《資治通鑒》的何先生身上，卻是現代中國的知識分子的具體歷史，在這個古代中國和現代中國、整體歷史和具體歷史之間，該有多少故事？

走出醫院，不知道為甚麼，我想起了《上學記》裏面的一段話，「二戰的時候，我們真誠地相信未來會是一個光明的、美好的世界，一個自由的、民主的世界，一個繁榮富足的世界，好像對這些完全沒有疑問。」這是一個追求理性和光明的知識分子一生的信念嗎？這種信念是否就是支持他一生樂觀對己和善意待人的基礎呢？

2006年2月23日初稿

2006年3月7日修改

第一章
（1921–1939）

我的祖上沒有名人

我的祖上沒有名人。太平天國打仗的時候，曾祖父逃難從長江的對岸跑過來。因為我的老家岳陽在洞庭湖口的東邊，所以說他是河西來的，從湖北尺八口到岳陽，然後就在岳陽定居。他是勞動人民，燒炭的，不識字，我也沒見過他。只是回老家聽老人們說，他很勤儉而且勤奮，所以晚年生活改善了一些。他一輩子的遺憾就是不識字，所以他要他的孩子唸書，後來我的祖父在清末的時候考上了一個秀才。

清朝末年廢科舉、興學校，我的祖父在我們家鄉辦了第一個小學，按解放後的階級分析來說，應該是從封建知識分子轉化成為資產階級知識分子了。其實這個說法也有點過分，那個小學甚麼都沒有，就是一間普通的房子改一下，收幾十個學生。後來，祖父要我的父親到省城裏學習。那時候改立新式學校，每個省差不多都有一個高等師範或者高等工業學堂。比如現在的武漢大學就是原來的武昌高等師範，現在的南京大學是從前的中央大學，再早就是三江師範學堂。湖南也有一個高等學校，叫湖南高等實業學堂，是現在湖南大學的前身，我父親上的就是那個學校，學採礦。

父親畢業那年，正值辛亥革命。孫中山在南京成立臨時政府，他們幾個剛畢業的同學商量，要為民國的新政府服務，就直接跑到南京找政府。雖然沒有任何關係，政府卻把他們幾個都留下來工作，這好像挺奇怪的，現在不能想像了。很快，孫中山的臨時政府和北京袁世凱政府合併了——不是一個政府推翻一個政府，而是合併，把政府搬到北京來。我父親跟着到了北京，就在北京政府工作，所以從民國初年起，我家就在北京落戶了。後來到北伐的時候，1928年國民黨打過來，把北洋政府打敗了，但也不叫推翻，這和我們解放不一樣。解放是推翻蔣介石的南京政府，但那個時候不算推翻北洋政府，而是打倒北洋軍閥的政權，又把北京政府合併到南京，依然是中華民國政府。那時候我還在上小學，北京* 一下空了很多，很多人都跟着走了。我父親那幾個同學也跟着去了，但我父親沒有去。

我的父親不是國民黨黨員，至少我不知道他是。父親一生討厭政治，認為政治是黑暗的、骯髒的，小時候我經常聽他這麼說，所以我想他不是黨員。後來他搞採礦，算是一個工程技術人員。中央政府搬到南京去，他覺得自己是搞技術的，憑本事吃飯，老跟着政治轉沒意思，所以就沒有去。那時候像他這樣的，

* 1928年6月，民國政府將「北京」更名為「北平」，但在日常用語中「北京」也很普遍。如書中「北京圖書館」多則實為「北平圖書館」，「北京師範大學」實為「北平師範大學」。從口語習慣，下同。

畢業一出來叫「技士」，就是技術員，熬多少年有了成績，升為「技正」，才成為正式的工程師。這是兩個不同的級別，大概相當於一個科員、一個科長。我父親一直在北方工作，在龍煙鐵礦，在宣化、石景山，在六河溝的煤礦、河南焦作的煤礦，還有開灤煤礦，他都工作過。

我是1921年生於北京，幼兒園、小學、初中都是在北京上的，直到高中一年級。1937年日本人從盧溝橋打起來，我們才回老家。不久，大部分沿海地區都被日本人佔領了，包括南京、上海這些城市，很多人——至少是大部分的知識分子都跑到後方去了。

三民主義的少年兵

我上小學的時候，先後經歷了北洋政府和國民黨政府兩個時期。印象仍然很深的是，這前後兩個政府的統治有很大不同，至少在我的感受上是這樣。不過這一點，好像寫當代歷史的人都沒有太強調。

民國初年，中國實行西方的制度，也開國會，也是有很多黨競爭。比如梁啟超是進步黨，孫中山是國民黨，小黨派也挺多的。但黨是沒有自己軍隊的，憑選票選到議會裏，誰的票多誰上去組閣。孫中山有個非常著名的助手叫宋教仁，當時「民國偉人」號稱「孫、黃(興)、宋」，宋教仁是其中之一。他滿腦子是按西方的體制搞議會政治、搞選舉，根據選舉組閣，全是西方的理想。不過那個東西並沒有效率，而且結黨營私。表面上看黨派林立，政權像走馬燈一樣，今天換這個、明天換那個，其實都是一些政客在操縱，並沒有搞好。袁世凱當然也看不順眼，就把宋教仁刺死了。

所以，孫中山改組以前的國民黨是按照西方的體制組建起來的，用我們的術語來説，是個資產階級政黨，始終不成氣候。毛澤東總結説：「槍桿子裏面出政權。」至少在中國是這樣的。那些北洋軍閥有軍隊，打到哪裏、統治就到哪裏，孫中山後來為甚麼要把大總統讓給袁世凱？因為孫中山沒有自己的軍隊。沒有軍隊就沒有地盤，沒有自己的勢力範圍，「號令不出國門」，只能在自己的屋裏轉悠。而袁世凱有自己的武裝，實力在那裏擺着，也不會聽他的。所以孫中山就要求，只要袁世凱承認民國，就把總統讓給他。

1923年孫中山改組國民黨，「以俄為師」，學習蘇聯共產黨的經驗，模仿蘇聯的體制，而且是全方位地模仿。比方説，他們之間互稱「同志」，那也是學蘇聯，而西方的政黨內部並不是「革命同志」的關係。蘇聯是一黨專政的革命的黨，黨是領導一切的，包括軍隊。所以孫中山也要建立自己的軍隊，組建黃埔軍校，一定要靠自己的武裝把那些軍閥都打倒。當然後來他死了，北伐沒有成功，到蔣介石接手以後，北伐才算是成功。在軍隊制度上國民黨也學蘇聯，軍隊裏面都有一個政治委員，政委實際上是最後拍板的人。所以日本媒體稱國民黨軍隊為「黨軍」，黨本身有自己的軍隊，這跟西方體制完全不同。西方的政黨哪能有自己的軍隊？包括今天的美國也是，哪能説民主黨有民主黨的軍隊，共和黨有共和黨的軍隊，那不亂套了？

再比如三民主義，包括「民族」、「民權」、「民生」。民族主義就是説中國是受欺負的，中國要翻身獨立。民權主義是指中國過去沒有民主，以後實行民主制度，人民有權，這叫「民權」。最後歸結到「民生」，就是要改善人民的生活，所以孫中山自己説：「民生主義就是共產主義。」民生主義最開始的兩大內容就是要節制資本、平均地權。平均地權當然也要土改，節制資本就是不許個人的資本無限擴大，所有重要的經濟方面的事業都歸國營，鐵路、銀行、大型廠礦都歸國家所有。這是孫中山的改良主義，不過後來並沒有真正實行，蔣介石走了官僚資本的路。蔣介石時期，確實大的事業或者企業大都是國營。大的銀行，像中央銀行、交通銀行都是國營，也有私人銀行，那都是小銀行。問題是，所謂的國營實際上乃是「政府營」，所謂的「政府營」就是政府裏的幾個寡頭營，其實就是官商，和國家、人民沒有關係。

改組後的國民黨在體制上學蘇聯，我們解放後的體制也是學蘇聯，所以基本上是一樣的。國民黨時候，每個地方都有一個黨部，相當於我們的黨委了，黨委現在還是第一把手，國民黨那時候也一樣。國民黨執行「以黨治國」的路線，解放後叫作「黨是領導一切的」，其實內容相同，即一黨專政，以黨來治理國家。簡單解釋就是「一個黨，一個主義，一個領袖」。黨是唯一的，絕對統治一切，「黨外無黨，黨內無派」，甚麼都由黨來決定，這是蘇聯的模式。西方政黨的體制則完全不是這樣，他們是選舉制，這個下來、那個上去，孫中山改組以後的國民黨不是這種制度。他的那個「總理」也不是責任內閣制的「內閣總理」，而是總攬一切都歸他管，所以叫「總理」——後來蔣介石改稱「總裁」，即一切最後都由他裁決。孫中山有一個規定，那是連黃興都不贊成的，即入黨的時候宣誓，不但宣誓入黨，還要對孫中山個人宣誓效忠。所以「總理」或「總裁」，也就是個人獨裁。

以前人們總有一種錯覺，以為國民黨是跟着西方跑的。其實國民黨的體制是學蘇聯的專政模式，與西方的民主模式完全不一樣。西方政黨不是革命的黨，沒有說某個政黨有自己軍隊的，只能通過和平手段，通過競選取得政權。西方的領袖，不但黨外人可以攻擊他，黨內的人也可以攻擊他，更不可能要求黨員對他個人宣誓效忠。然而，國民黨自我認同是個「革命」的黨，蔣介石講話時張口閉口總是「我們革命軍人」如何如何，黨擁有自己的武裝、自己的軍隊，要用武力奪取政權，另行一套體制。所以它必然是個專政的黨，必然有一套與之相配的意識形態的統治，領袖尊嚴神聖不容冒犯。

孫中山改組國民黨的這套「以俄為師」的思路和當時的國際大氣候很有關係。當時的英、美等老牌西方民主國家正值經濟大恐慌，都顯得很沒落，而蘇聯的斯大林、意大利的墨索里尼以及德國的希特勒則氣勢逼人，有一股方興未艾的氣象。所以在二十世紀二三十年代初期，專制獨裁乃是一種世界性的潮流。甚至張學良下野到歐洲遊歷一番後，也相信了法西斯主義，認為只有法西斯主義才能救中國。在這種世界歷史的背景之下，國民黨沒有跟隨英美民主，而效仿蘇聯的專政體制，便不足為奇了。

我做小學生時，北伐以後就有了政治學習，「黨義」和革命史是學校裏的公共課，要背三民主義。「為甚麼説三民主義是救國主義？」一共三條，答：一、民族主義爭取中華民族在世界上的平等，所以它是救國主義。二、民權主義是它爭取甚麼甚麼，所以它是救國主義，三、民生主義是甚麼甚麼。而且每個星期一的早晨都有一節課做紀念週，紀念孫中山的，叫作「總理紀念週」。校長或其他老師帶着我們背〈總理遺囑〉，那是國民黨的《聖經》，就像我們文革的時候天天讀《毛主席語錄》、背「老三篇」或〈再版前言〉*一樣。每個教室裏都掛孫中山的像，上

* 老三篇指毛澤東發表於1949年之前的三篇短文〈為人民服務〉(1944)、〈紀念白求恩〉(1939)、〈愚公移山〉(1945)。〈再版前言〉(1966)由林彪執筆，為《毛主席語錄》之再版而作。以上皆是文革期間舉國傳頌的政治文獻。

邊橫批「天下為公」，那是孫中山題的，他喜歡那幾個字，還有「革命尚未成功，同志仍須努力」這副對聯，下面是〈總理遺囑〉。

其實，一種意識形態究竟能否成功，並不在於它口頭上所強調的。如果不能在實踐中經受考驗，無論理論多麼冠冕堂皇，都沒有意義。我記得有個教國文的老師是國民黨黨員，一次在課堂上說：「總理遺像上的這副對聯有人說要改一下，改成『宋氏尚有一齡，同志仍須努力』。」宋藹齡是孔祥熙夫人，宋慶齡是孫中山夫人，宋美齡是蔣介石夫人，傳說還有一個叫宋妙齡的，可見當時國民黨的黨性程度之低。

國民黨有意識形態的灌輸，開口三民主義、閉口三民主義，就跟我們解放後整天馬列主義、毛澤東思想一樣。但之前完全不是這樣，北洋軍閥沒有意識形態的統治，這是和國民黨時期最大的一點不同。記得我很小的時候，各系的軍閥紛紛爭着佔領北京，今天這個軍隊來，明天那個軍隊來，也不知道他是哪一系的，甚麼奉系的、直系的、皖系的，我都不了解。過軍隊的時候，他們也是排隊唱着軍歌，唱些甚麼呢？說起來非常可笑。他們唱：「三國戰將勇，首推趙子龍，長坂坡前逞英雄。」三國裏的戰將誰最勇敢呢，首先就是趙雲趙子龍，他在長坂坡單騎救主，七進七出，一個人就把阿斗救出來，成了英雄。他們把這個故事作為軍歌，非常滑稽可笑，表明北洋軍閥沒有抓住意識形態這一環，如果有的話，那就是《三國演義》了。再比如國歌，中國古代有個〈卿雲歌〉，「卿雲爛兮，糾縵縵兮；日月光華，旦復旦兮」，蕭友梅為它譜了曲子，這就是北洋時期的國歌。二十年代*末國民黨北伐，國旗和國歌都改了，五色旗變成青天白日滿地紅，國歌裏唱：「三民主義，吾黨所宗，以建民國，以進大同……」這是我們小時候唱的第二首國歌。

另外再說一件事，也可以說明北洋時期和國民黨時期有多麼大的不同。北洋時期，比如蔡元培做北大校長的時候，提出「兼容並包」，請的那些教師裏面有保皇黨辜鴻銘，有黃季剛(侃)，有叛徒劉申叔(師培)。劉申叔也是位國學大師，早年參加同盟會，後來又背叛了革命，所以說他是叛徒，但這樣的人蔡元培也要。還有後來的布爾什維克李大釗，自由主義胡適，陳獨秀——現在應該算他是激進的民主主義了，他也要。還有魯迅、周作人、梁漱溟，他都要。假如北洋政府真要嚴格起來的話，完全可以把北大給封了，把蔡元培抓起來，可是蔡元培在北大卻真正來了一場自由開放，這在國民黨時期就不可能了。

陳獨秀後來被國民黨關起來，雖然共產黨說他是托派，可國民黨還認為他是共產黨，把他關在監獄裏。一直到抗日戰爭爆發，全民抗戰，紅軍改編為第八路軍，這才把他放出來。釋放以後，陳獨秀依然非常窮困，國民黨沒有給他任何生活保證，四川有個人

---

* 指二十世紀二十年代，從口語習慣，下同。

把他請到家裏養着。後來周恩來受黨的委託，邀他回延安，他也不去，說是「士可殺，不可辱」。那時候北大的校長是蔣夢麟。陳獨秀本來是北京大學教授，既然把他放了出來，國民黨完全可以把他送回北大。那麼重量級的人物，無論教不教課、幹不幹事，完全可以給他一個名義，把他養起來，也等於增加自己的政治資本，但國民黨並沒有這麼幹。

我並不想抬高北洋軍閥。北洋時期的那些軍閥根本沒有任何長治久安的打算，他們關心的只是爭地盤、刮地皮，整天你打我，我打你，有的純粹就是土匪。例如「三不知」的張宗昌，不知自己有多少兵，不知自己有多少錢，不知自己有多少小老婆。像這樣的人根本無暇顧及其他，看不慣了可以抓人，但並沒有、也拿不出任何意識形態的東西。這也恰好給五四運動提供了一個特殊的環境，如果是在嚴格的思想專制之下，類似五四運動的思想啟蒙是不大可能出現的。所以我們那一輩的年輕人，或者比我年紀大一些的年輕人，實際上受的都是五四運動的影響。科學、民主，「自由、平等、博愛」，還是蔡元培帶回來的法國革命的口號，我們小時候都已滾瓜爛熟。記得我上小學一二年級時候，有一次舉辦成績展覽，其中有一副對聯是高年級的同學寫的，上面寫着：「仁義禮智信，德謨克拉西。」「德謨克拉西」是甚麼？我不懂，就回家問，姐姐還笑我，說：「這個你不懂。」其實就是英文裏的Democracy（民主）。這副對聯的意思是說：中國文化傳統是「仁義禮智信」，西方的精神傳統是「德謨克拉西」。

比較一下童子軍的軍歌，也非常有意思。童子軍是十九世紀英國人貝登堡創辦的，我小的時候每個學校都有了童子軍，也有軍服。但其實就是體育課，除此之外還講一些知識，比如救生的知識，野營的知識。北洋時期，童子軍軍歌裏唱「二十世紀天演界」、「不競爭，安能存」，那還是清末嚴復翻譯《天演論》裏物競天擇、適者生存的理論。當然，這種理論也並不代表北洋政府官方的意識形態。北洋政府官方沒有意識形態，也沒有意識形態的教育，所以我們的教育實際上是所謂資產階級的舊民主主義教育，從童子軍軍歌就能表現出來。歌詞裏有一句：「哥哥華盛頓，弟弟拿破崙。」後來我們老師還說：「哥哥華盛頓沒有問題，弟弟拿破崙恐怕有點兒問題。」拿破崙搞侵略戰爭，不過我們那時候還是把他的早期看作法國革命的代表，所以就這麼唱下來。北伐以後，童子軍軍歌就改了，當時是言必稱三民主義，所以歌詞改為「我們是三民主義的少年兵」，凸顯意識形態。不過那時候我已經小學四年級，不再是童子軍了，所以我的弟弟會唱，我就不會唱了。

民國十七年，也就是1928年，國民黨的勢力才達到北京，但只統治了很短的一段時期。1931年9月18日，日本佔領了瀋陽，隨後佔領東北，軍隊到達了長城。強敵壓境，北京處於一個最前線的地位，在政治上非常脆弱，國民黨勢力也就沒有那麼強了。槍聲零零碎碎地打了很久，但並不是大規模，打一陣、停一陣，大概有三四年的光景。1935年夏天訂了《何梅協定》，國民黨的勢力就完全退出了華北。但後來據說，並沒有這麼一紙成文的協定。當時負責北方事務的是何應欽和黃郛，何應欽任軍委會北平分會委員長，黃郛任行政院北平政務整理委員會委員長，黃郛的秘書湯鶴逸後來在雲南大學任教。雲南大學的李埏教授曾經和我談到，解放後據湯說，他隨黃郛一起去參加了談判，但並沒有簽訂一紙書面形式的《何梅協定》，只是雙方達成了口頭協議與諒解。國民黨的力量從北平、天津、河北撤出，黨部全部撤走，日本也沒有直接來統治，而是交由西北軍29軍統治。

西北軍是雜牌軍，都是過去舊軍閥的那些勢力，主要是馮玉祥的。那時候他已經下台了，但他的軍隊還存在，不屬國民黨的嫡系。國民黨撤出後，29軍駐紮在北京，成立了一個冀察政務委員會，統治河北和察哈爾地區，察哈爾就是現在內蒙古錫林郭勒盟和張家口一帶。1935年國民黨勢力退出北京以後，情形又有了變化。比如「一二．九」運動，為甚麼那年冬天才發生？這和當時時局有關。那時國民黨勢力不能直接統治了，黨部撤出，取而代之的是雜牌軍。而那些雜牌軍還是北洋時期的作風，實際上沒有意識形態的統治。看不順眼它也抓人，可是沒有一個類似三民主義或者其他甚麼主義的正面理論，所以學校裏面思想反而比較自由。「一二・九」運動爆發在1935年冬天，一直到1936年冬天，持續了整整一年的時間。

「一二・九」見聞

我們小時候經常到天安門開會，有一陣幾乎天天排着隊去。是甚麼會我們並不知道，也不懂得，才一、二年級能知道甚麼？反正有老師帶着，我們就跟着去。天安門前搭個席棚，那是主席台，總見上邊有人講話，也是慷慨激昂的，然後還呼口號，但講些甚麼我們都不知道，小學生哪懂那個。不過當時的政治氣氛還是非常活躍的，尤其北洋的時候。北洋時期的內閣不斷走馬燈似的更換，換個內閣總理兩三個月就下去了，下次又換一個，又下去了。它的統治政權也是跟着槍桿子走，軍隊到哪裏政權就到哪裏。比如奉系張作霖張大帥來了，他就變成國家元首，叫作「安國軍大元帥」，住在順承王府，就是現在政協禮堂的那個地方，當時是張作霖的大帥府。對面有個大影壁，上邊寫着「紫氣東來」，因為它是朝東邊的門，所以是「紫氣東來」，不知道現在拆了沒有。後來到了國民黨時期，天安門集會就少了，因為它是「一統天下」了。

學生運動我經歷過很多，那些學潮大都是不滿當時的政府，不然也不成其為「潮」。學潮波及到中學、小學，包括「一二·九」運動。開頭是大學生，北大的、清華的、燕京的、師大的，都是他們在遊行，經過一個學校就敲門，我們就都跟着跑，抗日救國熱情高漲。學校裏當然也有不同的政治態度，比如我們班，當時是初中了，一說打倒日本帝國主義基本都贊成，因為都恨日本人。只有個別同學不贊成，也分兩種情況。一種屬書呆子型，認為學生就應該認真唸書，不要管政治，當然社會上也有這種意見。另一種是家裏有特殊背景的，比如漢奸或者遺老，他們受了家庭的影響，所以不贊成。

八十年代的時候，有一個北大的學生要畢業了，請我給她的論文提意見。當時正在鬧學運，我就跟她說：「你做一個定量分析，看看各種態度的同學到底各佔一個甚麼樣的比例。」她就做了這麼一個定量的分析。說，大約有十分之一的人非常積極，他們是「專業戶」，專心搞政治運動。大概有十分之一二的同學積極擁護，有一半左右的同學基本贊成，是跟着走的。有十分之一專門唸書，還有十分之一是反對的。這個定量分析和我們解放前的差不多，從小學到中學、到大學，在我的印象中，當時學生的政治傾向基本上就是這樣的比例。有十分之一的人是「專業」的，他們是真正的革命者，或者叫反革命也可以，屬職業政治活動家。國民黨稱他們為「職業學生」，就是說他們不是來唸書的，他們的職業就是搞運動、搞政治。前些年有一次校友會，我見到一個老同學，他的名字我忘了，可是我對他印象很深，個子挺高的。我說：「我記得你，你常和陳良璧在一起，但我就是忘了你的名字。」我和陳良璧很熟，中學同班、大學同學，他們是老鄉，所以他們常在一起。後來他對我說，他在大學唸了十一年。別人都是四年畢業，他怎麼唸了十一年？實際上，他就是以學生的身份搞學生運動。還有十分之一二的人是積極參與的，像貼標語、寫大字報。還有組織活動的，隨便起個名字，比如「愛國社」、「讀書會」，小的七八個人，大的幾十個人。還有歌詠隊，實際上也在做宣傳。所以當時的骨幹大概是百分之十幾的樣子，除此以外，大概絕大多數都是跟着走的。包括我在內，遊行我們都跟着去，我們是擁護的，但要我直接搞活動我搞不了，我也不是那塊材料。然後有大約十分之一是擁護現政權，或者並不反對政府的，他們就不贊成搞運動。當然，也總有十分之一左右是專門唸書的，他們就是全心全意唸書，有的也唸得很好。

五四的時候沒有打死人，抓了一批，但也很少。火燒趙家樓大概抓了二三十人，沒過幾天又給放了。第一，當時的政府也希望緩和。第二，火燒趙家樓是燒曹汝霖的家，可是連曹汝霖在內也提出要趕緊把學生放了。放了以後，蔡元培還帶着師生歡迎他們回來，這好像是今天難以想像的事。最大的一次是1926年的「三．一八」，在鐵獅子胡同，就是現在平安大道的最東邊，學生包圍鐵獅子胡同的段祺瑞執政府，那次開槍了。魯迅有篇文章〈記念劉和珍君〉，寫的就是那一次。那次確實開槍了，死了幾十人，是死人最多的一次。再後來，我所經歷的學生運動，最大的就是1935年的「一二·九」和1945年的「一二·一」。

東北三省以及熱河淪陷以後，日本軍隊長驅直入到了山海關、馬蘭峪等長城關口一帶，時斷時續地對中國發動小規模戰爭。但國民黨政府一味委曲求全，並沒有認真應戰的準備。日本給國民黨施加的壓力越來越大，1935年有個《何(應欽)梅(津美治郎)協定》，國民黨勢力全部撤出北京、天津和整個河北省，把冀、察交給原西北軍的29軍，軍長宋哲元。實際上就是找一個非蔣介石嫡系的雜牌軍管理冀、察地區，作為日本侵華過程的一個緩衝。1935年12月成立了以宋哲元為首的「冀察政務委員會」，其中有一部分人就是漢奸或準漢奸，於是發生了「一二·九」遊行，反對成立這個所謂的冀察政務委員會。

那年的冬天雪下得多，而且特別大，有一次連下了三天，胡同裏厚厚的積雪都沒過了膝蓋。那天早上七點多時，街上人還不多，我在上學路上聽到兩個拉洋車的談話，一個說：「西直門又關了。」另一個問：「怎麼又關了？」那個人回答說：「今天鬧學生。」我料想一定出了大事，到學校才知道是「一二·九」遊行。那次遊行學校領導並不知情，是學生自己組織的。我家住在西單商場附近，記得第二天早上一出家門，就看見道路兩旁的樹枝上掛滿了冰，非常好看。可以想見，前一天的場面會是多麼激烈。宋哲元的29軍用大刀、警棍和槍托毆打學生，並用水龍頭阻止遊行隊伍，可是沒真正開槍，所以沒有學生死，但有人受傷。第二天，各大報紙都開了天窗，也就是撇掉原版，只剩下一頁空白。只有一份外國人辦的英文報紙*The Peiping Chronicle*（《北平時事日報》），對學生遊行進行了圖文相配的大幅報道。我們看不懂，就把報紙給了英文老師，請他講。老師在台上指着圖片講得眉飛色舞，我們在下面聽得也心潮澎湃，還知道北師大的籃球國手張連奎被軍警打斷了胳膊等等，就像在聽英雄故事一樣。

「一二．九」實際上包括四次大遊行。一次是1935年的12月9日，然後12月16日又一次，都是星期一，其中「一二．一六」規模最大，絕大多數的大學生，還有很多的中學生都參加了。第二年春天抬棺遊行，然後6月13日又是一次，至少在北京遊行了這四次。

1936年6月那次我參加了，當時我是初中三年級的學生，不滿十五週歲，跟同學一起去遊行。隊伍走到西單被軍隊截住，不准走了，開槍，但不是真正開槍，而是朝上放空槍。一時學生隊伍大亂，軍警趁亂打了過來，用大刀、警棍毆打學生。隊伍一下就被沖散了，根本無法抵抗他們的襲擊。我和另外兩個同學拉着手鑽進路旁的一個照相館，怕被人看見，不敢站在門口，一直往裏跑，躲到一間小黑屋子裏，後來我們才發現那屋子是洗照片的。我們躲在裏邊，屏住呼吸，聽到外面非常嘈雜，等聲囂慢慢平息下來後才走出來。那些照相館裏的人正在描述外面打鬥的情形，學生如何如何搶棍子、跟軍警對打之類，説得有聲有色，忽然發現我們仨從裏面走出來，都大為驚訝——原來裏面還藏着三個人?!我們從照相館出來以後不敢回家，跑到附近的一個同學家裏，他母親還給我們做炸醬麵吃。下午又有同學來他家聚談，大家都很興奮。當局一味地「敦睦邦交」、「親善睦鄰」，而中國青年終於能夠公開聚眾高喊「打倒日本帝國主義」了。

晚上到家以後，碰到一個我的鄰居，他是另外一個學校的，比我大兩歲。他説那天他們也去了，後來也是被打散，轟到景山公園裏關起來，中午還給他們送饅頭、鹹菜。到了下午，北平市的市長來講話，他是29軍的參謀長，叫秦德純，是宋哲元派去和南京聯繫的，兼任北平市市長，後來做了蔣介石國防部的副部長。市長並沒有訓斥學生，反而撫慰了一番，大意是説還是同情你們的，對日本一定要抵抗，不過不可操之過急以致魯莽誤事。當時29軍的一些高層人物也不想採取與學生為敵的態度，廣大官兵還是愛國的、抗日的，這一點和後來解放戰爭時期國民黨軍方與學生的對立情況就有所不同了。

1936年春天，第十七中高二學生郭清被抓起來後死在監獄裏，學生抬着棺材去遊行，也是被軍警打散了，抓了一批學生關起來。我有一個姐姐是北大化學系的，她是「一二．九」運動的積極分子，在這次遊行中也被抓了起來。後來我們才知道，原來她是地下黨。過了兩天，父親收到一封信，是北大校長蔣夢麟寫的。內容很簡單，大意是說你的女兒被抓起來了，不過請你放心，我一定儘快把她保釋出來，下面是他的簽名蓋章。果然，沒過幾天就把她放出來了。如果按階級成分來劃分，蔣夢麟應該是官僚兼學閥(教育部長、北大校長)，居然出面來保學生，怕也是今天難以想像的。可在解放前，凡是學生出事，校長大都出來保。按說我的子弟上你的學校，你就應該負責他的安全，子弟被抓進去了，從道義上講，你就應該負責把他保出來。所以那時候，校長會出來保學生，包括教師也是這樣。「一二．九」的時候軍警來抓人，學生往往躲到教師家裏，如果教師事先知道風聲，馬上就通知學生，讓他們趕快走。

不過校長總是比較難做，特別是學運。上面有政府在壓他，下面的學生又不斷搞運動，校長被夾在中間最不好受。一方面，做校長的跟學生對立好像說不過去，但另一方面，校長是政府當局任命的，大學的牌子上都寫着「國立清華大學」、「國立北京大學」等等。所以凡是一鬧學潮，校長總是非常為難，蔡元培辭職也是這個原因。

上學記·甲

我有三個姐姐，其中一個是女一中的，後來考上北大經濟系，一個是師大女附中的，後來在北大學化學。所以我的印象一直就是「將來我也得上北大或者清華」，沒有想到別的選擇。當時北大、清華是最大的學校，每年收兩百人左右，在校的學生最多不過八百，考學的時候也有激烈競爭。記得初中三年級畢業那年的暑假，我和關崇焜到學校裏玩兒，碰見我們的英文老師，他跟我們聊天，說：「你們知道今年北大有多少人報考？」我們不知道，他說：「今年考北大的，不算外地，光是北京就有四千人。……你知道北大才取多少？才錄取兩百！」他說這話的時候，神情非常緊張，好像臉色都變了，甚至給我一種恐怖的感覺，好像發生了甚麼重大的事情一樣，所以印象特別深。他那意思是說：你們得努力。

1. 力矯時弊，以古為則？

我們上中學的時候主課三門，國文、英文、數學，那是真正吃分的，大家都非常重視。其餘的屬輔課，一來大多沒有課外作業，二來不算分數，所以都不太注重。而這三門主課裏，國文相對最輕，因為無論好壞總有個七八十分，不會不及格。記得只有一次，一個高年級的同學國文不及格，大家都覺得簡直是奇怪，怎麼能國文不及格？

國文一般沒有不及格的，當然成績也不可能太好，不會給你一百分。在我的印象中，自己只有一次得過一百，那是在長沙讀中央大學附中的事了。本來南方學校是文言文更佔優勢，我們的國文老師陳行素先生又是個守舊派，迷信文言，不喜歡白話文，說：「白話有甚麼可講的？你們自己去看。」陳先生為人很好，可是專門講文言文，教莊子、《史記》，整天強調：「文言文你們不能不做，中國文化真正的精華都在這裏面。」那時候兩週交一篇作文，我知道他喜歡文言文，有一回就故意用文言寫了一篇。其實我知道做得不行，可是他看了非常高興，給了我滿分，同學還說：「哪有作文給一百分的？」就是因為那次用的是文言。

白話文到今天真正流行也不過五十年的時間，解放前，正式的文章還都是用文言，比如官方的文件。除了胡適，很多學者的文章都用文言，研究生的畢業論文也大都如此，好像那時候還是認為文言才是高雅的文字，白話都是俗文。北京是五四運動發源地，白話在北京算是比較流行的，我們小時候就已經不怎麼學文言了。小學正式只學過一篇〈桃花源記〉，因為老師欣賞這篇，所以就給我們講這篇。還唸過幾首唐詩，甚麼「床前明月光，疑是地上霜。舉頭望明月，低頭思故鄉」，都是非常簡單的。中學六年基本上是文言、白話各佔一半，不過那也要看老師。班裏有幾位女同學最喜歡看巴金，我們那位國文老師看不起白話文，在課上就說：「甚麼『春天裏的秋天』、『秋天裏的春天』，我都不看他的。」除了他，一般老師都是文言、白話參半講。文言大多是《古文觀止》裏的那些名文，比如蘇東坡的〈赤壁賦〉，范仲淹的〈岳陽樓記〉，韓愈的〈祭十二郎文〉，個別的還講點詩詞。

考大學的時候一般不要求用文言寫作文，但進了大學以後，各個學校就不同了。我進的是西南聯大，新文化傳統很強，不管學甚麼專業一年級國文是必修，規定作文必須是白話，不能用文言，而且教的內容大部分也是白話，還包括林徽因和徐志摩的。可是在南方的中央大學，中文系主任汪辟疆，那也是名人了，新生一入學，汪辟疆就寫了一個告示，說：「本系力矯時弊，以古為則。」「時弊」是甚麼？就是白話文。就是說：本系要極力地矯正當時的壞風氣，以古作為我們的準則。

我上學的那一輩同學，除了極少數有家學淵源的以外，絕大多數人的古文根底、國學根底都不行，因為從小就不讀那些東西了。小學先從最簡單的「人、手、足、刀、尺」開始唸，然後是簡單的白話文，這跟我們上一代的人不同。他們從小就讀古書，四書五經唸下來，對中國的經典非常熟。可是我們，像《論語》、《孟子》都是到了大學才開始看，以前只知道名字，沒有真正讀過。七八歲的時候，有一天父親遞給我一本書，說：「今天背完了再出去玩。」拿來一看是《大學》，「大學之道，在明明德……」甚麼意思我根本不懂，只知道背不完不准出門，不過我印象中的也只有這麼一次。

我們這一代人的國學根底非常差，一方面受到五四運動的直接影響，另一方面，我想也和政治有關。國民黨時期有一股復古風，在它的最高權力機關，比如戴傳賢(季陶)，他就是一個主張「尊孔讀經」的。像北京的宋哲元、山東的韓復榘，在南方我的家鄉，湘系軍閥何鍵，在廣東，號稱「南天王」的粵系軍閥陳濟棠，都是極力主張「尊孔讀經」。這一點給我們那輩人一個反感，為甚麼這些人都主張「尊孔讀經」？可見「尊孔讀經」絕不是甚麼好東西。我們的想法可以說是很幼稚、很天真的，不過你想，這些官僚軍閥能提出甚麼好東西？他們越要「尊孔讀經」，我們就越不「尊孔讀經」，用文革的話，跟他們對着幹。所以我們這一輩人，傳統國學的基礎都很差，絕大多數都沒有入門。

還有一個原因，我們那一輩人所學的內容相比過去要複雜得多，國文、英文、數學、物理、化學、生物、生理衛生，歷史、地理包括中國史、外國史、中國地理、外國地理，還有體育、勞作、音樂、圖畫，還有童子軍、軍訓，亂七八糟也挺忙活，所以不可能真正把精力放在某一項上。我現在想，其實這也有道理，因為我們要「與時俱進」。時代已經進步了，你還一上來就背「子曰」、「詩云」，這也行不通。我們畢竟生活在現代，時代需要你多方面的發展，那就得甚麼都學一點。不過這就使得我們國學的基礎非常差，很多有關傳統的知識都是聽說書的講的，或者看戲看來的。

總的來說，我們這一輩受到的教育承接的是西方的傳統，而不是中國的傳統。數學學的是加、減、乘、除的四則運算，到了小學高年級開始接觸應用題，初中就學初等代數、初等幾何。我們的幾何教材是北師大數學系傅種孫編寫的，後來他做了師大副校長。記得《幾何學》開宗明義就是對基本概念「點」的定義：「今有物焉，無以為名，稱之為點。」使人摸不着頭腦，簡直就像「道可道，非常道」。我們的老師反覆講，幾何學裏所有概念都是由「點」引申出來的，因此「點」本身便不能再加以定義。從論理學(邏輯)上說，《幾何學》裏對「點」的定義是最準確的了。

英語的學習始於小學三年級。我們那位英文老師極其嚴厲，每天默寫十個生字，寫不上來不准回家，錯多了還要打手板。所以我每天只背七個生字，算是及格，可以免打。上了初中，我們用的一本英文教科書是師大附中編的《中學英文選》，語言非常優美，讀起來琅琅上口，很多我都能背誦。比如Franklin的*Poor Richard's Almanac*（《窮查理年鑒》）中的格言，還有Washington Irving的*Rip van Winkle*（《瑞普・凡・溫克爾》)。到了大學，理科不用說了，百分之百都是美國教本。法科也是，比如法律學、經濟學、政治學，統統都是西方(主要是美國)的教本。至於文科，那要看學甚麼專業了。比如中國史，那只能用中文的，不能用外文本，可是要學世界史，包括古代史、中古史、近代史，就都是美國的本子了。再比如學中國古典哲學的，那得有很好的古文基礎，可是學西方哲學的，比如康德、黑格爾，只要把外文學好就行了。

可是現在我跟年輕的同志談起，還是說：「你們還得學古文。」畢竟中國的文化五千年，總有四千九百五十年它的載體都是古文。除非你不要這四千九百五十年，那可以，否則要繼承這個歷史文化的話，就得非學古文不可。而且我還跟那些青年同志們說：「你們中文一定要學好，即便將來出國不回來了、你做了外國人，可是你的優勢就在於你有中國文化的基礎。假如把自己的優勢給放棄了，挺可惜的。」借用文革的話講，那是融化在你血液裏面、滲透在你骨髓裏邊的，是你天然的優勢所在，所以一定要學好。你別跟外國人一比，外語比不上他，你對中國文化又不懂，那是不行的。

2. 無事亂翻書

上了初中二年級以後，漸漸脫離幼年時代的愛好，似乎有點開竅了。從前比較狹隘，僅僅限於《三俠五義》、《七俠五義》、《水滸傳》之類的武俠小說，還亂七八糟看了好些筆記小說，包括《聊齋志異》。記得有一次作文，我模仿《聊齋》胡編了一段鬼故事，老師寫了句批語，說：「你這學的是《聊齋》吧，以後不要學這種文章。」但是到了十三四歲，正是知識初開的時候，逐漸開始接觸近代，看些雜誌、報紙和新出版的東西，慢慢有點開眼界了，對於時局和政治也關心起來。因為年輕，吸收也快，每次跑到北京圖書館一次可以借五本書，差不多一個星期都能看完。而且看了又換、看了又換，知識擴充的速度要比成年和老年快得多。

記得有一套「開明青年叢書」。開明書店當時是很不錯的，解放以後改為「中國青年出版社」。這套書非常之好，大概有五六十種之多，所選內容都很精彩，比如豐子愷、朱光潛、王光祈的書。豐子愷不只是美術家或者文學家，而且介紹了許多新知識，像《孩子們的音樂》、《近世西洋十大音樂家故事》，還有《西洋建築講話》，從古希臘的神殿講起，讀後我覺得非常滿意，大大開拓了自己的視野。其實豐先生不是學音樂的，也不是學建築的，都是抄日本的二手貨，不過對我們來說卻是新知。好比你編一本幾何學教科書，或者代數學教科書，並不見得你的幾何、代數水平有多高，可是這本書本身有影響，給中學生唸了就增長知識，其價值不在學問本身。

再比如梁啟超的書，那時候我也喜歡看，可以說，我們中學時代很大一部分的知識來源都得自梁啟超。其實裏邊很多是抄日本的，要用現在的要求來說，那是抄襲，得揭發！不過不能那樣看待他。那時候中國人沒接觸西方文化，最初一步只能是抄襲，靠從日本轉手。梁啟超自己說：「未能成佛，便先度人。」自己還沒成佛，就先救別人。在當時，大家如饑似渴地需要這些東西，他知道一點馬上就告訴大家，所以我們不能嘲笑他，就好像你不能嘲笑三歲小孩子一樣。人的成長過程本來就是這樣，那時候我們正像三歲小孩兒剛剛學知識，必然有這麼一個過程。梁啟超的思想非常敏銳，甚麼東西都往裏搬，搬了我們就受它的影響，所以他的貢獻非常之大。

我覺得，對一個學人應該有兩種評價，或者說兩種標準，一是學術研究方面，看他是不是有貢獻，另外一個標準就是他對時代的影響。有很多人對時代的影響太大了，包括梁啟超、胡適，他們影響了整個一個時代的風氣，就不宜單從專業的角度來衡量。在某一專業的研究上，他們也許未必有多大貢獻，可是他們對於整個時代的影響實在太大了。包括郭沫若在自傳裏都講，他們那個時代的青年幾乎沒有不受梁啟超影響的。梁啟超對我們那一輩的影響也非常之大，有好幾篇文章我現在都記得，比如《論中國學術思想變遷之大勢》，那是講中國古代思想的，還有《中國歷史研究法》，我們都讀的。和梁啟超一樣，胡適的功績在於宣傳新文化，可以說相當於西方的伏爾泰，都是領導一個時代風氣的先驅，功績是偉大的。其實我們對各方面的人才都需要，不光是大詩人、大科學家，我們也需要領導各個時代風氣的宣傳家或啟蒙者，他們都是有貢獻的。

我有一個同學叫關崇焜，家裏是官僚貴族，父母兩系都是尚書級的。入了民國以後，當然也沒落了，不過他們家的房子非常好，深宅大院一層套一層，而且藏書很多。我和關崇焜很要好，經常跟他借書。他家裏舊書特別多，二十四史一大套，我看不了，而且也不想看，他就推薦了《清稗類鈔》。那是一套清人筆記，屬野史，記載的大都是清朝的真人真事，這就大大增長了我的歷史知識。而且讀起來挺有意思的，雖然都是文言文，可是並不難懂。所以一直到後來我都喜歡讀野史，總覺着它較之正史更為人性化，也更真實。

除此以外，他還借給我許多新文學的書，比如冰心的散文、徐志摩的新詩。徐志摩的詩我很欣賞，讀起來上口，可以背誦，這是其他白話詩比不了的。其實徐志摩的詩也是模仿，模仿英國浪漫派，可那時候對我們來説卻是一個很新穎的東西。茅盾的書我不喜歡，是硬着頭皮讀的，因為那些小説的背景都在上海，寫股票市場裏多頭、空頭如何操作之類。我對那種生活完全隔膜，一點兒都不懂，所以看着沒興趣。巴金的文章我也不欣賞，一直到老了我都不欣賞，覺着那些東西就是平鋪直敘，而且缺乏思想深度，得不到甚麼啟發。可是魯迅先生辛辣、諷刺的筆觸卻很打動我，我對他那麼冷酷無情地鞭撻中國人的劣根性深有同感。解放以後，大概我們的評論家們認為應該鼓舞中國人的士氣，不能妄自菲薄總說洩氣的話，所以對民族劣根性方面不再提及，一提就是光榮偉大、勤勞勇敢，一直到今天都有這個問題。不好的時候自卑自賤，好的時候就跳到另外一個極端自高自大，動不動就把老祖宗搬出來，這不和阿Q心理一樣？這是沒出息的表示。我認為，一個人、一個民族的完善都需要正視自己的缺點，唯有如此才能真正鼓舞士氣、真正進步，否則徒然助長虛驕之氣，是沒有好處的。

某些學術性的東西我也喜歡。比如1937年春天，開明書店出版的《中學生》雜誌裏連載了顧頡剛先生的三篇文章，講明末清初的三大家，顧炎武、王夫之和黃宗羲，讓我大開眼界。沒想到多年以後，在歷史所和顧先生認得了，文革時候竟然還關在一個牛棚裏。還有朱光潛的《給青年的十二封信》、《談美——給青年的第十三封信》，似乎給我打開了看待世界和人生的又一扇窗口。記得第十三封信的最後「慢慢走，欣賞啊！」，他說，人生中很多挫折和不幸都是不可避免的，關鍵在於我們如何去看待。阿爾卑斯山奇峰峭壁，風景壯麗，可是很多人在遊覽時都是驅車前行，風馳電掣一轉眼就過去了。所以路邊就豎有一個牌子，寫着「慢慢走，欣賞啊」，意在提醒遊客要慢慢欣賞美景，不要走馬觀花。文中談到，人生就像遊覽阿爾卑斯山，要經歷無數的艱難險阻，我們應該好好地欣賞。

《天演論》我是後來才看的，那時候沒有看過。嚴復是桐城派，他的文章完全是桐城派的筆調，非常難讀，所以我也讀不下去。零零碎碎的聽別人介紹，甚麼「物競天擇」、「適者生存」，那是轉手來的。但是，達爾文的進化論對中國思想界的影響非常之大，就連我們小時候童子軍的軍歌都是「不競爭，安能存」。達爾文的思想以及隨後風行一時的實證主義思潮影響到胡適，胡適的思想缺乏深度也與此有關。他始終都停留在進化論的階段，停留在實證主義，而且批評別人時也是這樣說：甚麼甚麼人為甚麼還這樣思想呢？因為他沒有接觸進化論的緣故。胡適接觸了進化論，卻被進化論束縛了，處處都受了它的限制。林琴南(紓)也是桐城派，也是位文學家，可是他的文筆卻很容易看。他介紹了很多西方的文學作品，大概有一千萬字，大部分由商務印書館出版，叫「說部叢書」。因為都是小說，而且每本都不太大，一天就能看一本，所以我讀過不少，深受其影響。

中國對西方有一個認識的過程。鴉片戰爭打了敗仗，知道他們的船厲害、炮厲害，我們打不過。過了二十年，開始要進步了，知道洋人不只會開炮開船、會造機器，還有科學，否則怎麼能船堅炮利？所以就成立了同文館、廣方言館等等，學習西方語言、西方的科學知識。又過了三十多年，知道他們之所以比我們先進，除了有聲光化電的知識，還有一套與之配套的政治體制，有議院可以「通上下之情」，人民的意見可以反饋到上層去。康有為搞戊戌變法，就是要開議院，通上下之情，那時候叫立憲，要實行憲政，這就又進了一步。到了五四前夜，又知道洋人也有精神文化。過去我們總認為，中國的東西是最好的，中國的仁義道德全世界第一，所以只學人家的船堅炮利，學點聲光化電，用王國維的話講，那都是些「形而下之粗跡」。王、梁一輩人介紹西方哲學，中國人才逐漸了解，原來人家也有自己的一套哲學。既然要開放，就應該也知道人家的文化。林琴南介紹的那些文學著作，寫的都是人心、都是感情，原來西方人也有很精微的精神生活和思想感情，不像我們想像的那樣只會做機器。這使中國人對世界的認知更深入了一步，而且是非常有價值的。

林琴南的功績還是應該肯定的，不能只用翻譯的眼光去評價他。實際上他也並不懂外文，先後找過幾個人合作，其中以杭州魏易最佳。他給林講故事，然後林就完全用自己的話來寫。林琴南是桐城派，文筆不錯，可是也鬧出好多笑話。比如他在一本小說裏描述，某個人生氣了，就「拂袖而去」。中國古代的衣服是寬衣博帶，生氣了把袖子一甩就走，叫作「拂袖而去」。可西洋人穿的是西裝，袖子挺窄的，沒法「拂袖」，所以就鬧了笑話。不過我們不能從翻譯的角度去看他，說他哪裏不符合原文、哪裏不符合原義。在文化轉型時期，在當時的條件下，他輸入那麼多東西，對中國是有貢獻的。再説那也不是翻譯，而是別人告訴他一個故事，他用自己的筆重寫。嚴復比他好一點，因為嚴復懂英文，可他是按照自己的意思譯，加了很多自己的東西在裏邊。所以現在要是專門研究嚴復的話，得仔細對照原文，看看哪些是他自己加上去的，哪些是原來的內容。

另外還有兩本書讓我覺得大開眼界，一本是James Jeans(金斯)的《神秘的宇宙》。金斯是英國的大物理學家，不過他也寫些通俗和哲學的東西，在當時是非常新的書，被收入「開明青年叢書」。還有一本書叫作*The Nature of Physical World*（《物理世界的性質》），商務印書館出版，中譯名為「物理世界真詮」，作者也是英國有名的物理學家，叫A. Eddington (艾丁敦，今譯「愛丁頓」)。我們那時候不懂科學，以為科學就是「鐵板釘釘子」，但在他們看來，科學並沒有一個客觀的標準。認識是主觀形成的，物理世界不過是你思想中的構造，究竟物理世界是怎麼樣的，裏面有很多的神秘，我們現在理解不了。艾丁敦在書裏講了很多奇怪的東西，比如時間。我們以為時間和空間一樣，幾尺幾寸、幾分幾秒都是客觀的存在，可他説時間本身是可以伸縮的，空間也可以收縮，介紹了費氏收縮作用等等。我不懂科學，但因為作者本人是大科學家，我想他們講的或許也有道理，至少開拓了自己的思路。

實際上，這些對於科學的理論都是唯心的，所以我在年輕的時候既受了唯物論，也受了唯心論的影響，後來始終也沒有排除這種雜駁的思想。我們過去對於科學認識得太樸素了，以為絕對不能動搖，中國最早的近代科學家李善蘭不就認為牛頓經典體系是「鐵案如山」嗎？其實完全不是那麼回事，那是牛頓腦子裏總結出來的，有他本身的主觀性在裏面。後來我上了大學，又看到一種觀點叫作「方便的假設論」，即我們所有的科學觀念都只是靠方便的假設。比如兩點之間直線最短，這是個「方便的假設」。因為它是個公理，沒有證明，你用這個最方便，那你就這麼假設。當然別人也可以不這麼假設，非歐幾何就不承認兩點間直線最短，也可以另外推出一套幾何學。

所以，雖然我們說科學具有客觀的標準，可是這個客觀的標準離不開主觀，總是我們思想裏所肯定的標準，而不是實實在在擺在那裏的甚麼東西。比如你戴上紅眼鏡，看甚麼都帶點兒紅顏色，要是戴個黑眼鏡，就看甚麼都比較暗了。問題是：如果我們不戴眼鏡，看到的東西是否就是客觀的樣子呢？也不見得。因為我們生下來就有一副「眼鏡」，就只能這麼認識世界，至於別的物種是不是也認為如此，那就很難說了。比如一個螞蟻，也許它就體會不到三維。把它放在籃球上跑，可能它對這個皮球的理解只是個平面，這就是它天生的「眼鏡」。人也是這樣，比如四維的空間我們就不會設想。當然科學家也許可以從數學上推論出四維空間，可是我們一般人只能設想三維空間。人的先天認識能力就這麼大，人的思維結構就是這樣給定的，我們只能這樣感知，所以很多大科學家都是唯心論的。愛因斯坦相信上帝，他又補充一句，說：我的這個「上帝」是斯賓諾莎式的上帝。實際上就是大自然，大自然本身是很神秘的。

解放以後有了標準的説法，比如辯證唯物主義、歷史唯物主義，那是標準，凡是不符合的就是錯誤，像金斯和艾丁敦的這兩本書都得受批判。可是解放前，「三民主義」裏邊不講這個，反而允許有各種不同的説法，所以讓我大開眼界，也帶來許多困惑。

當時有一本介紹唯物論思想的哲學書，即艾思奇的《大眾哲學》。那是最流行的，很多青年都受這本書的啟發，從而傾向或者走向了革命。我疑心他也是從日本轉手，但是看了以後反而並不欣賞，覺得他沒有講出道理來，也不知道在談甚麼，總之不是哲學。比如他講事物的變化，開頭就説事物像孫悟空一樣可以七十二變，甚麼甚麼變來變去。我覺得他講的毫無道理，事物是變的，可是能像孫悟空那樣變嗎？人能變成狗，狗能變成人，今天變個猴子，明天變個馬，這可能嗎？那是神話，不是哲學，比喻不能代替論證。一直到解放以後聽他的講演，我都不怎麼欣賞。在我的印象中，他的武斷更多於論證。

不過那時候，思想界也是甚麼都有。記得抗戰前有一本書叫《當代三大怪傑》，書皮上印着三個人的像，斯大林、希特勒、墨索里尼，這就是所謂「當代三大怪傑」。因為當時也有一種思潮，認為民主政治總是亂糟糟的沒有效率，獨裁政治強而有力，所以獨裁政治才是方向。包括張學良，他到歐洲旅行了一次，回來以後也是這種想法，認為中國還是要實行法西斯。抗戰開始後，我回老家考中央大學附中，筆試之後還有口試，考我的是常任俠先生。後來他到軍事委員會政治部的第三廳工作，似乎曾做過周恩來的秘書。口試的時候問了許多問題，別的我都忘了，可有一個問題我至今都記得。

他問：「你喜歡甚麼？」

我說：「喜歡文學。」

「看過甚麼書？」

我隨口說了幾本文學書。

又問：「你崇拜甚麼人？」

崇拜其實是一種迷信，不是甚麼好東西。我那時候也是傾向自由主義的，所以就說：「我不崇拜甚麼人。」

「崇拜墨索里尼？」

我說：「不，我不崇拜他。」

後來我覺得很奇怪，你是個進步人士，怎麼問這個問題呢？不過這也說明，獨裁政治的思想在當時確實風行一時，所以他才這樣問，大概是了解一下我的思想吧。多年以後，好友王浩和我談起當年的口試，説也被問過同樣的問題。他當時回答：「我最崇拜我父親。」他很得意，如此就解決了一個問題。

抗戰前報紙很多，在北京影響大的有《晨報》、《世界日報》、《世界晚報》，後兩種都是前輩報人成舍我所辦。我家裏訂了兩份報，每天放學回家都翻一翻，頂長知識的。北京圖書館裏的報紙更多，中文的、英文的、日文的。記得盧溝橋事件以後，我曾看見一份日文報紙，上邊印着大字的標題「華北赤化之學生非常不穩」。內容我看不懂，但至少有個印象，就是當年日本人對華北學生運動非常關心，因為他們是抗戰最活躍的力量。

那時候雜誌也多，像《大公報》的《國聞週報》，胡適的《獨立評論》等等。林語堂在上海辦《論語》，薈萃了周作人、豐子愷、巴金、老舍等一批當時知名大家的文章，銷路很廣，我幾乎每期必讀。其中印象比較深的，還有一位叫姚穎的女作家。她的文章很俏皮，寫的是「京話」，南京的「京」，專門報道官場上的動向和見聞。後來有一期新年版，這些作家紛紛寫新年賀辭，並附有本人照片，我看到有周作人、豐子愷。豐子愷當時也就三十多歲，照片上卻留着大鬍子，但最讓我吃驚的是姚穎——居然是一位妙齡少女！沒想到她竟能如此熟悉南京的官場。後來才知道，姚穎的先生當時在南京做個不大不小的京官，是借她的名字來寫官場上的事情。抗戰期間，他在甘肅省做教育廳廳長，在一次意外中死了，姚穎自此也從文壇上銷聲匿跡。

還有好幾種跟《論語》差不多的雜誌，比如《宇宙風》。那是陶亢德與林語堂合編的，裏邊有很多很好的文章。鄒韜奮在上海辦生活書店，出了很多進步的雜誌，介紹左派的知識。再有就是看《世界知識》，那是當時左派的國際政治刊物，配有地圖分析國際政治形勢，上海出版的。這雜誌現在還有，不過現在我倒不看了，但那時候通過它知道很多，是我們有關世界知識的主要來源。

國民黨也有好幾個出版社，也有幾家右派雜誌，講甚麼「偉大的領袖」之類，不過並沒有市場，銷路不大。另外，那時候也欣賞蘇聯的一切。因為蘇聯是一種新文化，沒有剝削、沒有壓迫，各盡所能，按勞分配，不勞動者不得食，我們看了就覺得美好極了。當然，實際上恐怕也不就是這樣，但當時卻引發我們無限的憧憬。

3. 天籟幻想

師範大學是當時全國唯一的一所高等師範學校，就在和平門。對門是師大附中、師範附小，那時候就是名校，我高中一年級上的就是師大附中。那時候中學也是全國性的，如果家庭條件比較好，也是把子弟送到大城市裏來上學。城市裏的學生年紀比較小，個子矮，坐前面，而那些從外地來的、鄉間來的往往年紀比較大，坐後面。我有一個很熟的同學，是從綏遠(今內蒙中部)來的，好像比我大三歲。

其實，受教育不一定是在課堂上聽老師講。師大附中南邊是琉璃廠，那是全中國書店最集中的地方，新的、舊的總有幾百家。中午吃了飯，幾個大同學沒事兒就去逛書肆，我也跟在他們屁股後邊轉，真是大開眼界。有好多中國的舊書，也有洋書、新書，都擺在那裏，琳琅滿目。很多新式的出版社，比如商務印書館、中華書局、開明書店，還有北新書局，魯迅的書就是北新書局出的。當然好多書我都不懂，但是看着好玩兒。

比如從前聽説有二十四史，沒看過，到了書店，嚯，那兒擺的有二十五史，還有二十六史。好麼，原來還有這麼多史?!《元史》是中國正史裏邊編得最差的，所以清末柯劭忞又編了一套《新元史》，湊起來是二十五史。清朝亡了以後就沒編史了，民國初年編了一個《清史稿》，不算是正史，所以叫「清史稿」，把它算上就是二十六史。這就開闊了眼界，雖然不一定有多大的學問，但讓你知道原來還有這麼多東西。所以，很多人接受的知識和他的思想並不單純是在學校裏邊上課得來的。那些年紀大的同學去琉璃廠轉，我也跟着在書舖裏轉，轉來轉去，可以知道不少東西。現在沒人帶了，我也懶得去，其實還是應該沒事轉一轉。

有一陣我想學音樂，雖然不清楚到底學甚麼，但真是着迷，現在看來太荒唐了。音樂得從小學起，而且要學得很專業。我沒那條件，只是看了王光祈、豐子愷的書，知道有些個名家，甚麼Mozart、Schubert、貝多芬，音樂界有三「B」，巴哈、貝多芬、Brahms，覺着這些位大音樂家了不起，就想學音樂。那時候北京有個中華樂社，出了一套《世界名歌選粹》，一共五本，北京圖書館有，我就借來抄過一些。另外有一本叫《英文一百零一名歌集》(*The One Hundred and One Best Songs*)，在琉璃廠的商務印書館就有賣，裏邊都是美國小學生、中學生唱的歌，很多人都有一本。像Stephen C. Foster的〈老人河〉(*Old Folks at Home*)*，我們就自己學着唱，大概也學了好幾十首。雖然歌唱得不怎麼樣，副產品倒是學了些英文。

還有一本中華書局印的《世界名歌選》，錢歌川編的，印刷很好，我花一塊多錢買了一本——那時候到小飯舖吃碗麵不過才一毛錢，所以一塊錢已經很貴了。這本書裏選的歌並不多，但幾乎每一首都給我的印象非常深。第一首是法國古諾的〈小夜曲〉，第二首是舒曼的〈夢幻曲〉，聽了真有一種夢幻的感覺。還有舒伯特的〈小夜曲〉，迴腸盪氣的，簡直令人銷魂。後來一個間接機會我又聽了舒伯特的〈聖母

* 〈老人河〉(*Old Man River*)，作者Jerome Kern，此處疑為〈故鄉的親人〉。這是何老特別喜歡的一首歌，每次哼唱起來都沉醉其中，令聽者動容。文中保留了他「深刻」卻有出入的記憶，謹此懷念。

頌〉，覺得美極了，靈魂都像上了天一樣。這本書裏還有一首是從托馬斯的歌劇*Mignon*（《迷娘》）裏選出來的，內容出自歌德的小説*Wilhelm Meister*（《威廉·邁斯特的學生時代》）。邁斯特遊學的時候遇到一個馬戲班的小女孩Mignon，是意大利人，從小被拐賣給了馬戲班。但她總有一個模糊的印象，影影綽綽覺得自己是從一個十分美好的地方來的，於是唱了一首歌，歌詞就是歌德的詩〈你是否知道那個地方〉。聽了以後，我覺得彷彿到了另一個天地，感覺美好極了。

一個人的精神生活，不僅僅是邏輯的、理智的，不僅僅是科學的，還有另外一個天地，同樣給人以精神和思想上的滿足。我想信仰宗教的人大概也有這種感情，這是不能用理智來論證的。我們的科學僅限於邏輯推論的範圍之內，其實在純理範圍之外還有廣闊的天地，還另有一個精神世界，就像《王子復仇記》中哈姆雷特對好友Horatio説的一句話：「這個廣大的世界，許多東西不是你那可憐的哲學所能想像得到的。」*

那時候我有兩個途徑可以聽音樂，一個是抗戰前，學校裏偶爾組織聽唱片。音樂課上也聽，但更多是學生自己組織的，誰家裏有就找點兒來，大家一起聽。另外，當時師範大學有兩個系幾乎是全國獨一無二的，一個音樂系，一個體育系，其他大學都沒有，所以還是很有名的。這對我們有個便利，因為我們學校就在對門。他們有籃球隊，在當時都算是國手了，

*　參見《哈姆雷特》第一幕結尾。

是全國最好的。比如國手牟作雲，作為主力參加過1936年的柏林奧運會。我在西南聯大上學時，他教我們體育，是體育主任馬約翰先生的女婿，後來當了籃球協會的主席。所以，經常他們一比賽我們就跑去看，當然也不要門票了。還有，每個星期六晚上師大都有個自己的音樂會。雖然沒有大規模的管弦樂、交響樂，可是提琴、鋼琴都有，歌唱也有，我們就跑去聽。所以好些歌我都聽過，很熟，感覺真是美好極了。

上小學、上中學的時候，偶爾也去看戲。不過我覺得，京戲是一種太古典主義的東西，它有非常嚴格的形式，你必須按照這個嚴格的形式來表現。像我們作八股文一樣，怎麼破題、怎麼起承轉合、怎麼結尾，要求得非常嚴格。你可以有發揮，可是必須按着這個嚴格的規矩來發揮，一點兒都不能出圈。這就是古典主義的藝術，它跟浪漫主義不一樣，浪漫主義講究發揮個性。而且我覺得京戲的音樂太差了，翻來覆去就只有那幾個牌子。其實應該每一部戲、每一個情節都有自己的旋律，這才符合戲的內容。不能說無論表達甚麼感情、甚麼情節都只限於那幾個旋律，把音樂也臉譜化了。當然我從京戲裏也獲得了很多知識，有些是非常可笑的，讓我以為古代真就是那樣。比如京戲裏打仗，雙方都是一個將領出來帶幾個人，然後兩個主將交鋒，完全看主帥的本事。其實完全不是那麼回事，真正的戰爭不會那樣，可小時候我以為古代打仗就是那樣的。

當年我們還有一個重要的娛樂或者知識的來源，那就是電影。大多是好萊塢八大公司的電影，說它是營養也好，毒品也好，我還真看了不少。當時北京主要的電影院有五家，東城的「光陸」、「平安」、「真光」屬一輪影院。西城的「中天」、「中央」屬二輪影院，設備較差，票價也低，成了我們這個消費層次的人常去的地方。

有幾部我印象很深，像《蝴蝶夫人》，那是歌劇電影，還有《傾國傾城》(*Cleopatra*)，女演員是Claudette Colbert，當時非常有名。再比如莎士比亞的《仲夏夜之夢》，導演Reinhardt，配樂用的是十九世紀作曲家門德爾松的作品，都是世界名人。還有一個印象最深、至今都不能忘記的，是莎士比亞的《羅密歐與朱麗葉》，中文名字叫作《鑄情》。演朱麗葉的是Norma Shearer，那時候北方譯名和南方不一樣，北方把她的名字譯作「薛愛梨」，南方則譯為「瑙瑪·希拉」。演羅密歐的是Leslie Howard，也是《亂世佳人》的主演之一。那時候我十幾歲了，思想剛剛開竅，才知道，哦，原來世界上還有這麼美妙的東西。那時的電影沒有配音，都是原文，當然大多聽不懂，可是偶爾也聽懂幾句。記得羅密歐看見朱麗葉以後，說：「啊，那是東方，朱麗葉是太陽。」聽了非常感動。從那以後，幾次跑到北圖借莎士比亞的中文譯本來看。

國產電影我看得很少，比如《火燒紅蓮寺》、

《關東大俠》之類，相比之下就顯得粗糙一些。演員水平趕不上，攝影技術趕不上，配音趕不上，編劇也趕不上，看了覺得非常之假，沒人家的水平好。當時最流行的小説是張恨水的《啼笑因緣》，電影由胡蝶主演，還到頤和園拍外景。胡蝶後來是電影皇后了，其實阮玲玉演得比她好，屬實力派。我看過阮玲玉主演的《三個摩登女性》，不過她二十五歲的時候自殺了，挺可惜的。江青當時只是一個starlet (沒有名氣的演員)，我沒看過她的電影。張愛玲的出名只在淪陷區的上海，她的小説及改編的電影我們在後方看不到，所以一直到現在，我對張愛玲的作品都不了解。

我小時候讀書不是很賣力，不過成績還説得過去，所以上大學最先考的是工科。其他同學的情況不盡如此，確實有開早車、開夜車的，或者既開早車又開夜車，不過那是死讀書，成績也並不一定很好。我想，這和我們的傳統觀念有關。過去我們是一個落後的農業國家，總想着怎麼起早貪黑，天不亮就去幹，幹到夜裏不收工。我們在幹校的時候，兩個星期才放一天假，而且來不來就夜戰，白天幹不完晚上幹，其實也沒幹出多少成績。成績不是靠體力拼出來的，要是這樣幹的話，撐死了也翻不了一番，更提不上翻兩番、翻三番。一個人一天二十四小時，你不能幹四十八小時的活兒，要這樣拼的話，愛因斯坦做出那麼大的成績，他一天得幹多少小時？

包括現在也是這樣。我們總有一種落後的農民意識，老想着拼命，強調「吃大苦，耐大勞」，可是進步不能光靠這個，不然整個人類文化能進步多少？前些年我們還提過「超英趕美」，為甚麼要超它？不就是它比你先進。可它為甚麼先進？難道英國人、美國人晚上都不睡覺？「滿面流汗，終生荊棘」，這是《聖經》裏的話。「面朝黃土，背朝天」，中國人幹了五千年，可英國歷史才一千年，美國連五百年都沒有，哥倫布發現新大陸才五百年，它們為甚麼先進？我們中國人口是英國人口的二十倍，英國才六千萬人，我們十三億，要論起早貪黑開夜車的話，我們不知道應該比它高明多少。可是近代的偉大開創者，像牛頓、達爾文，包括馬克思(1849年起定居倫敦)，都是出自英國，而不是在中國，為甚麼？是我們中國人懶惰？不能那麼說。李政道二十九歲就得諾貝爾，論讀書，我八十多歲了，肯定看得比他多，怎麼人家得的了諾貝爾，我得不了？其實並不那麼簡單。

想要出成績，總得有三個方面的條件，一是天賦。這點不能強求，每個人天賦不一樣，這沒甚麼可丟臉的。二是環境，這也不是每個人都能爭取到的。第三就是個人的努力。但個人的努力應該得法，不能只講拼體力，老是延長勞動時間、增加勞動強度，那是不行的。讀書也一樣，書讀得好壞跟你拼不拚命沒關係，天天開夜車，我不認為那是一條正路。當然，一個字都不看，那成文盲了，也不行。你好好地做就是了，像吃飯一樣，不吃飯不行，那餓死了，但也並不是吃得越多身體越好，吃多了沒有用的。

鬼子來了

我們這一代人對日本的仇恨非常強烈，我想現在的年輕人已經不會有這種感受了。可以說，對日本人的仇恨是我們這代人難以了卻的情結。比我年輕一代的，也就是解放以後一直到文革時候的中小學生，他們大概也有一個情結，就是對個人崇拜的情結。一聽到偉大領袖，馬上淚流滿面，現在的青年人恐怕也沒有那種情結了。一個時代有一個時代的情結，我們那個時代的情結就是仇恨日本。

1931年「九．一八」事變的時候，我正在讀小學五年級。當時我的一個堂兄從瀋陽來，打算看看北京，再回瀋陽找工作。9月19日那天，天氣炎熱，父親下班回來，一進門就說：「你不要回去了，號外登出來，瀋陽已經被日本兵佔領了。」由於當時的不抵抗政策，不久東北三省就全境淪陷了。歷史的功過很難評說。當時，全國人民都痛斥張學良，作為東北三省的最高長官，竟然一槍不打就全部放棄了。現在我們知道，張學良之所以這麼做是迫於蔣介石的命令，可那時候的人並不能諒解他。迫於壓力，張學良很快撤到了山海關，整個東北三省就此淪陷，北京逐漸暴露在最前線。

那時覺得北京已經不安全了，為了躲避戰亂，不久我們就回了一趟老家。我的老家在湖南岳陽，正在洞庭湖入長江口的地方，離岳陽樓很近。岳陽樓非常有名了，和武漢黃鶴樓、江西滕王閣並稱江南三大名樓。唐代大詩人杜甫題詩「昔聞洞庭水，今上岳陽樓」，到了宋朝，范仲淹寫了一篇有名的〈岳陽樓記〉，「先天下之憂而憂，後天下之樂而樂」，這兩句現在大家都會背。一天我在岳陽樓上玩兒，看見遠處有四艘軍艦冒着黑煙開過來，到了湖中心卸下小皮艇，大概有一二十條的樣子，都是日本兵，擁到岳陽樓上參觀。我看見他們的帽子上印着「大日本軍艦保津」、「大日本軍艦出雲」。「保津」、「出雲」都是他們的船號，「出雲號」就是後來「八·一三」時候的旗艦，也就是司令艦。看了以後，我心裏非常不舒服。怎麼能長驅直入，直接把軍艦開進人家的內湖，這不是敞開了橫行嗎？這在任何主權國家都是不允許的，可他們居然就這樣橫行霸道。

冬天，天氣已涼，我們家又回到了北京。在此之前，我就讀於祖家街的第三中學，那裏曾經是明朝降將祖大壽的舊宅，所以叫「祖家街」。但從湖南回來後正值學期中間，我就失學了。父親的一位朋友和一所私立中學的校長很熟，於是我被帶到這個學校插班。這所私立學校名為「五三中學」，1928年5月，北伐軍佔領濟南，日本人製造了「五三慘案」，該校就是為紀念5月3日國恥命名的。當時，北京有很多以營利為目的的私立學校，又叫「野雞學校」，不過這所學校各方面並不像我想的那麼糟糕。老師都是從北師大畢業的，總體上講水平還不錯，而且盡職盡責，非常誠懇。有一次我和關崇焜在學校裏和數學黃老師談話，他平日對我們倆比較垂青，那天他鄭重地說：「你們就要畢業了，一定要讀一個好高中，入師大附中，將來上清華！」

東北淪陷後，少帥張學良住在北京的順承王府(今政協禮堂所在地)。我每天上學都要從這裏經過，門前堆起沙包，行人路過都要受檢查。應該說，當時的張學良是千夫所指的「不抵抗將軍」，我在課堂上就聽見老師公開地罵：「你堆沙包有甚麼用？日本人飛機扔一個炸彈就把你炸了。」關於張學良私生活頹廢墮落的傳說很多，說他吸毒，說「九·一八」當晚日本人攻進北大營時，他正在看梅蘭芳的戲。國民黨右派元老馬君武還寫了一首當時膾炙人口的打油詩：「趙四風流朱五狂，翩翩胡蝶最當行。溫柔鄉是英雄塚，哪管東師入瀋陽。」(此詩似是仿李商隱的〈北齊〉)

日本1937年攻佔北京，其實在這以前，他們的軍隊早就大量開入。這當然是侵略行為，不過國民黨政府沒有力量阻止，也不敢阻止它。1936年秋天，那時我上高一，9月18日早晨9點18分 —— 他們故意挑這個時間，日本軍隊突然開進北京城。從東長安街走到西長安街，大隊坦克車從新華門的前面開過去，在北京城裏耀武揚威。那時候柏油不太好，放學回來，我看見柏油路上坦克車軋過的痕跡都清楚極了。不過他們這樣做是很失敗的，何必採取這種橫行霸道、不得人心的姿態呢？抗日戰爭中，他們對平民區毫無道理地亂炸一氣，有的都給炸平了，其實越是這樣越激發人們的反感與反抗。

我們都恨日本人，又生氣又害怕，再有就是「高麗棒子」。「高麗」是朝鮮，「棒子」是流氓，在日本浪人的手下做事。日本浪人本來就是日本流氓，那些高麗棒子做他們的走狗，就是流氓手下的流氓，最可恨了。雖然他們是亡國奴，可又自視比你高一等，因為他們是老亡國奴，你還沒亡國呢，所以在他們看來，你是更下一等的準亡國奴。元朝的時候把人分成四種，最高是蒙古人，第二等是色目人，即西域人。第三等是漢人，即中國北方先被征服的人，第四等人是南人，指最後被征服的中國南方的人。漢人跟南人還不一樣，因為北方早就被佔領了，北方人是順民，南方人則更低一等。高麗棒子也是這樣，他本來是亡國奴，做了日本流氓手下的流氓，越是這種人越可惡，正所謂「漢兒盡作胡兒語，卻向城頭罵漢人」。

我在北京只讀到高中一年級就到後方去了。同班同學中有沒走的，在日本統治下又唸了兩年，直到高中畢業。後來我入西南聯大的時候，七八個北京的同班同學結伴同行，從天津坐船到上海，再坐船到香港，由香港換船到越南海防，然後換火車到河口，最後再坐三天小火車到昆明。從河口到昆明並不遠，火車走滇越鐵路本來也不需要三天。但山裏邊鐵路用的是窄軌，和我們的電車一樣，晚上就不開了，而且白天路邊有人招手上，火車就停下來，所以走得非常之慢。這一路很艱苦，從北京到昆明要走三個月，還有走半年、走一年的。因為窮，到了一個地方往往找個小差事餬口，幹上兩個月，然後拿點錢又走，真是不容易。做亡國奴的那種心情不好受，所以才有那麼大的決心。

1939年在昆明，我和以前北京的同學又見面了。問起日本統治下那兩年的情形，他們說，日本人一來就把英文課廢止了，全部改學日文，弄了一個日本人來教，其實也是學校的總監。我說，你們學了兩年，日文應該不錯了？他們說：「甚麼不錯，一個字都沒學，字母都不認得。」大家誰也不唸，考試全班都不及格，最後都是零分。他們還對我講，1937年底日軍攻佔了南京，敵偽下令要全北京市學生參加慶祝遊行，消息一宣佈，全班同學都哭了。雖然我聽到這件事已是兩年以後，依然激動不已。

日本侵略中國不是把中國統一，而是在東北、華北、南京分別扶植幾個傀儡政權。打下東北以後，建立了「滿洲國」，溥儀做皇上，用的那一套人馬都是原來滿清的遺老。比如羅振玉、鄭孝胥，其實他們都只是擺設。打下華北以後，在北京成立「華北臨時政府」，用的是一批北洋時期的政客，表面上繼承的是北洋政府的「法統」。先請吳佩孚，那是北洋時期的軍事領袖，可是吳佩孚不出來，一說是條件談不攏，結果被日本人害死了。後來用王克敏，曾任北洋時期的財政部長。日本人打下南京，又成立了一個「維新政府」，後來改叫「南京國民政府」，扶植的是以汪精衛為首的一批國民黨，包括陳公博、周佛海等等這樣一批漢奸。

1935年12月，以宋哲元為首在北京成立了「冀察政務委員會」，也是個日本侵華的特殊產物。因為無論真正是國民黨或日本哪一方面來了，都不會有他的份兒。日本不過就是利用他作為向「特殊化」的過渡，反過來，如果真正國民黨勢力直接控制了，也不會要他這種非嫡系的舊式軍閥。今天卻為宋哲元送上一頂「愛國將領」的桂冠，似乎很不實事求是。不應無視歷史，「愛國」一詞也不宜貶值。29軍廣大官兵的確是愛國的、抗日的，但宋哲元本人——至少在我的印象裏——不過是想利用這個特殊的環境，在日本人與國民黨的夾縫之中做個土皇帝。所以，他一方面敷衍南京政府，一方面又敷衍日本，在中南海舉辦堂會戲，請馬連良、尚小雲等名角來唱《四郎探母》，享受土皇帝的生活。可日本並不想讓你永遠處在半獨立的狀態，而是要徹底其皇民化的統治，所以這種苟全於夾縫之中的土皇帝注定是要短命的。

「一二．九」運動前夕，《獨立評論》上發表了張奚若先生名震一時的大文章〈冀察當局不宜以特殊自居〉，旨在批判宋哲元的北京軍政當局政府，警醒他們不要賣身投靠日本人。那篇文章當時引起了很大的轟動，為此《獨立評論》還受處分，停刊了好一陣。1937年，中日戰爭已經到了一觸即發的地步，宋哲元仍然在夾縫中求生存，夢想能夠繼續維持他土皇帝的寶座，並沒有積極認真地備戰，而是對日本一味妥協、敷衍，最終導致一敗塗地的慘重損失。我們對宋哲元的痛恨決不亞於對日本的痛恨。如果以大刀、水龍頭鎮壓「一二．九」運動的宋哲元是愛國的，難道「一二．九」運動是賣國嗎？儘管宋哲元後來並未做漢奸，但他的所作所為與「愛國」二字相去甚遠。如果不是他一味地妥協求全，北京、天津和河北不至於那麼輕易地淪陷，等於拱手送人。

日本是1937年夏天動手的，7月7日在盧溝橋打起來，可是宋哲元根本就沒有任何思想和物質的準備，手忙腳亂地不斷後撤。蔣介石在江西廬山舉行會議，請來全國著名的人物，討論對日本作戰的問題。要知道，廬山對於中國近代的歷史影響太大了。過去蔣介石在那裏辦軍官訓練團，而且基本上每一年都把各界的名人請到廬山開談話會，交流意見，其中包括了北大、清華的重量級人物。前幾年我讀曹汝霖的回憶錄，1937年他也上了廬山，蔣介石專門跟他談過話。那時候，連曹汝霖都認為非打到底不可，有人問他：「你不是親日派嗎？怎麼也主張非打不可？」曹汝霖說：「我主張親日，指的不是帝國主義的日本。現在他們侵略我們國家，是我們的敵人，怎麼能再講親善？」* 他說，「九．一八」之後的幾年內，日本政府都無意擴大戰爭，可惜當時當政的人，包括張學良在內，都沒有把握好時機。現在日本軍閥已經形成氣候，日本政府沒有能力控制局面，所以我們沒別的辦法，非打不可了。

應該補充一點，自1935年以後，由於大勢所趨，蔣介石國民政府確實也在備戰，並在各方面都取得了可觀的進步。比如開通了隴海路、粵漢路，儘管這些也是出於對內控制的考慮，但也是針對日本的。另外，還邀請了英國經濟學家李茲．羅斯到中國進行幣制改革，沒有這一項改革，抗戰初期的財政是無法支持的。那時候，蔣介石的談話表現出一種民族復興的姿態，曾經有兩句非常有名：「和平未到根本絕望時期，決不放棄和平；犧牲未到最後關頭，決不輕言犧牲。」但盧溝橋事變發生之後，蔣介石最後決心要打，發表了廬山談話，表示目前已到最後關頭，北平既變成瀋陽第二，南京就會變成北平第二，正式宣佈要抗戰到底。後來毛澤東寫文章，說這是多年以來蔣介石在對外問題上「第一次正確的宣言」。隨後，紅軍按照國民黨的番號改成第八路軍，接受軍事委員會蔣委員長的領導，全國一致抗日。

* 「我主張親日，不是親帝國主義者的日本。現在他們侵略我國，與我為敵，怎能再講親善？」參見《曹汝霖一生之回憶》（中國大百科全書出版社，2009），頁317。

「八·一三」淞滬會戰，日本在上海大舉進攻了。同學關崇焜和我非常要好，他家有無線電，可以收到南京中央電台的廣播。當時正是暑假，我們相約每天下午見面，他都送我前一天收聽、抄錄的新聞，比如中國空軍的英勇作戰、日機追擊英國大使許閣森座車之類。還告訴我説，每次時事新聞廣播之前都先播放〈義勇軍進行曲〉，鼓舞人們對日作戰的士氣和決心。

日本那時候對中國打仗，優勢就在於它的工業基礎比中國強，它的武器裝備和組織訓練比中國強，所以它的軍力也比中國強。在北方還以陸地上打為主，可是在上海，它就有了海、空軍的優勢。那時候中國空軍很少，而且用的都是美國飛機。年紀比我大一點的學生，很多人都去投考航空學校。那一批人素質都很優越，所以中國空軍在一開頭打的時候，戰績還是挺輝煌的。有一位前輩叫沈崇誨，我沒見過，是從報上知道他的。沈崇誨1928年考入清華土木工程系，畢業後又考入杭州筧橋航空學校。「八·一三」的時候，他的飛機被高射炮打中了，他就駕着飛機直衝下去，撞日本的旗艦「出雲號」，二十六歲就殉國了。

上海這一仗打得厲害，一則全國士氣高漲，二則國民黨確實也打。張治中是當時的司令，幾十萬軍隊投入進去，足足打了三個月，不要説全中國，那是全世界都沒料想到的。不過，如果單從軍事上講，這一仗卻打得很不明智。應該是打得贏就打，打不贏就走。地方那麼小，又是平原地帶，無險可守，誰的炮火集中誰就佔據優勢。中國的力量遠遠不如人家，等於是拿人命去換他的炮火，那樣硬打犧牲太大，不值得的。淞滬戰役唯一的收穫就是振作了士氣，「我們也能打」，「也能跟他拼」，在政治上、心理上或者精神上起了鼓舞作用，同時可以獲得更多的國際支持。也許這是必要的，可真要算起細賬來，我覺得划不來。後來上海守不住了，一瀉千里，整個陣營都亂了。日本人攻下南京，首府被人家佔了，然後是徐州會戰。北邊的日本部隊已經佔領了北京、天津，順着山東南下，南邊的則從南京向北打過去，兩邊夾攻。打下徐州以後打鄭州，然後沿着長江向上，1938年的秋天，日本人就打下了武漢。

國民政府從南京撤到武漢，本來主要的後路是粵漢路，通過它走香港，然後就可以和外邊聯繫。那時候國民黨總有依賴心理，太掉以輕心，認為英國或者美國很可靠，日本不會打廣州。結果日本軍隊在大鵬灣登陸，輕取廣州，粵漢路就被斷絕了。本來還有另一條路，從廣西走鎮南關(今友誼關)到越南。可是日本人打了廣州以後就打廣西，這條對外通道也斷了，所以就只剩下一條與外界聯繫的途徑——雲南。雲南南邊通越南，那已是唯一的出海口，實際上對外已經幾乎完全被封鎖了。

返鄉

我在師範大學附中讀完高中一年級，1937年7月底，正值暑假，北京淪陷了。宋哲元的29軍撤出去，接着就是日本統治時期。一開始，日本軍隊沒有直接進城，出頭的是一批漢奸，搞了個「維持會」，還不是一個正式成立的政府。街頭上出現了一些半通不通的標語，如「華北人民結束起來」，意思大概是要華北人民團結建設一個華北傀儡政權，想必都是日本浪人、高麗棒子寫的。8月14日早晨天朗氣清，萬里晴空，儘管還是盛夏，天氣卻很涼。我一大早起來站在大門外等報紙，只穿了一件單衣，覺得一陣陣的冷意。拿到報紙後，我看到頭一天上海開戰的消息，非常耐人尋味。以前都是說：日軍進攻哪裏，我軍奮勇抵抗，收復了哪裏。但北平已經淪敵，隨着局勢的轉變，報紙上的態度和立場開始大為改觀。如果是中國人的口氣，應該是「日敵悍然進攻上海」，但那天的頭版大標題「上海戰事昨晨爆發」，用一種純中性的表達方式，完全是旁觀者的口吻。

蔣介石在廬山會議發表演說，下定決心抗日到底。但當時日本畢竟比中國強，大家都知道要打的話就得下決心長期抗戰，不可能在短期內把它打敗。所以從8月開始，北京就有很多人陸陸續續南遷。上層人士、知識分子走得最多，有錢的、有地位的，覺着不安全就走了。農民離不開土地，他們的生活等於釘在了土地上，除非真正炮火打過來的時候躲一下，否則農民一般不會走。工商界的一般也不走，因為他只能在那個工廠或商店裏工作，走了哪吃飯去？在漢奸維持會的統治下過了一個多月，9月初，除了在煤礦工作的父親，我們家也走了。母親是家庭婦女，對外界很多事情不甚了解。當時我已經十六歲了，算是半個勞動力，可以做一點事，就和姐姐一起帶着母親、妹妹回了老家。

那時候北方在打仗，鐵路已經不通了。主要的兩條鐵路，一條是今天的京廣線，那時叫平漢路，從北平到漢口，但戰爭已經打到保定附近，所以這條路斷了。還有一條叫津浦路，到南京浦口，就是今天的京滬線，因為天津南面打仗也斷掉了。我們只能先到天津，然後坐船到青島——當時已經不能坐船到上海了，因為上海也在打。從青島換火車到濟南，再坐火車到徐州，最後轉鄭州到漢口，那時候大家都這麼走。

我們走的那天早上，天可涼了，而且感覺非常奇怪。火車站一般都人很多，來來往往亂糟糟的，我想古今中外的火車站都這樣，可只有那天早上的感覺特別不一樣。人還是很多，可是靜悄悄的，一點兒聲音都沒有，好像一根針掉到地上都聽得見，整個火車站瀰漫着一種令人窒息的死寂。這種感覺我經歷過兩次，另一次是在1933年春天。早晨天剛剛亮，一架日本飛機就開着機關槍在北京的上空盤旋，啪啪啪啪啪，非常之響，不知道它在打甚麼，可能是示威。我待在家裏不敢出門，等到飛機走了以後才去學校，氣氛也是奇怪極了。一般上課前大家又說又笑，班裏總是亂哄哄的，可是那天一進教室，全班同學都坐在座位上，老師也坐在那裏，一點兒聲音都沒有，就好像都德《最後一課》裏描寫的那種要亡國的感覺。所以離開北京的那個早晨，瀰漫在火車站裏的那種亡國的慘痛給我留下的印象特別深，寂靜得近乎恐怖，好像空氣都凝固了。再比如後來的「運動」期間，開大會，說今天要揪一個甚麼甚麼樣的反革命分子，上面宣佈：「限你五分鐘站出來！否則，就……」全場寂靜極了，一點兒聲音都沒有。「好，還有三分鐘，……兩分鐘。」誰也不知道要揪出去的是誰，我想被揪的人事先也沒有心理準備，不知道要揪出去的就是他。那種感覺非常恐怖，比我們年輕一代的人大概不能想像了。

我們從天津走水路，上船不久，有人從無線電裏聽說天津被飛機轟炸了。記得有個人問：「天津不是日本人佔領了嗎，那還炸甚麼？」那人回答說：「是中國飛機，一共去了六架。」我們聽了都非常興奮。後來到青島換火車，那時候坐車已經非常困難了，等於逃難一樣，人很多，而且運輸也不正常了。因為要保證軍用優先，所以民用的火車沒有正點，只能在車站上等，不查票，也不用買票，甚麼時候車來了你就往上擁。火車一路走走停停、停停走走，非常之慢，也沒有座位，擠個地方能窩下來就行。路上還好，只有一次碰上日本飛機的空襲，來了四架。火車停下來，我們都跑到田裏躲。當地駐防的國民黨軍隊有高射機關槍，就朝天上瞄準了猛打。結果有一架被打中了，冒着黑煙往下墜，大家就歡呼。有個兵士受傷，在飛機向下掃射的時候中彈了，大家都捐錢給他，熱情很高。軍隊也幫助我們搬行李，都是義務的。《毛選》裏有一段，說：「抗戰以來，全國人民有一種欣欣向榮的氣象，大家以為有了出路，愁眉鎖眼的姿態為之一掃。」* 抗戰剛開始的時候，的確是這樣。《大公報》王芸生的一篇社評〈勖中國男兒〉，號召大家抵抗侵略，給我們青年人很大的鼓舞。

一路上遇到許多熟人，比如教我們數學的老師閔嗣鶴，後來是有名的數學家了，陳景潤就是他的學生。閔先生一畢業就教我們，我們是高一，所以應當比我們大七八歲。在天津上船時，我看見他和他兩個妹妹也在船上，從青島坐火車又是同路。後來在長沙，那時候北大、清華和南開已經組成臨時大學，我姐姐就在那兒讀書，我也時常去玩，又看見閔先生了，才知道他在數學系做了助教。西南聯大時候，他又做了華羅庚先生的助教。其實閔先生很了不起，那是我後來才知道的。

路上還遇見姐姐的幾個同學，其中一個叫李頡

---

* 參見〈新民主主義論〉，《毛澤東選集》第二卷(人民出版社，1990)，頁623。

伯，是地下黨，解放後是全國鐵路工會的主席，做過河北省委書記，文革時候也被揪出來。他們當時都是去西安，其實就是去延安。北京的學生離開分幾種情況，一種是直接參戰的，一種回老家，一種繼續上學。那時候，北京師大、北平大學、天津北洋大學幾個學校遷到西安，組成了西安臨時大學。所以，有些革命的學生口頭上說是去西安臨時大學讀書，實際上就是從西安轉到延安參加革命了。

到了鄭州，又換火車到漢口。當時還沒有長江大橋，所以要坐船過江到武昌，再從武昌坐火車回岳陽。我們回老家待了一段時間，也算是休整，記得有一個姨看見我說：「你怎麼瘦了這麼多？」我臉原來挺圓的，可路上走了一個多月，不得休息不得吃，非常辛苦，所以瘦了許多。

也是故鄉，北京

我是1921年秋天在北京出生的，1937年秋天離開時剛滿十六歲。對我來說，北京就是我的故鄉，所以離開的時候非常留戀。儘管懷念的都是些很細碎的東西，但給我留下的印象美好極了。

我的家在北溝沿，現在改作趙登禹路。對門有個小商店，賣油鹽醬醋，有時候也賣點兒青菜。一個掌櫃、兩個學徒，總共就這麼三個人。因為就在我家對面，所以我時常經過那個舖子，而且常到那裏買東西。當時那條路還是土路，常有趕大車的人從鄉間來，就在小商店的門前停下來歇腳。那些都是真正的下層勞動人民，你從他們的裝束就能看出來。一進門掏出兩個銅板，不過相當於幾分錢吧，往櫃枱上一放，說：「掌櫃的，來兩口酒。」掌櫃就用一個小瓷杯倒上白酒遞給他，然後拿出幾個花生放在他面前。客人一邊剝着花生吃，一邊喝酒，一邊跟掌櫃的聊天，一副挺悠閒的樣子。其實兩個人並不相識，談的都是山南海北的瑣事，然而非常親切，就像老朋友一樣。東拉西扯地聊個十來分鐘，說聲「回見」就上路了。這個場景一次次出現在我的記憶裏，讓我感覺到一種人與人之間的脈脈溫情，現在是不可得而再。現代化節奏的生活中，往昔的那種人情味再也看不到了。

對我來說，平生讀書最美好的歲月只有兩度，一次是從初二到高一這三年，另一次就是西南聯大的七年。小的時候身處北京，讀書條件非常優越，只需在學校領一張卡片，蓋章之後就可以到北京圖書館借書了。北圖以前在北海西側，從我家到那裏只要騎十分鐘的自行車。每個星期六下午沒有課，中午吃完飯，我就騎車到北圖去借書。北圖的房子蓋得很漂亮，環境非常優美，也很幽靜。剛一進去是柏油路，自行車騎上面沒有聲音。可是存車處前又是一段沙路，騎在上面便發出沙沙的聲音，非常動人而富有詩意，至今回想起來仍然神往不已。週末放假了，心情非常輕鬆，到那兒一次可以借五本書，很方便，這就是一個星期的精神食糧。多年以後我去北京圖書館，就只許填三張借書單了，而且要等很長時間，還未必借得到。抗戰前的那段日子因為知識初開，兩三年就可以讀不少書，開闊了眼界，自我感覺美好極了。可是後來一打仗，那種美好的生活就中斷了。

當然也有非常悲苦、窮得不得了的一面，骯髒、貧窮、落後，隨處可見。東城有幾條比較好的大胡同，都是些很好的房子，是大宅門。可是你再看那些窮困的居住區，比如西城、北城那些破爛不堪的大雜院。本來普通一個四合院住一家，可是他們的院子連「四合」都談不上，裏面住着很多家，而且大部分都沒有正當職業，或者是失業的，窮困極了。他們生活的唯一樂趣就是夏天晚上湊在一起東拉西扯，也唱一些歌，比如曹禺劇本裏提到的「正月十五廟門開，牛頭馬面兩邊排……」這就是他們的流行歌曲。每個社會的文化總有兩種，一種是上層的高雅文化，一種是民間的俗文化。乾隆時候的文學家、歷史學家趙翼有一首詩，說：「李杜詩篇萬口傳，至今已覺不新鮮。江山代有才人出，各領風騷數百年。」北京那時候也就一百多萬人口，其實真正讀過李杜詩篇的，我想大概連百分之一都沒有，恐怕不會超過一萬人。我自己當時就不讀李杜詩篇，要說讀過的也就《唐詩三百首》裏選的那幾篇，到成人以後才真正翻上一翻，那算是高雅的文化。另外一種就是人民大眾的文化了。比如剛才提的那兩句，「正月十五廟門開，牛頭馬面兩邊排」，我想北京總有六七十萬，也就是半數以上的人都會唱。可是這種流俗文化卻不流傳了，如果不是曹禺寫這兩句的話，大概現在不會有幾個人知道了。

歷史有兩個特點，第一，所有的歷史都是由勝利者寫的，而不是失敗者寫的。比如秦朝，秦始皇、項羽、劉邦三股力量最大，最後劉邦拿下天下，建立了漢朝。所以漢朝人寫歷史必然都是擁護劉邦，把另兩個人貶成反面人物，這是必然的。假如秦始皇也能一統天下三五百年，那麼這三五百年寫的東西，就都會是擁護秦始皇、美化這位太祖高皇帝的了。歷史都是由當權者寫的，誰當權就寫誰，你垮台就沒你的戲了。所以，我們讀歷史的時候得打折扣，打勝利者的折扣，這一點古今如出一轍。比如毛澤東死了以後華國鋒上台，哪個地方都擺他的像，而且給他的頭銜是「英明領袖華國鋒」。可是後來華國鋒一下台，這些都不提了，他的像自然也就看不到了。

第二，歷史都是高雅的上層階級寫的，真正下層群眾寫的歷史幾乎沒有，也不可能流傳。所以我們所看的都是正史，甚麼二十四史、二十五史，那都是官方寫的，只代表高雅的上層，而不代表下層。你要是真看了下層的歷史，就會知道，廣大人民真是太悲慘了，又窮困、又愚昧，而且到了地位很卑賤的時候，連起碼的人格尊嚴也喪失了。用盧梭的話來說，根本就配不上「人」這個稱號。像《紅樓夢》裏寫的，主子一罵下人，下人就自己打自己的嘴巴，完全成為一個奴才，一點兒做人的尊嚴都沒有了。在這一點上，應該有一點唯物論：必須要有一定的物質基礎。比如必須有飯吃，才可以不受外界的壓迫，否則只能低三下四，但求苟全性命，一直到後來都是這樣。

再比如文革時候，歷史所抓「五一六」，那是個「反革命陰謀集團」*，當時抓了一大串人。個別也有不承認的，像我們同組的一個人，叫楊超。我對他的印象還很好，他就不承認自己是「五一六」，留了一份遺書，說：「我不是『五一六』，我不知道誰是『五一六』。」然後自殺了。其餘也有兩三個不承認的，但好幾十人都承認了自己是「五一六」，這簡直不能想像。當然現在也都平反了，因為根本就不存在甚麼「反革命陰謀集團」，可是那時候他們自己都承認。「人」到了如此悲慘的地步，以致喪失了起碼的做人的尊嚴。你一罵他，他馬上就承認是自己有罪，沒有一個敢據理力爭，這一點使人思之不免黯然。

以前北京有一種說法，叫作「東富西貴，南賤北貧」。東城有錢的人很多，你從那些胡同就能看出來。像東總布胡同、西總部胡同、無量大人胡同，還有現在的東單幾條、東四幾條，那些胡同比較整齊，房子好。另外，洋人來了以後大部分都住在東交民巷

* 在毛澤東的造反號召下，1967年3-8月間，北京高校極左學生組織了「首都五一六紅衛兵團」，秘密策反，矛頭直指周恩來等。雖人數不多，但毛極為震怒，旋即鎮壓。1970年，中共在全國展開「清查五一六運動」，以莫須有罪名，數百萬無辜者遭迫害。直到1974年，全部不了了之。

那一帶。比如洋人把王府井叫作"Williamson Street"*，英籍澳人威廉姆斯經營了這條街。洋人帶動那片的商業、文化，像平安電影院、光陸電影院都在東城。

西城王府多，所以叫「西貴」。恭王府、醇王府現在還在，還有端王府，就是後來江青修的那片房子，據説想改為她的別墅。現在教育部的那個地方原來也是個很大的王府，叫鄭王府。普通的封王、封侯，他的下一代雖然繼承，可是要降一級，幾代以後就成為平民了。清初時候封了八個最有功的王，叫作「鐵帽子王」，那是世襲罔替，永遠不降級的，鄭王就是其中之一。所以原來的鄭王府非常高級，大概現在只留下幾間房子，其餘的都拆掉變成樓了。另外，我家以前住在西城，是個比較小的四合院，附近王侯宅第也很多，北邊的胡同叫「太安侯胡同」，往南是「武定侯胡同」。我去過太安侯的府第，那本來是侯爵的家，但已經破落了，變成一個大雜院，住了好多人家，大多是貧困戶。我有一個同學就住裏邊，曾經帶我到原來那個府的後花園去玩，還挺大的，普通人家哪會有自己的花園？

南城是明朝嘉靖以後擴充的，原來南邊就到正陽門為止，後來覺得不夠就往南推進，又築起了一道外城。很多商人住在南城，包括一些大買賣。可是中國古代歷來重農輕商，所謂「士農工商」，商人等級最

* 疑為"Morrison Street"，英國《泰晤士報》駐京記者喬治．莫理循長期定居於此，曾擔任袁世凱的政治顧問。

賤，所以舊北京的商人最和氣，對你殷勤極了。記得我有個堂兄從老家來，他說：「哎呀，北京的商人可真是會做買賣，進了商店，你都不好意思不買東西。」因為我們湖南商店裏的那些人非常兇，你要問個東西，他就說：「你買不買?!」不買，他就不給你拿。南城是商業區，飲食、娛樂這些相應的行業也隨在一起，賭場、妓院，那些更是下等人了，還有戲院和「戲子」。自古以來優娼不分，優就是娼、娼就是優，所以戲子的等級跟娼妓一樣，也屬「賤民」。包括那些名角，至少在他出名之前也是這樣。這些人住在南城，「南賤」指的就都是這些行業。

《儒林外史》裏有一段講兩個讀書人在茶館喝茶，看到一個商人，大概挺有錢的，也儒冠儒服，一副知識分子的打扮，坐在那裏喝茶。結果被那兩個人發現了，一陣好打，「你也敢來冒充儒生！」因為「士農工商」，知識分子高人一等。別看你現在有錢了，但商人還是低人一等，不能穿「士」的衣服。有一次和雲南大學的李埏先生談天，他是我們老學長，歷史系李伯重的父親。我說：「我們文革還缺一件事，還沒有從服色來表現人的階級。」中國古代是這樣的，甚麼階級穿甚麼衣服，非常嚴格。甚至於三品官不能穿二品官的衣服，被抓住了不得了，那你是冒充，就跟我們現在不能穿警察服一樣。我跟他開玩笑，說：「文革的時候階級分得那麼嚴格，怎麼沒從服色上劃分？」他說雲南搞過一陣，凡是「地富反壞右」都得戴個黑箍，可是效果非常不好。比如商店裏，售貨員也有「黑五類」，凡是戴黑箍的顧客不敢找別人，只找戴黑箍的售貨員。戴黑箍的售貨員態度也特別好，結果那些「紅五類」的也喜歡找他，反而成了最受歡迎的人。這就造成了一個相反的效果，所以後來不實行了。他說的這個也是實情，假如我們被降了級，打入異類，就只能跟同一級的人交往。甚麼階級說甚麼話，你是被專政的，就不敢和那些專你政的人交談。這一點表現了我們社會的封建性還是非常濃厚的。人分三六九等，總會有人比較有錢，有人比較窮，這是自然的分。可是不要政治上的人為劃分，等於把社會的不平等上升為政治上的等級制。

再說「北貧」。漢人大多從南方來，居住在南城，而北城，比如鐘鼓樓那一帶，從前住的都是旗人。旗人不工作，在清朝吃的是皇糧，一個月給發多少糧食，但一般也不會很多。許多人不夠吃的，又遊手好閒，整天提籠架鳥逛茶館，盡是些窮人，所以叫「北貧」。小時候聽到很多笑話，都是嘲笑那些旗人的。比如有一則說某個人家裏有一塊豬油，出門就拿它來擦擦嘴，讓人看着他滿嘴的油，好像家裏吃得多麼好似的，那說的都是旗人。

小時候經常去一些地方看熱鬧。那時北京有兩個大市場，一個是東安市場，比較大，也比較新，有高檔次的飲食、高檔次的商品，還有大戲院，比如吉祥戲院，包括梅蘭芳就在那裏演出。另外還有一個西安市場，在西四牌樓，離我家很近，主要是供市井下層人民消費的娛樂場所。市場裏面大約有二三十家説書的茶館，説的基本上都是三國、隋唐、岳傳等等歷史演義的故事。其中以公案居多，像《包公案》、《施公案》、《彭公案》，多有武俠情節，説書人講得栩栩如生，我們小孩兒聽了更是着迷。還有灤縣的皮影戲也很精彩，我有一個同學對此非常了解，甚至知道誰的皮影表演技術最精湛，説：「某某一個人就能演一齣有二十多個角色的《長坂坡》。」

西安市場檔次偏低，沒有高級的商品，好多是擺個地攤兒變魔術、練雜技，或者説相聲的。相聲不需要道具，就是兩個人在那兒胡扯。解放以後相聲檔次提高了，成為一門藝術，可是解放前有很多低級趣味的東西在裏邊。舉個最簡單的例子，逗哏*的説，那天看到一個老頭兒，就在你們家門口，甚麼甚麼樣子，然後另一個説：「那就是家嚴。」嚴父慈母，舊社會説「家嚴」就是指自己的父親，「家慈」指母親。那個人故意裝不懂，説：「加鹽？你幹嘛加鹽呢？是天熱了吧，怕放臭了，給醃起來？」盡是這些低級趣味的東西，逗大家伙樂。

小時候去戲園子看戲，那是最高興的事了。我有一個堂兄在北京工作，就住我家裏，他喜歡看戲，有

* 傳統相聲通常分為逗哏、捧哏兩個角色，逗哏為主，捧哏加以烘托。

時候帶着我去。因為帶一個小孩兒進去不要票的，把我往腿上一擱，我就跟着看。不過看不懂，很多一直到現在都不懂，只是看熱鬧。孫猴子一出來就高興得不得了，最怕的是旦角出場，又沒有表演，又沒有內容，光聽她咿咿呀呀唱個不休，唱的甚麼完全莫名其妙，覺着沒意思，老唱不完似的。許多名角的表演我都看過，包括當時被稱為「三大賢」的楊小樓(武生)、余叔岩(老生)和梅蘭芳(旦角)。大概楊小樓當時上了年紀，所以他的表演武打戲很少，這讓我很不滿足。到了後來，我已經不怎麼看戲了，才慢慢覺得楊小樓的優異。他的表演很有氣魄和風度，那是其他武生演員不能企及的。

另外，我最喜歡看富連成科班的戲了，有些真是畢生難忘。比如《三俠五義》裏的「水擒白玉堂」，演員我還記得，武生李盛斌飾白玉堂，武丑葉盛章飾蔣平。他們的表演精彩極了，讓我感覺身臨其境，好像蔣平和白玉堂就在台上一樣。富連成科班的表演不但武戲多，而且成員都是沒有出科的少年，表演很賣力，非常敬業，遇到大型演出時表演得極其整齊，這是任何名角的班子都無法比擬的。記得有一齣戲叫《鐵冠圖》，講的是吳三桂請清兵的故事，武打場面非常精彩。而且吳三桂面見多爾袞的時候，多爾袞講的是滿語，還有一個舌人的角色專門做翻譯。每翻完一段話，台下的觀眾就會鼓掌喝采。看來當時還是有人懂滿語的，恐怕現在已經沒甚麼人懂了。

京劇是一門古典主義的藝術，它的一舉一動、一板一眼、一顰一笑都有嚴格的規定，即便是天才也不能背離這些嚴格的規範。記得我很小的時候，有一次被人帶到一個京劇練功房，裏面都是一些幼小的男女兒童，他們忍受超強度的訓練，還要不停地受到殘酷的打罵。這真是一種對幼小心靈的極大摧殘，簡直太不人道了。當時我就想：「如果必須如此，那麼我寧願沒有這門藝術。」據說解放後，教育方式已經改善，我祝願美好的藝術是在美好的教育體制之下培養出來的。更進一步，我希望一切美好的思想都是從循循善誘，而不是從殘酷鬥爭中培養出來的。

到了小學四、五年級的時候，同學中開始流行各種劍俠小說。這種新型的小說與傳統俠義小說有很大不同，傳統的俠義不過是武藝高強，而劍客則有各種超人的法術。直到初中一、二年級以前，看這些小說成了我們小時候最大的樂趣。記得我的一位小學同學曾對我說：「如果放學回家做完功課，能一邊聽着窗外的雨聲，一邊躺在床上看小說，那是件多麼美好的事情。如果看完小說還能吃一頓油煎餃子，簡直就是世界上最幸福的事了。」

我當時最喜歡讀的一部小說是平江不肖生的《江湖奇俠傳》。我的老家岳陽以前叫岳州府，包括臨湘、巴陵、平江和湘陰* 四個縣。平江不肖生原名向

* 湘陰清屬長沙府，此處疑為「華容」。

愷然，曾留學日本，和我的姑父是同鄉同學。二十世紀二十年代初，不肖生寫了《江湖奇俠傳》，一舉走紅，奠定了他在現代武俠文學中的地位。中國最早的武俠電影《火燒紅蓮寺》演的就是這本書裏的故事，由後來的電影皇后胡蝶飾紅姑。武俠小說的套路大概歷來都差不多，但是他把寫實與神奇的法術結合起來。比如「笑道人」，一笑起來，大家就都跟着他笑，山谷都會隨之震動。前幾年我在香港，金庸先生請吃飯，閒談中還談到了這部小說。不肖生的小說對於我們當時的影響，大概與金庸對現代年輕人的吸引力差不多。其中很多江湖武林的迷幻離奇，更是開啟了與舊的俠義傳奇大為不同的一副新面目。

我家有套《三國演義》，因為是半文言的，對於當時的我來說難度大些，所以興趣不大。《紅樓夢》家裏也有一套，可是因為年紀輕，對書中描述的人情世故懵懵懂懂，也沒多少興趣，倒是《水滸》最喜歡。記得一年暑假，因為中午天氣炎熱，母親要求我天天午睡，不讓出家門。於是我就躺在床上看《水滸》，「梁山泊好漢劫法場」之類，愛不釋手。其實《水滸》裏有很多字我不認得，只能根據故事情節囫圇猜測。比如一百單八將是三十六天罡、七十二地煞，當時我並不認得「罡」和「煞」，誤讀成「天置」和「地熬」，後來還是堂兄幫我糾正的。冰心在一篇回憶錄裏說，她小時候讀了很多小說，但並不能完全明白，也不完全認識裏面的字，自己胡亂唸，使得她長大以後仍然讀很多白字。我想這是我們那一代人普遍的情況，不過我的國文知識主要是從那裏學的，並非主要來自課堂。

我還算不錯，抗日戰爭以前過了一段和平的生活。那時候，整個社會還很窮困，但是物價也便宜，過一個勉強說得過去的生活不需要花太多的錢。那時候的待遇，一個小學教師大概是三十塊錢，如果是老資格的話，可以有大概四五十塊。一個中學教師，比如我上的師大附中，那是好學校，老資格的教師一個月可以拿到近兩百，年輕的大概總有一百塊的樣子，那是一般學校比不了的。大學教師拿得更多了，我父親一個朋友的兒子是留德的，三十年代回國在某個化學研究所工作，一個月是三百塊大洋。有名的教師，比如馮友蘭，一個月有五百，可以買一套普通的四合院了。胡適錢更多，因為他名氣大，頭銜多，兼了很多職位。何鍵任湖南省主席的時候，請胡適到我們家鄉講演，一次就送了他五千銀洋，等於現在的明星出場一樣。

我家並不很寬裕，可以算是中等的家庭。家裏人多，母親一個人幹不過來，請了個阿姨。我的父親算是中級技術人員，一個月大概有一兩百塊錢，如果是高級技術人員錢會更多。那時候，一個學生每月的生活費十塊錢左右就夠了，我們在學校吃飯大概五塊多，一天吃三頓，吃得還不錯。第一，吃細糧不吃粗糧，第二，菜的質量和數量還可以，至少保證你吃飽，不限量。記得中學有一次，大概是抗戰前半年吧，我們在食堂裏吃飯，不知怎麼同學就喊起來了：「怎麼飯都沒有了?!」炊事員趕緊出來，說：「別忙別忙，你們等着，我給你們做片兒湯。」其實我吃了三碗飯，已經飽了，可是一聽說有片兒湯，就又坐了下來，等上了片兒湯又吃了三碗。其實也沒甚麼好吃的，可是覺得反正是白吃，所以就敞開了肚皮吃——好在那時候年輕，也能吃下去。可是後來就保證不了了，比如有一段時期糧食定量，發糧票，等於限制你的口糧，那就吃不飽了。

湖南印象

我對老家有很深的印象，總體感覺還是太落後了。湖南有四條水，湘、資、沅、澧，最後都注入洞庭湖，再從洞庭湖的湖口注入長江。我的老家岳陽就在長江湖口那個地方，按說交通樞紐應當很繁榮，實際上卻非常之小。三十年代初，電燈只有在商業街才有，普通家裏還是點煤油燈。只有石板路，沒有柏油路，小汽車當然是沒有了，可是連大卡車也沒有。還有各種落後的風俗習慣，比如寡婦改嫁。在今天已經習以為常了，可是我回老家聽大人們談天，說起某某人家的寡婦改嫁了，就覺着那是最恥辱的事，丟臉極了。而且寡婦改嫁，財產照例都得留下，不能帶走。

當地還有一種風俗，如果人有了病，就請個法師來捉妖。披頭散髮，手裏拿着寶劍，一邊敲一邊耍，嘴裏念念有詞。我記得有這麼幾句，法師對着那個「鬼」說：「太上感應篇，說得甚分明。若不遵吾令，斬首不容情。」當時我挺納悶，鬼的腦袋還怎麼斬？已經是死了的，你斬它的腦袋，那不還是鬼嗎？接下去是禱告，扔卦籤，一看是陽卦或者陰卦就繼續扔，直到扔出勝卦(一陰一陽)為止。我有一次生病也是這樣，母親按照當地的習慣請了法師，折騰了好一陣。然後兩個人抬着一座菩薩，像抬轎子一樣，前邊有人打鑼，後邊找四五個人跟着在街上轉。前邊的人喊：「某某某，回來沒有？」後邊的人答應着：「回來啦！——」這是在叫魂，以為你的魂被吸走了，得把它叫回來。北京的迷信活動好像少一些，可是在我們家鄉，巫術非常普遍。不過我想這有一個傳統，像《楚辭》裏就有許多神呀鬼啊、招魂之類，到了近代南方依然盛行。

後來我到長沙也是這樣，很多街上掛的牌子都寫着「排教某某」，也不清楚為甚麼叫「排教」。湘、資、沅、澧四條水上游都是森林，有一種行業是把樹砍了在水裏編成排，人站在木排上順着水漂流下去，漂到洞庭湖、漢口，甚至還到下邊的九江、蕪湖，然後把木材賣掉。我疑心「排教」和這有關。因為駕排的人都得有很高的技術，大家就認為他們有法術，大概可以管治病。比如一個姓張的，他住在這兒，掛個牌子「排教張寓」，你要捉妖就可以找他。或者「師教李寓」，「師教」是怎麼回事，我就猜不出來了。

當時的中國社會是非常落後的，還處在中世紀的狀態，沒有進入到近代。這使人回想到19、二十世紀之交的那批啟蒙者強調「開民智」，似乎也有其道理。你能要求一批愚昧的人民真能的當家作主嗎？

我在家鄉住了一個多月，等於是失學了。正趕上父親從河南焦作的煤礦回來，他也得工作，於是帶我去了長沙。從岳陽到長沙大概一百多公里的路，火車也就走兩個多小時。我們本來也是要坐火車的，但那時候完全亂套了，車來了又擠不上去，所以兩三天都沒走成。父親說：「我們坐船去吧。」我父親是本地人，認得本地紅船局的管事。「紅船」是救生船，專門營救失事船隻，它用很多的大石頭壓艙，所以那種船特別笨重，特別穩，可是走得非常慢。父親借了一條紅船，船上有四個水手，我們就沿着湘江往上游去了長沙。

逆水行舟總要慢一些，而且那幾天風也不順，本來坐火車只需要兩個小時，結果我們走了五天。正值深秋，我們坐着古代式的帆船，每天天一亮就開船，天黑了就停下來。一路的景色美極了，令人銷魂，我一生都沒享受過幾次。此外還有一些印象挺深的，比如北方的婦女一般只做家務，不參加生產勞動。北京還算風氣比較開通的，但商店或者飯館的服務員都是男的，偶爾有個女服務員，還特別寫上「有女招待」，多少有點相當於現在「三陪」的那種色彩。可是南方的婦女和男人一樣從事生產，而且女服務員很多，是很平常的事，給我的感受頗為新鮮。

我們一路走，不但景色是最美的，畢生難忘，而且還讓我聯想到另一個問題，一個有點哲學或者歷史學意味的問題：怎麼樣就算是進步？要說坐火車的話，我們兩個小時就到了，可是坐船坐了五天。從這個角度講，我承認火車的優越性。可是從另外一個角度說，坐船不僅欣賞了景色的美，而且心情也極好，比坐火車美好得多，也舒適得多。如果要我選擇，我寧願這麼慢慢地走。

多年以後，我讀到一本哲學家Santayana的自傳，他是西班牙人，後來定居美國。十九世紀的英美是先進國家了，西班牙還非常落後，自傳上有一段寫他十六歲時到美國去的經歷。他說在西班牙要出去旅行的話，一兩個人不敢隨便走，至少也得湊上二三十人，年輕力壯的男子拿着槍在兩邊保護，老弱婦孺在中間。可是一到紐約，他的哥哥來碼頭接他，行李交給專門負責的工人，自己拿一個牌子就不用管了。Santayana覺得非常奇怪，因為在西班牙，行李得自己押着，給別人能放心麼？他哥哥說：「沒問題，這是美國，不是西班牙。」後來他就想，美國在許多方面的確先進，可是這次旅行缺少那種劍拔弩張的氣氛，又非常之失望。在西班牙，一說要去旅行那興奮極了，好像冒險一樣。可是在美國，這種氣氛一點兒都沒有了，一切都變得平淡無奇。再比如印度的甘地，他最反對近代社會工業化的生活，自己織布，保持傳統的生活習慣。還有英國的哲學家、數學家羅素，也許因為他古老的貴族情結，羅素對近代工業文明也是格格不入。

我在湘江上的時候剛好十六歲，當時我也想到：怎樣才是生活的幸福或美滿？如果單純從物質上說，你比我快，或者比我安全，這就是你的幸福。可是從另外一方面說，雖然我慢，可是我一路上的美好感受是你享受不到的。雖然我費事，可是精神上多興奮呢，到你那兒就變成平淡無奇了，我的費事是你的那個省事所享受不到的。所以，到底應該怎麼衡量一個人的幸福，或一個社會的進步呢？如果單純從物質的角度講，似乎比較容易，可是人生不能單從物質的角度來衡量。比如你闊得流油，整天吃山珍海味，這就表示你幸福了？恐怕不單純是這樣。百萬富豪不也有跳樓的嗎？可見他們也有煩惱，也有痛苦。抗日戰爭時期，生活是艱苦的，可精神卻是振奮的，許多人寧願選擇顛沛流離的生活，而不在日本人的統治下做亡國奴。

幾年以後，我讀到那些17、十八世紀法國人性學者(moraliste)的書，甚麼幸福論、愛情論，他們喜歡談論這些題材。我也曾想：將來我也要寫一本幸福論，也寫一本愛情論。人是個複雜的動物，不能單純從物質角度衡量，或者單純用金錢衡量。當然一個人離不開物質，沒錢餓死了，那也不行。大躍進的時候，我們實行過一陣吃飯不要錢，結果把食堂都吃垮了。所以吃飯還得要錢，沒錢行不通的。可是反過來，是不是錢越多就越幸福？好像也並不是那樣。畢竟人所願望的是幸福，而不僅僅是物質或金錢的滿足。

上學記・乙

1. 中央大學附中

到了長沙以後，還得繼續上學。因為我是從北京去的，以前上的又是好學校，總覺着我們湖南的學校土氣。像我們在北京的時候，上學用的是鉛筆或者鋼筆，帶着方便，用起來也方便。可是湖南的學生都用毛筆，而且連寫英文都用毛筆，也挺滑稽的。雖然他們的國學根底很好，可是有關近現代方面的知識，比如數學或者英文，就都差一些，所以我不大想在長沙入學。

歷史上，湖南原本屬比較落後的內陸地區，經濟、文化都不甚發達，文化上也相對落後。可是非常奇怪，清朝中葉以後，湖南的地位忽然重要起來，而且人才輩出，包括從陶澍、曾國藩、左宗棠到黃興、宋教仁，再到毛澤東、彭德懷、劉少奇。當時我沒有能解釋，幾十年以後，歷史所有個很熟的朋友，也是湖南人，他給出一個説法可能是正確的。他説，太平天國以前，中國主要的南北交通線是走江西，下贛江、九江，從南京走大運河到北京。可是等太平天國一打仗，這條路斷了，陸路就得走湖南，所以湖南的經濟跟着繁榮起來。另外還有一個原因，打太平天國的主力是湘軍，而主要戰場在江南一帶，那是中國經濟最發達的地區，也是文化最發達的地區。湘軍一去，不但摟了大量的財富，還把大量的圖書、文物都弄到湖南，於是湖南一下就有了發展的條件。而且很多人由於這一仗，一下子變成政治上的重要人物，湖南的政治地位和以前不同了，文化也跟着上去了。總的來說，文化總是跟着政治、經濟走的，一直到今天都是。比如二十世紀初，很多諾貝爾獎是英國人、德國人的，可是今天大多是美國人的了。

後來我才知道，其實湖南中學水平是很高的，尤其古文非常之好。但那時候它的大學不行，只有一所湖南大學，水平也一般。湖南的中學生畢業以後，如果上大學的話，近的就到北邊上武漢大學。所以武漢大學的湖南籍學生佔第一位，湖北學生反倒是佔了第二位。不然就往南走，到廣東上中山大學，那裏廣東學生佔第一位，湖南學生佔第二。或者再遠一些，到上海、南京、北京、天津這些大城市來上學。

年輕時我對這些不大了解，雖然考上了長沙高中，可是並不想去，恰巧南京的中央大學附中搬到了長沙。那時候，國民黨有意把中央大學建成全國最大的大學，院系設置非常齊全，包括美術系、音樂系、體育系都有。附中的水平也相當不錯，教師都是中央大學出身的。上海、南京被日本佔領以後，中央大學遷到重慶，它的附中遷到長沙，就在湖南大學的南面。我姐姐跟我講，中央大學附中在南方是非常好的學校，所以我就考了這個學校。解放以後，中央大學改成南京大學，而且跟清華一樣被拆散了，工學院、醫學院、師範學院都獨立出來。附中跟着師範學院走，變成今天的南京師大附中，所以我上的兩個中學是南、北兩個師大附中。

我們先在長沙唸了一年，1938年秋天，聽說日本人快打過來了，中大附中又從湖南搬到貴陽。後來聽說日本人剛到岳陽，中國人一把火自己先把長沙給燒了——那是學莫斯科。拿破崙軍隊打來的時候，莫斯科一把大火把自己給燒了，結果拿破崙進來後是一座空城，吃的、喝的全沒有，待不下去又撤退了。所以中國就學莫斯科，堅壁清野，叫作「焦土政策」，讓敵人來了一無所獲。其實，這是萬不得已才用的辦法。那時候湖南主席張治中，他大概也是操之過急，日本人還沒來，先一把火把整個城都燒了，使自己受了不應有的很大損失。

和現在一樣，國民黨時期也是推行黨化教育。它的直接統治以南京為中心，主要包括江蘇、浙江、安徽，還有江西、福建、湖北、河南等幾個省份。其餘的，像山西、兩廣，還有西北和西南，地方軍閥的勢力大，有點半獨立的性質，黨化教育要少許多。而北京因為地位特殊，思想意識的控制力量也很小。中大附中的確是個不錯的學校，可它是在國民黨的直接控制之下，我一進去就感覺到南方學校和北方的自由化氣氛不太一樣。學校管理軍事化，學生全部住校，早上起來軍訓教官帶着跑步。然後是唱歌，唱「大刀向鬼子們的頭上砍去」之類，然後喊口號，最後一個口號總是「蔣委員長萬歲」。晚自習以後也是排隊點名、唱歌、呼口號，然後熄燈睡覺，全部都是軍事化管理。可在北京不是這樣，雖然也住校，也有軍訓，但甚麼時候睡覺、甚麼時候起床都沒人管。吃飯不用排隊，隨便你甚麼時候去，反正上課以前去吃就行了，無所謂。可是到了南方就管得非常嚴，對於我這種自由散漫慣了的人很不習慣。

我們那時候有個訓育主任，專門負責學生的政治、品德工作，大致相當於解放後的政治輔導員。有一次，我們那訓育主任從重慶回來，說是見了羅校長，即中央大學校長羅家倫，他也是我們的校長。北京師大附中也是這樣，師範大學校長就是我們的校長，然後附中裏有個主任，相當於中學校長。訓育主任給我們講話，說：「我在重慶的時候，見了羅校長。我請示了羅校長對中學的意見，羅校長說：『我希望你們辦成一個真正的三民主義的學校。』……這話也許低年級的同學不懂，就不要問了，可是你們高年級的學生應該懂我的意思。」那意思就是說，怕學生左傾，怕學生搞民主、鬧革命。

還有一件事，挺有意思的。那時候每個星期一的早晨都要做紀念週，上來就是背誦〈總理遺囑〉，跟文革時候每天背〈再版前言〉一樣。一般都是校長帶着背，有一次校長不在，訓育主任就領着我們背。可是背到半截他忘詞了，結結巴巴背不下去，結果弄得非常之尷尬。後來我聽一個同學說，南京官場裏的那些人每到星期一的早晨都先在家裏把〈總理遺囑〉背熟，怕到時候給忘了詞。不過好在那篇文不長，總共就一頁，背起來也容易。你想，我們從小學就開始背，一直背到中學畢業，早就滾瓜爛熟了。所以我現在都背得，而且一個字都不錯。

不過總的來說，國民黨的思想控制並不很嚴格，同學之間還是很開放的。記得有個同學問我：「你是贊成左，還是贊成右？」我說：「我贊成左。」如果意識形態控制嚴格的話，我說這話就犯罪了，解放後給你戴個帽子就可以送去勞改。但國民黨時期還不是這樣，雖然有時候也抓人，可是很多事先通氣就跑了。再比如高二的時候，有一回作文，我在裏面寫：「社會的進步也有它的規律，要經歷奴隸社會、封建社會等五個階段。」那是《辯證唯物主義和歷史唯物主義》裏的一段內容，斯大林親自寫的，解放後是標準教科書，但對於我們那會兒是非常新的東西。我是剛從上海生活書店的那些左派雜誌裏讀到的，而且對全世界都要走入社會主義這一點深信不疑，於是就寫了這麼一篇文。按理說，那時候標準的講法應該是孫中山的三民主義，你把《聯共黨史》裏的東西搬出來，當然是離經叛道。可是老師並沒有駁斥甚麼，沒有說我說的不對，或者對我進行思想教育之類。一方面那時候的控制不是很嚴，另一方面，國民黨雖然打着三民主義的旗子，可實際上講的是一套、做的是另一套，也不是真正的三民主義，所以它對意識形態的東西並不真正感興趣。

不過就我現在的理解，「五種生產方式」馬克思確實提過，但並沒有把它作為一種普遍的必然規律，而只是作為「經驗的事實」。它是西方歷史經歷的事實，並不是說每個國家、每個社會都必須經過這五個階段。我想馬克思沒這個意思，可是到了斯大林就變成客觀規律了。舉一個或許不恰當的例子，毛澤東自己說過，小時候他唸的是四書五經孔夫子那一套，青年時接觸了西方康德的唯心主義思想，到了後來他才接受馬克思主義。我想他所說的這些，在他那一輩人中是較為普遍的現象。可你不能說這是一個規律，認為所有人的思想都必須經過這三個階段，這是不成立的。比如到了我這一輩，小時候就很少接受或者信仰孔孟之道了。

2. 西洋教科書

和現在一樣，當年我們讀書的時候也講求分數，大多數同學考慮的也是哪一門功課最能拿分兒、是最吃緊的，其餘的課都不重要。像歷史、地理，臨時背背就完了，反正不會不及格，也不會得甚麼了不起的高分。至於更次要的課程，比如你歌唱得好不好，那就更不重要了。最重要的是三門主課，國文、英文、數學，其中國文又是最不重要的。因為第一，作為一個中國人來說，都會說中國話、會寫中國文。第二，國文最不見分數，一般都給個七十來分，好的給個八十多，差的也不會不及格，所以最吃緊的兩門課就是數學和英語。數學是死的，出五個題目，全答對是滿分，答對四個就是八十。英文也是，比如這句話應該怎麼講，你懂就是懂，不懂就是不懂，那是很過硬的。而且，這也是後來上大學時最要緊的兩門課。學理工科的，數學過不了關就沒法學。學文科的，除了中文專業，外語過不了關也看不了教科書。

那時候，我們的教科書幾乎都是美國本，中學也是。雖然有的是有翻譯的，但那些術語，像甚麼速度、加速度，數學裏的無限大、無限小之類，都用英文。因為經常用，翻來覆去就那幾個詞，倒也不費勁。比如中大附中教我們化學的那位老師，他教得很好，所有術語都用英文，說是為了將來上大學看書方便。的確是這樣，因為當時中國沒多少化學書可以研究。後來西南聯大理學院的許多課程，像姜立夫先生講微積分，周培源先生講力學，都是直接用英文。再比如數學，初中時候學幾何，課本是三個作者合作的，因為他們名字的第一個字母都是S，所以叫「三S幾何」。高二講大代數，用的是Fine的本子，叫《范氏大代數》。那也是美國的教科書，而且寫得非常深，尤其後面的部分幾乎是高等數學。不過那本書有個缺點，系統性很差，忽然講這個、忽然講那個，編的不是很連貫。除此之外還有一本代數書，是Hall和Knight兩個人合編的，更是零零碎碎，所以不是必修。可是這本書有個優點，它介紹了很多非常巧妙的方法，我零星讀過一些，沒有看全。後來有個叫上野清的日本人把這兩本書綜合起來，寫了一本很完整的教科書，叫作《大代數學講義》，彙集了前兩本書的優點，而且編得很系統。所以這本書在當時的中學裏邊非常流行，凡是數學拔尖的同學都讀，叫作「開小灶」。不過我沒看過，因為那時候我在準備跳級參加統考，課業太重了。

上高中以後，大家就開始看點兒英文的課外讀物了。起初看些簡單的，比如*Tales From Shakespeare*（《莎士比亞故事集》），當時譯成《莎氏樂府本事》。「莎氏」指莎士比亞，「樂府」就是說原作是有旋律的，可以唱，中國古代的「樂府詩」也是這樣。「本事」就是「本來的故事」，我小時候上戲院，還有一種介紹劇情的小單子，就叫「……本事」。這本書的作者是十九世紀初年英國文學家Charles Lamb，他和姐姐瑪麗把莎士比亞的劇本編成故事，等於是劇情的說明，寫給一般讀者看。不過我現在回想，學那個英文並不很合適，只不過因為在北京看過電影《鑄情》（即《羅密歐與朱麗葉》），所以就認定了要讀莎士比亞。再比如德國十九世紀文學家Storm的《茵夢湖》(*Immensee*)，一個小薄本子，很流行，大家都看這本，我也跟着看。還有歌德的《少年維特之煩惱》，那是開浪漫主義先河的作品。本來按照中國傳統道德，那沒有甚麼可讚美的，最後主人公還自殺了，不足為訓。可是浪漫主義自有其浪漫主義的價值，讓我們接觸了一點新思路，才知道：哦，原來浪漫主義是這樣的。

我覺得最好的一本書，而且直到今天仍然覺得非常之好，經常向年輕人推薦，就是*Gulliver's Travels*(《格列佛遊記》)。作者是十八世紀初的英國作家Jonathan Swift，可是有人往往不欣賞，覺得那是給小孩兒看的。這本書是我讀高二時英語老師推薦的，我現在還記得這位先生的名字，叫陳君涵，魯迅曾回過他一封信，收在《魯迅全集》裏。以前我看過這本書的中譯本，說：「不就是《大人國，小人國》嗎？」陳先生說：「唔——，你可不能小看這本書。別看是一本童話，它的文字非常之好，你們一定要很好地學習。」所以我又把這本書的英文本找來讀，發現文字確實極好，非常之簡潔，非常之清楚，非常之明白，很難得的。後來我在雜誌上看到，曾經有一個有名的英國記者，駐柏林的，說在德國時間長了，英文慢慢生疏，寫文章時就先讀《格列佛遊記》，然後才能寫出漂亮的英文。的確是這樣，用這本書做英文範本非常之好。不但學英文，就是中文也應該這樣。有的人過了一輩子，可是文字好像總不太通順，我想還是應該從寫得清楚明白入手。等到年紀再大一點，我又知道，這不僅僅是一本童話，更是犀利的諷刺。比如裏邊講，大人國的皇后是大人國的第一美人，可是格列佛一看見就覺着可怕極了。她的一根寒毛就跟一棵大樹一樣，樣子非常嚇人，而小人國裏的人卻都精緻美麗。其實這是個諷刺，越是大人物越醜，小人物卻是美麗的。可惜我那時候太小，不大了解這些，只是看熱鬧，除了表面上清明如水的文字，還不能體會其中深層的寓意。

3. 逃離「修道院」

1938年春天，日本人打下徐州，武漢的形勢變得緊張起來。因為長沙離武漢比較近，許多學校都搬家了，像清華、北大、南開在長沙成立的臨時大學搬到昆明，中大附中就搬到了貴陽。

過去有句俗話，「天無三日晴，地無三里平，人無三分銀」，說的就是貴州。我在貴陽住了一年，真的只碰上三個晴天。除此以外天天都下雨，細細的毛毛雨不斷地下，所以我對那三個晴天印象非常深，日子我還記得。1939年2月4日，萬里晴空，真是沒有想到。那天日本飛機來轟炸，炸得非常厲害，幾乎炸了貴陽半個城。接着連續三個晴天，結果天天拉警報，我們就跑到山洞裏躲着，印象非常深。「地無三里平」，確是實情，貴州除了山就是山，而且甚麼都種不了，那真是窮山惡水，所以非常之窮。明朝有一個旅行家叫徐霞客，他的遊記非常好看，他就寫過貴州。後來丁文江，那是老一輩的地質學家了，按照徐霞客的路子走，也寫了個日記，我零零碎碎看了一些，也挺生動的。他說，貴州的窮你想像不到，任何一個小飯舖只有兩種東西可以下飯，一碟鹽巴、一碟乾辣椒，就這麼兩盤，那真是窮得要命。

為了躲避轟炸，我們在一座叫馬鞍山的山裏頭唸書，離城裏相當遠，就更閉塞了。一來物質生活十分艱苦，衣服沒有新的，冬天都不穿襪子光着腳。二則精神生活也很單調，等於與世隔絕，給我的感覺就跟修道院一樣。宿舍裏是上下鋪，都住得滿滿的，早上一吹號就得起來軍訓。吃完早飯上課，上午、下午都上課，晚上自修，到了九點半鐘熄燈睡覺。每天除了上課就是唸教科書，課外讀物幾乎沒有。學校圖書館的書就那麼幾本，而且信息也不靈通，頂多就是看看一兩份報紙，知道一點兒新聞大事。不像戰前在北京有那麼好的條件，可以去北京圖書館，可以逛書店，可以看電影、看戲，接觸很多東西。中大附中的教師還是高水平的，記得我們化學老師上課不用講義，完全是順口講，而且講得非常之流利。可是因為條件差，實驗通通沒有了。那些化學反應式我們都是死背，等於背咒語一樣，至於這些符號代表甚麼東西，我們都不知道。

從1938年秋天到1939年秋天，我在貴陽住了整整一年，生活圈子小極了。一年三百六十五天不出學校，天天看的就是學校裏的那些人。而且又偏遠又窮困，進城既不方便又沒錢，也沒有東西要買，過得非常閉塞、非常不自由，我總想着早一點兒離開。剛上中大附中的時候，由於逃難耽誤了半年，前半段高一我又重讀了一遍，本來就心有不甘。再加上到了貴陽實在苦悶，所以就跳了一級，準備以「同等學力」的資格去考大學。一年讀了兩年的課，比如解析幾何，還有高三的物理都得自學，也挺緊張的。不過還好，真被錄取了。班上也有同學和我一樣是跳班考的，還有後來和我在西南聯大同學的，可是大部分都按部就班，結果就比我低了一級。

抗戰以前，考大學、考中學都是各個學校分開了，各招各的，各考各的。比如你選定兩三個學校，就到這兩三個學校去考，不可能每個學校都報。我記得1937年還是分開的，到1938年就改成統考，因為打仗了，統一考試也方便。但那時候還不叫「高考」，而叫「統考」，也是分幾個考區，貴陽考區、昆明考區，還有成都、重慶、西安、蘭州、桂林，西部總得有七八個招生的點。東部被日本人佔了，像北京、天津、上海、南京就都沒有、也不可能設考區了，很多人後來都跑到後方上學。

古代科舉考試叫作「一考定終身」，我們那時候也差不多，算是人生的一次重要選擇，所以也挺鄭重的。國文、數學、英語，歷、地、物、化這些都要考，生物好像就不考了。可能還考一門政治，或者三民主義之類的，總得有這麼一門，我記不清了。反正上午、下午各兩門，兩天就考完了。那時候我們也填志願，和現在一樣，按照分數的檔次入不同的學校，所以報志願也有講究，報高了、報低了都是失誤。不過我上的兩個中學都是名校，而且我是班上的第一名，考大學應該沒問題。所以我三個志願報的都是西南聯大，一個機械系，一個土木系，還一個甚麼系，我都不記得了，反正沒考慮上別的學校。

當年的考題我不太記得了，國文除了作文，還考了一段文言文的翻譯。那是《禮記．禮運》裏的一段話，非常有名，「大道之行也，天下為公，選賢與能，講信修睦。故人不獨親其親，不獨子其子……」那時候各地的學風很不一樣，北京基本上是白話、文言參半，可是到了南方，文言文就更佔優勢。統考前，我們也找歷年的考題來看，清華、北大的作文題都是白話，那都看得懂，可是有份上海交大的考試題非常之難。上海交大是非常好的大學，請的都是清朝末年的一些老先生教國文，出了個作文題：「形而上者謂之道，形而下者謂之器」論。我連題目都看不懂，要是這個題目給我作文的話，肯定得零分。

那一年數學考題非常之難，也不知道是誰出的，比我們中學所學的更深。其中有一個題目我還記得，在橢圓上任取一個點，問：把這個點到橢圓上每個點連線的中點連接起來，是甚麼圖形，並列出方程。我知道連起來是一個內切小橢圓，給描出來了，可是列不出公式。有個同學數學學得非常好，考完了以後跟我講，這道題不能用正坐標表述，得用極坐標。經他一說我就想起來了，所以印象特別深。另外，這件事也給了我極大的啟發，一個終生受益的啟發：當我們的思想解釋不通的時候，就得另換一個坐標，不能死硬地按原來的模式去套。

我想，歷史中真正學術上、思想上的重大突破，大概都需要坐標的轉換。有些用原來的坐標解釋不了了，卻仍在那裏生搬硬套，是行不通的。比如文革時候，我們有一個非常嚴格的坐標，資產階級、無產階級間「你死我活的鬥爭」，而且甚麼都往上面套，這是非常可笑的。一個科學的命題，它可能錯，也可能對，但你不能說這是資產階級的，那是無產階級的。可那時候我們就一定得按這個坐標去硬套，無論甚麼都是階級鬥爭，都得無產階級專政，結果很多東西都說不通。再比如，原來我們的坐標：地是不動的，日月星辰以大地為中心轉動。後來哥白尼來了個革命，說大地是動的，地球圍着太陽轉，這就把坐標變過來了，不然很多現象講不通。擴大來說，世界上沒有金科玉律，沒有甚麼是永恆的標準，人類進步需要不斷地轉換坐標。假如我們只有一種思想模式的話，人類的思想和科學就不會產生長足的進步。這跟宗教不同，宗教可以只有一種信仰，可是科學不應該是一種信仰。一個物理學家決不能説牛頓字字是真理，誰要反對就砸爛他的狗頭，那科學就沒進步了。

及至發榜，貴陽考區的第一名是高我一班的許少鴻兄，後來學物理，我們在大學及研究院都是同級，至今仍保持聯繫。我排在他之下，是貴陽考區的第二名，西南聯大本系的第四名。第幾名對我來説無所謂，能考入西南聯大就是當時自己最大的，也是唯一的願望了。

第二章
(1939–1946)

上學記·丙：遷徙的城堡

> 現在回想起來，我覺得最值得懷念的就是西南聯大做學生的那七年了，那是我一生中最愜意的一段好時光。

1. 自由散漫的作風

我在北京上師大附中的時候，每年開學教務主任都有一篇成績報告，說：我們今年暑假畢業了多少人，有多少人考上北京大學、清華大學，多少人考上了南洋交大——就是上海交大。雖然我們是師大附中的，但他連多少人考上師大都不報，大概當時就認為這三個學校是最好的。所以我腦子裏邊也總以為，將來我要上大學就上這三個學校。

1939年秋天，我去昆明報到。一來就覺着天氣美好極了，真是碧空如洗，連北京都很少看見那麼好的藍天。在貴州，整天下雨沒個完，幾乎看不到晴天。雲南雖然也下雨，可是雨過天晴，太陽出來非常漂亮，帶着心情也美好極了。而且雲南不像貴州窮山惡水，除了山就是山，雲南有大片大片一望無際的平原，看着就讓人高興。當然還有一個最重要的原因：

環境不同了。聯大三個學校以前都是北方的，北京、天津不屬國民黨直接控制的地區，本來就有自由散漫的傳統，到了雲南又有地方勢力的保護，保持了原有的作風。沒有任何組織紀律，沒有點名，沒有排隊唱歌，也不用呼口號。早上睡覺沒人催你起來，晚上甚麼時候躺下也沒人管，幾天不上課沒人管，甚至人不見了也沒有人過問，個人行為絕對自由。自由有一個好處，可以做你喜歡做的事，比如喜歡看的書才看，喜歡聽的課才聽，不喜歡的就不看、不聽。這個非常好，非常符合我的胃口。

有個叫鄒承魯的院士，以前是西南聯大的學生。他對生物化學非常有貢獻，六十年代轟動一時的胰島素就是他們搞成功的。我看過一篇記者的訪談，記者問：「為甚麼當時條件非常差，西南聯大也不大，卻培養出了那麼多的人才？」他的回答非常簡單，就兩個字：自由。我也覺得是這樣。那幾年生活最美好的就是自由，無論幹甚麼都憑自己的興趣，看甚麼、聽甚麼、怎麼想都沒有人干涉，更沒有思想教育。

比如那時候，甚麼樣立場的同學都有，不過私人之間是很隨便的，沒有太大的思想上或者政治上的隔膜。宿舍裏各個系、各個級的同學都有，晚上沒事，大家也是海闊天空地胡扯一陣。有罵蔣介石的，也有三青團擁護蔣介石的，而且可以辯論，有時候也挺激烈。可是辯論完了關係依然很好，沒有甚麼。記得有一次在宿舍裏爭了起來，那時候正在徵調翻譯官，有的同學是自願的，可也有分派。比如哪一年級的哪一班全班都要去，那是強制性的，梅貽琦校長親自開會做動員。回來後有個同學就罵：「梅貽琦官迷心竅，這回可是大撈了一把，可以升官了。」我不同意這種說法，說：「打仗需要人，徵調是很自然的事情，你怎麼能那麼想呢？」於是我們就在宿舍裏吵，不過過去就過去了，後來我們的關係依然很好。這和解放後非常不一樣了，同樣的事情如果放在解放後，梅貽琦是來宣佈黨的政策的，你罵他就是反黨，性質要嚴重得多。文革時候更是這樣，每天從清晨到夜半就是學習、勞動，而且規定得非常死，甚麼書都不讓看，只能是捧着小紅書，每天好好檢查自己的思想。記得有個工宣隊的人管我們，見有一個人看魯迅的書，那應該是沒問題的，結果被申斥了一頓，說：「有人竟然還看與運動無關的書?!」後來又發現另一個人看《資本論》，更應該沒問題了，可也遭到了申斥，說：「告訴你，不要好高騖遠！」

學生的素質當然也重要，聯大學生水平的確不錯，但更重要的還是學術氣氛。「江山代有才人出」，人才永遠都有，每個時代、每個國家不會相差太多，問題是給不給他自由發展的條件。我以為，一個所謂好的體制應該是最大限度地允許人的自由。沒有求知的自由，沒有思想的自由，沒有個性的發展，就沒有個人的創造力，而個人的獨創能力實際上才是真正的第一生產力。如果大家只會唸經、背經，開口都說一樣的話，那是不可能出任何成果的。當然，絕對自由是不可能的，自己想幹甚麼就幹甚麼，那會侵犯到別人。但是在這個範圍之內，個人的自由越大越好。

我和母校的關係非常密切，兩個姐姐是這個學校的，妹妹是這個學校的，姐夫、妹夫是這個學校的，我的老伴也是這個學校的。二姐唸經濟，三姐唸化學，妹妹唸的是中文，後來在人民大學自殺了，現在只有一個姐姐在美國。從1939到1946年，我在西南聯大度過了整整七年，從十八歲到二十五歲，這正是一個人成熟的時期。

我在西南聯大讀過四個系，不過都沒唸好。高中統考填志願的時候，我問一個同學：「你考甚麼專業？」他說：「像我們這樣不成材的只好讀文科，你們唸得好的都應該上理工科。」因為那時候都覺得，沒出息的才去唸文科，這是當時的社會風氣，所以我一年級唸的是工科，上了土木系。說來也挺有意思，中學時候我根本沒想到將來要學甚麼專業，只是看了豐子愷的《西洋建築講話》，從希臘、羅馬的神殿，一直講到中世紀的教堂建築，覺着挺有意思，於是就想學建築。工學院一年級不分專業，學的都是機械系的公共必修課。比如初等微積分、普通物理，這兩門是最重要的，還有投影幾何、製圖課。第一學期我還挺認真地學，可是到了第二學期，興趣全然不在這些，有工夫都用來讀詩、看小說了。於是決定改行，把梁啟超的東西拿來看看，諸如此類，開始有意識地補充一些文科知識。

那時候轉系很方便，只要學分唸夠了可以隨便轉，學分不夠也可以補，至多是多讀一年。我想搞文科，但不知為甚麼就選擇了歷史系，現在怎麼也想不起來了，也許有兩個潛在的原因吧。第一我小時候在北京，看了好些個皇宮、園囿。按照中國的傳統，一個新朝代建立就一把火把過去舊的皇城燒了，然後大興土木蓋新首都。只有清朝入關的時候，北京作為一座完整的都城被保留下來了。像中南海、北海，這都是明代的皇家園林，包括紫禁城、皇城——不過解放後有些給拆了，沒有保留一個完整的格局。過去的內城牆有九個門，明朝中葉嘉靖時又建了一個外城，這些到了清朝入關都基本沒動。設了個官職叫「九門提督」，相當於北京的衛戍司令。那麼清初「康乾盛世」，康熙、雍正、乾隆這一百多年的財力都幹甚麼了？其中之一就是大興土木，在西郊蓋了許多皇家園林。最大的是圓明園，還有靜明園、靜宜園、清漪園，清漪園就是後來的頤和園。從香山一直到北大、清華這一帶都是皇家園林，這就容易使人「發思古之幽情」，讓我覺得歷史挺好玩的。第二，那時候正值國難，小學是「九．一八」，中學是中日戰爭，剛一入大學就是二戰，對人類命運也很關心，以為學歷史能更好地理解這個問題。

不過，我對繁瑣的歷史考據一直沒有多大興趣。

有些實踐的歷史學家，或者專業的歷史學家，往往從一個小的地方入手考證一個小的東西。比如紅學家考證曹雪芹是哪一年死的，把所有可能的材料都找出來，那可真是費盡心力，到現在還沒有個結論。不過我覺得，即使有一天費很大的勁把曹雪芹是哪一年死的考證出來，也並不等於理解了歷史。那時候馮文潛先生教西方哲學史，給了我很大的啟發，讓我感覺到，真正理解歷史一定要提升到哲學的高度。項羽說：「書能知姓名。」*只知道姓名、知道年代，你可以知道很多很多零碎的知識，但不一定就意味着你理解了歷史。我想任何學問都是這樣，最後總得有人做出理論的總結，否則只能停留在純技術性的層面。當然純技術性的工作也有價值，不過那不是我所希望的，我所希望的是通過學習歷史得出一個全面的、高度性的認識。戰爭時候，我們關心的是人類的命運，我以為可以從歷史裏找出答案。比如歷史上有些國家本來很強盛，可是後來突然衰落了，像羅馬帝國，中國的秦漢、隋唐，我覺得挺神秘的，希望探索歷史深處的幽微，所以就唸了歷史系。

有些事情說起來很有意思。解放以後院系調整，馮友蘭一直在北大待了幾十年，從組織關係上說，他

* 李白詩云：「劍是一夫用，書能知姓名。」典出《史記．項羽本紀》：「項籍少時，學書不成，去；學劍又不成。項梁怒之。籍曰：『書，足以記名姓而已。劍，一人敵，不足學。學萬人敵。』」

是北大的人，死後應該把書捐給北大。可是不介[*]，他捐給了清華。劉崇鋐先生在臺灣去世，他的書也是捐給清華，而沒有捐給臺灣的大學，這也似乎不合常規。我猜想，大概他們覺得自己一生最美好、最滿意的那段時光，還是在清華，所以願意把書捐給清華。我現在也八十多歲了，回想這一生最美好的時候，還是聯大那七年，四年本科、三年研究生。當然，那也是物質生活非常艱苦的一段時期，可是幸福不等於物質生活，尤其不等於錢多，那美好又在哪裏呢？

我想，幸福的條件有兩個。一是你必須覺得個人前途是光明的、美好的，可是這又非常模糊，非常朦朧，並不一定有甚麼明確的目標。另一方面，整個社會的前景也必須是一天比一天更加美好，如果社會整體在腐敗下去，個人是不可能真正幸福的。在我上學的時候，這兩個條件恰好同時都有。當時正是戰爭年代，但正因為打仗，所以好像直覺地、模糊地，可是又非常肯定地認為：戰爭一定會勝利，勝利以後一定會是一個非常美好的世界，一定能過上非常美好的生活。那時候不只我一個人，我相信絕大多數青年都有這種模糊的感覺。文革時候，有些激進的紅衛兵大概也確實有過這種感覺，以為今天革命，明天就會「赤遍環球是我家」，馬上全世界就都可以紅旗招展、進入共產主義時代，都是無產階級的天下了。人總是靠

* 「不介」即「不這樣」，屬京津地區方言。

着希望生活，這兩個希望是最根本的。所以那時候，雖然物質生活非常之困苦，可是又總覺得幸福並不遙遠，是可望而又可即的。

2. 三個大學從來都「聯」得很好

西南聯大是北大、清華、南開合起來的一所大學。南開的人少、錢少，物質力量也小，佔不到十分之一。其餘的是另兩個學校分攤，其中，清華佔了有多一半。三個學校基本上合成一個，而且合作得很好。當然也有聯不好的，像西北聯大，一年就散夥了。因為那幾個學校本來就是不一樣的，硬把它們捏在一起，矛盾鬧得非常厲害，以致無法維持。西南聯大卻一直都聯得很好，我想有它人事方面的優越條件。隨便舉幾個例子，比如清華校長梅貽琦，他是南開出身的，清華文學院院長馮友蘭，他是北大出身的，北大文學院院長胡適是清華出身的。由此可見，三個學校彼此之間血緣關係非常密切，這是一個先天的優越條件。抗戰後期醞釀聯合政府，有人發牢騷說：「聯合不起來，聯了也得鬧事。」於是就有人提出來，說：「西南聯大聯合得那麼好，聯合政府為甚麼就不能呢？不如請三個學校的校長來做聯合政府的委員吧。」當然，這也許是開玩笑。

三個學校合併以後，組織了一個常務委員會，常務委員就是三位校長，主席是梅貽琦。張伯苓在重慶，實際上就是做官了，不常來，我在昆明七年只見過他一面。那次他來向學生做了一個講話，不過張伯苓好像並不長於學術，言談話語之間還帶着天津老粗的味道，滿口的天津腔。他說：「蔣夢麟先生是我最好的朋友。我有一個錶，我就給他戴着，跟他說：『你就是我的代表(戴錶)。』」又說：「我聽說你們學生煩悶，你有甚麼可煩悶的？煩悶是你糊塗。」

蔣夢麟以前是教育部長，所以主要搞一些外部事務，對學校裏邊的事情不怎麼管。實際上聯大校長一直都是梅貽琦，他還兼過很長一段時期的教務長，所以我們寫呈文的時候都寫「梅兼教務長」。他的工作成績還是挺不錯的，能把三個學校都聯合起來，而且一直聯合得很好，在抗戰那麼艱苦的條件下非常不容易，他確實挺有辦法。而且梅貽琦風度很好，頂有紳士派頭，永遠拿一把張伯倫式的雨傘，甚至於跑緊急警報的時候，他還是很從容的樣子，同時不忘疏導學生。在那種緊急的關頭還能保持這種風度，確實很不容易。大概正是因為他的修養，所以能夠讓一個學校在戰爭時期平穩度過。

西南聯大有五個學院，工學院主要就是清華的，文、理、法三個學院是三個學校都有。另外還有一個師範學院，是雲南教育廳提出合辦的，比較特殊。雲南教育差一些，師資也差，希望聯大給雲南培養些教書人才，我想聯大也不好拒絕，就合辦了一個師範學院，先是調雲南中學的教師來上課，後來就直接招生了。可在我們看來，師範學院有點像「副牌」。比如我們有歷史系，師範學院只有「史地系」，大概考慮將來到中學教書，沒準兒除了教歷史還得教地理，所以就兩門一起都學一點兒。再比如他們有個「理化系」，可我們理學院的物理系、化學系是分開的，課程的內容、程度和他們都不一樣。戰後復員時，師範學院獨立出來，成為今天的雲南師範大學。

五個學院在地址上分三塊，工學院在拓東路，位於昆明城的東南角，文、法、理學院和校本部在一起，在昆明城的西北角。校本部就是掛「西南聯大」牌子的地方，像校長辦公室、校務組之類學校的主要部門都在那裏。我們住在校本部，是新蓋的校舍，叫「新校舍」。其實就是泥牆茅草棚的房子，連磚都沒有，都是夯土打壘，古人管這叫「板築」。窗子沒有玻璃，支上幾根木頭棍子在那兒就作為隔斷了，幸虧昆明天氣好，不然天冷受不了的。

和今天比起來，那時候的學生實在太少了。工學院五個系，土木、電機、機械、化工、航空，學生是最多的，總共不過四五百人。有一個航空系的同學跟我很熟，帶我去參觀過，看那些風洞器、流體實驗之類，像是很先進的。我第一年上的是工學院，初等微積分、普通物理課是必修。記得第一個實驗是落體實驗，物體在自由狀態下下落的時候越來越快，通過振動儀在玻璃板上畫出一條曲線，然後根據測量曲線兩點間的距離得到各種數據。儀器都是國外的，實驗時需要用一塊玻璃板，上面刷的白粉是用酒精調的，那也是學國外的規矩。因為酒精揮發得快，一下就乾了，可以立即進行實驗，要用水的話還得等老半天。可是酒精比水貴得多，現在回想起來都覺得有點奢侈，可見那時候做實驗一點兒都不含糊，比我們中學的時候強多了。工學院的每星期都有一個下午到工廠實習，製模翻砂、打鐵煉鋼，都是自己動手。後來批知識分子不參加勞動，四體不勤、五穀不分，其實並不都是那樣。我們在工廠裏和工人一樣地幹，就是沒人家熟練，笨手笨腳的。

文、法、理三個學院有多少學生我沒統計過，印象中加起來不過七八百人。文學院有中文系、外文系、歷史系、哲學系，只有外文系的人最多，大概一級總有二十多人吧。像中文系、歷史系每年只招十幾個，哲學系人最少，每年只有兩三個。可是我那一年歷史系人特別多，總得有二十個。法學院包括政治系、法律系、經濟系、商學系和社會系，因為我上過政治系兩年課，知道他們一年也就六七個人。法律系基本上也是這個數字，只有經濟系的人比較多，一年總有四五十人。我想這大概和將來就業有關係，學經濟的畢業以後出路好一點。可是其他的，比如學政治的，出來你幹甚麼？做官也沒你的份。

理學院裏數學系人最少，我們43級那一屆只有三個人。物理系一年有八九個，多的時候十幾個，42級那一班的好像只有八個人。可是他們那一班不得了，出了五六個尖子，包括黃昆、張守廉和楊振寧，號稱「三大才子」，現在都是大名人了。全校一年級不分科，考六十分就pass(過關)，可要想在二年級入系的話，至少得考七十分。比如進大學考的是數學系，你的物理成績夠了七十分，只要願意，二年級就能上物理系。但我至今不知道，如果每科都考六十分怎麼辦，那豈不是哪個系都進不了了嗎？

新校舍只有一個院子，地方就那麼一點，房子不多，住也在那裏、上課也在那裏，所以很多人都非常熟悉。包括那些理學院的老師，雖然並不一定交往，可是大家都知道這是吳有訓、葉企孫，那是周培源、吳大猷，都是物理學的老前輩了。像數學系的華羅庚、陳省身，都是大名人，大家幾乎天天見面的。而且還老聽同學講那些老師的小段子，現在回想起來，我們做學生的有時對老師也不大恭敬。記得剛入大學的時候，有個同學跟我講：「今年來了三個青年教師，才二十八歲，都是正教授。」不要說當時，就是今天怕也很少有，哪有二十幾歲就做正教授的？一個錢鍾書，一個華羅庚，還有一個許寶騄，都是剛回國。許寶騄搞統計學，據說非常了不起，屬世界級的權威，後來就在北大經濟系，但我不懂統計學，不知其詳。我還記得有人問：「華羅庚是誰？」有同學說：「就是那個瘸子。」

華羅庚那時候瘸得很厲害，不能直着走，有一條腿老在那兒劃圓圈，抗戰後到Illinois(伊利諾伊)大學教書，在美國治了一次才好一些。當時關於華羅庚的各種小道傳説很多，聽數學系的同學講，他在班上淨罵人，大家都説他對人過分苛刻，「人頭兒差」。不過我想，這大概跟他的經歷有關。華羅庚先天有兩個條件很不利的，第一沒有學歷，連中學都沒畢業，雖然剛從英國劍橋回來，可是也沒拿到學位。現在也一樣，非正途出身的人要吃虧很多。雖説錢鍾書的學歷也不高，像梁啟超、王國維幾位大師都沒有學歷，不要説博士，甚麼「士」都沒有，但對於有些人來講，「非正途」的陰影的確很難擺脱。第二，華羅庚有殘疾，要出人頭地就必須有非常特殊的才能，而且要遠遠超過別人。華先生確實有他的過人之處，腦子非常靈活，那是別人比不了的地方，但另外一方面，競爭的激烈可能會對他產生影響。這是我的心理分析，也不知道對不對。

上面説的是理學院的老師，文學院的更是天天見面了。朱自清、聞一多、沈從文、羅常培、羅庸都是中文系的，我們都認得，當然他們對於學生就不一定都認得了。歷史系至少陳寅恪、錢穆在那裏，都是大師了。傅斯年也在，他是北大文科研究所所長，但不教課，只是掛個名。還有雷海宗先生，後來在南開。像劉崇鋐先生、姚從吾先生，後來都去臺灣了。其實臺灣大學的那批人大致就是北大的底子，傅斯年是校長，除了剛才説那幾個人，還有錢思亮、毛子水等等都在那裏。所以臺灣大學實際上就是北京大學，只是不用「北京大學」的名字。

3. 自由，學術之生命力

舊社會上課跟新社會有很大的不同。解放後，我們學蘇聯那一套，搞「五節教學制」。上課五十分鐘，先五分鐘複習，再幾分鐘如何如何，再幾分鐘又如何如何，規定得非常仔細。學校用的是全國統一的標準教科書，上課前老師備一份講稿，一二三四、ABCD，落一條都不成。可是我做學生的時候，各個老師教的大不一樣，各個學校也不同，有很大的自由度。比如中學教中國通史，每個教師都可以按照自己的一套講。當然國民黨也有意識形態上的標準講法，既不是唯物史觀，也不是唯心史觀，叫作「唯生史觀」。「生」就是三民主義裏的「民生主義」，教育部長陳立夫提倡這個。不知道這套官方的理論在重慶是不是有市場，不過我上中學的時候沒有老師這麼講。只記得有個同學會考得了第一，學校獎勵他一本陳立夫的《唯生論》，我想他也不看，我們都不看，所以並沒受它的影響。再比如國文，老師高興教哪篇文就教哪篇。今天選幾首李白、杜甫的詩，明天選《史記》裏的一篇，像〈刺客列傳〉，或者選一篇莊子的〈逍遙遊〉來講，沒有標準教本。大學入學考試的題目也沒有標準一說，倒是解放以後，全國有統一的規定、統一的模式，有標準教科書，考試還必須按

「標準答案」。不過我想還是應該沒有「標準」，包括自然科學，我認為也不需要有。如果大家都按一個思路去想，科學怎麼進步？愛因斯坦的理論也不應該成為標準，否則永遠不可能超越。

相形之下，聯大老師講課絕對自由，講甚麼、怎麼講全由教師自己掌握。比如中國通史，那是全校的公共必修課，聽課的人多，錢穆、雷海宗兩位先生各教一班，各有一套自己的理論體系，內容也大不相同，可都是講到宋代就結束了。《國史大綱》是錢穆當年的講稿，學期末的時候，他說：「我這本書就要出了，宋代以後的你們自己去看。」再比如二年級必修的中國近代史，老師只從鴉片戰爭講到戊戌變法，清朝滅亡、民國成立都沒講。實際上，中國近代史應該從1840年鴉片戰爭到二十世紀四十年代，正好一百年。可是老師只講五十年，等於只講了前一半。向達先生教印度史，兩個學期只講了印度和中國的關係，成了「中印文化交流史」。我愛人上過北大陳受頤先生的西洋史，一年下來連古埃及多少王朝還沒講完。我記得馮友蘭在回憶錄裏說，他在北大上學的時候有位老先生講中國古代哲學史，結果半年只講到《周易》，連諸子百家都沒涉及。可見當年的老師講課多麼隨意，但我覺得這有一個最大的好處，教師可以在課堂上充分發揮自己的見解，不必照本宣科。

學術自由非常重要，或者說，學術的生命力就在於它的自由。不然每人發一本標準教科書，自己看去就是了。老師成了播音員，而且還沒有播音員抑揚頓挫有味道，學生也不會得到真正的啟發。比如學習歷史，孔子是哪一年生、哪一年死，怎麼周遊列國等等，每本教科書上都有，根本用不着老師講。而老師的作用正在於提出自己的見解，啟發學生、與學生交流。

我上二年級的時候才十九歲，教政治學概論的是剛從美國回來的年輕教師周世逑，第一節課給我的印象就非常深。他問：「甚麼叫政治學？」政治學就是研究政治的學問，這是當然的了。那麼，甚麼叫政治？孫中山有個經典定義：「政者，眾人之事；治者，管理。」* 所以「管理眾人之事」就是政治，這是官方的經典定義。可我們那老師一上來就說：「這個定義是完全錯誤的。你們在食堂吃飯，有人管伙食賬。你們借書，有人管借書條。你們考試，註冊組要登記你們的成績。這些都是眾人之事，但它們是政治嗎？」這可是大逆不道的事情，他怎麼敢這麼說？比如現在，誰敢說馬克思的定義是完全錯誤的？我想沒人敢這麼說。不過，我覺得他說的也有道理。有些老師喜歡在課堂上胡扯，甚至於罵人，但我非常喜歡聽。因為那裏有他的風格、他的興趣，有他很多真正的思想。比如馮友蘭在課堂上罵胡適，說：「胡適到二七年就完了，以後再沒有東西了，也沒起多大的作用。」這是教科書裏看不來的。

當然，聯大裏也有老師是非常系統的教科書式的

* 參見《三民主義》中〈民權主義〉第一講。

講法，比如皮名舉先生教的西洋近代史。皮名舉是清末經學大師皮錫瑞的孫子，講課非常系統、非常有條理。比如今天講維也納會議，那麼整堂課就是維也納會議，雖然有時也談些閒話，但並不扯遠。皮先生有個特點，每堂課只講一個題目，而且恰好能在下課時把這個題目講完，據説以前只有蔣廷黻能做到這一點。後來我教課的時候也想學着做，可是非常失敗。因為總免不了要多説兩句，或者少説兩句，不能那麼恰好在五十分鐘內講完，我沒那個本事。另外，上皮先生的課必須交作業，像我們中學的時候一樣，可是他留的那作業我到現在都覺得非常之好：畫地圖。近代史從1815年拿破崙失敗以後的維也納會議，一直講到1914年第一次世界大戰，正好一百年。一個學期要求畫六張歐洲政治地圖，那麼一個學年就得畫十二張。當然我們也是照着書上現成的抄，不過我覺得，這確實太有用了。以前我們對政治地圖重新劃分沒有地理上的具體印象，但畫過一遍之後，腦子就非常清楚明白了。包括中國史也應該是這樣，可是除了皮先生，沒有別的老師再要求過。

老師各講各的見解，對於學生來講，至少比死盯着一個角度要好得多。學生思路開闊了，逐漸形成自己的判斷，不一定非得同意老師的觀點，這是很自然的事情，而且可以公開反對。記得有一次數學系考試，有個同學用了一種新的方法，可是數學系主任楊武之先生認為他做錯了。這個同學就在學校裏貼了一張小字報，說他去找楊武之，把雜誌上的新解法拿給他看，認為自己的沒有錯。後來楊武之很不好意思，好像還辭掉了系主任的位子，或者請了一年病假*，這是今天不能想像的了。

再比如錢穆先生的《國史大綱》，裏面很多見解我不同意，不但現在不同意，當時就不同意。錢先生對中國傳統文化的感情太深厚了，總覺得那些東西非常之好。有點像情人眼裏出西施，只看到它美好的一面，而對它不怎麼美的另一面絕口不談。我承認傳統文化裏確實有好東西，但並不像他講的那麼非常之好。人無完人，總有優點、缺點，文化也沒有完美的，也有它很黑暗、很落後、很腐敗的部分，比如血統論。封建時代科舉考試的時候，要寫三代履歷，曾祖父、祖父、父親必須三代清白。「王八戲子吹鼓手」，妓院的、唱戲的、搞演奏的都是賤民，凡這類出身的人都不准進入考場。這是傳統文化裏腐朽的部分，可是錢先生好像並沒有正視它，講的全是中國傳統文化裏美好的部分，以為這才是中國命脈的寄託所在，這是他的局限。另外，錢先生是舊學出身，對世界史，特別是對近代世界的知識了解不夠。可是在我看來，中國近代歷史的最大特點就在於參與了世界，而且不參與不行，也得硬把你拉進來。這時候，中國

---

* 1942年11月，楊武之因病請辭西南聯大算學系兼師院數學系主任職務，具體不詳。

面臨的最重要的任務是如何近代化，與近代世界合拍。所以閉關的政策行不通了，一定要開放，包括我們的思想認識，要有世界的眼光。錢先生對於這些似乎關注得不太夠，也是他的欠缺——這是對前輩的妄論了。不過我以為，學術上不應該論資排輩，不然學生只局限在老師的圈子裏，一代不如一代，那就沒有進步了。

再說幾件小事。邏輯學那時候是必修，我上的是金岳霖先生的課。金先生講得挺投入，不過我對邏輯一竅不通，雖然上了一年，也不知道學的是甚麼東西。只記得有一個湖北的同學，年紀很大了，課上總跟金先生辯論，來不來就說：「啊，金先生，您講的是……」我們沒那個水平，只能聽他們兩個人辯。我覺得這樣挺好，有個學術氣氛，可以充分發揮自己的思想。如果甚麼都得聽老師的，老師的話跟訓令一樣，那就不是學術了。還有一個理學院的同學，姓熊，他對所有物理學家的理論都不贊成，認為甚麼都是錯的。周培源先生那時候教力學，這位熊同學每次一下課就跟周先生辯。周先生老罵他，說：「你根本就沒懂！你連基本概念都沒弄通！」可是這位同學總不依不饒，周圍還有很多人在聽。因為我們下一堂課就在理學院邊上，每次路過都看見他們站在院子裏辯，都成南區教室的一景了。

同學之間也經常討論，一則學校小，幾乎天天見面。二則非常窮，吃喝玩樂的事情都做不了，一切娛樂都與我們無關。三則戰爭時期，大家都是背井離鄉，一天到晚待在校園裏，所以唯一的樂趣就是聊天了。物理系的鄭林生和我中學就是同學，後來住一個宿舍，那是一輩子的好朋友了。鄭林生曾經批評我說，對近代科學不了解是我的一大缺欠。有時他跟我談一些物理學對宇宙的看法，特別是認識論，記得有一次說起法拉第。法拉第學徒出身，沒有受過正規教育，所以不懂高等數學，這對於學物理的人來講是致命傷。可是他發明了磁力線，用另外的方式表述電磁現象，後來成為電學之父。這次談話使我深受啟發，其實我們對於這個世界的理解以及表述，不必非得用原來的模式。比如過去講歷史都講正統，講仁義道德，但這只是理解歷史的一個層面，完全可以換一種方式。亞里士多德說過：「詩人可能比歷史學家更真實，因為他們能夠看到普遍的人性的深處。」* 所以有時我想，或許藝術家、文學家對於歷史的理解要比歷史學家深刻得多。古人說：「人之相知，貴相知心。」如果你不理解人心，而只是知道一個人幾點鐘起床、幾點鐘吃飯，並不等於了解他。專業的歷史學家往往止步於專業的歷史事件，沒有能夠進入到人的靈魂深處，知道得再多，也不意味着他就懂得了歷史。我的許多想法就是在和同學們一次次的交談中得到啟發，有些甚至伴我一生。

---

* 參見亞里士多德：《詩學》第九章。

4. 逃課、湊學分與窗外的聆聽

我們那時候可真是自由，喜歡的課可以隨便去聽，不喜歡的也可以不去。姚從吾先生的課我就不愛聽，他教歷史系的專業課，可我一直都沒上。政治系主任張奚若先生，他的西洋政治思想史、西洋近代政治思想史兩門課我沒有選，不參加考試，也不算學分，可是我都從頭到尾聽下來，非常受啟發。乃至於現在，我的專業也變成思想史了。

聯大實行學分制，文學院要求四年一共修132個學分才能畢業，工學院是144個學分。其中三分之二是必修課，一定要通過的。比如一年級，文科生要學一門自然科學，學理工的國文是必修。另外英文也是必修，六個學分，不及格不行，可是像第二外語或者第三外語，那就是選修了。

我上歷史系的時候，按規定，中國史必須學兩個斷代。至於哪兩個斷代，比如先秦史、秦漢史、隋唐五代史，或者南北朝史等等，隨你挑。因為我那時候對中國古代史沒興趣，選的兩個都是近代的，一個是姚從吾先生的宋史，一個是鄭天挺先生的明史。姚從吾先生是北大歷史系主任，可是我們當年都覺得姚先生口才不好，講得不怎麼樣，所以不想上他的課。姚先生還教一門史學方法，也是歷史系的必修課，我就聽過兩堂。總覺得沒甚麼內容，簡直浪費時間，還不如我自己借本書呢，一個星期就看完了。而且我知道，好多同學都不上他的課，姚先生也從來不點名。

到了學期末，我們把同學的筆記借來看看，應付考試。可是後來姚先生到臺灣，做了中央研究院的院士，而且後來的一批中年骨幹歷史學家都是他培養出來的，真是出乎意料。可見以言取人、以貌取人是何等的不可靠。

鄭天挺先生原來是北大的秘書長，教我們明史，也教唐史、清史。鄭先生講得非常之系統，一二三四、ABCD，從頭講起。甚麼政府組織、經濟來源，有哪些基本材料等等，比中學的課程提高了一個檔次，只不過講得更細緻。這種講法在聯大裏很少見，當然也有優點，對於我們尚未入門的人可以有個系統的認識。可是非常奇怪，因為明史是歷史系的專業課，如果你不是學歷史的，並沒有必要上。理學院的不必說了，像文、法學院其他專業，比如經濟系的，你學明史幹甚麼？除非是專門研究明代經濟史，那你可以上明史課。不然的話，比如你是學國際貿易的，學明史有甚麼用？要按專業課的選擇標準，這門課頂多十來個人上，即便歷史系的學生也不見得必修。可是鄭先生的課非常奇怪，經常有上百人來聽，還得準備一間大教室。怎麼會多出這老些人呢？因為鄭先生的課最容易pass，凡是選了課的，考試至少七八十分。所以甚麼物理系的、化學系的都來選，叫作「湊學分」，這在當時也是一種風氣。不過，鄭先生講課的確非常有趣味。記得講到朱元璋時，專門提到他的相貌，那可真是旁徵博引，某某書怎麼怎麼記載，某某書又如何如何說。最後得出一個結論：按照中國傳統的說法，明太祖的相貌是「五嶽朝天」，給人的印象非常深刻，而且讓人覺得恐懼。就這樣，整整講了一節課。

鄭先生是專門研究明清史的，院系調整的時候調他去南開，他很不想走。因為研究明清史，北京的條件是最好的，無論是材料、實物，甚至於人，比如說貴族的後代，這些條件都是最好的，一到天津就差了。可那時候都得服從領導，領導調你去天津，你就得去。後來我聽了一種說法，說北大院系調整的時候，把胡(適)派都給調出去，不知是真是假。抗戰以前，鄭天挺先生是北大的秘書長，我做學生的時候他是總務長，一直這麼多年，是老北大了。校長蔣夢麟、文學院院長胡適跟他的關係都非常密切，所以他被調出去了，後來做了南開副校長。

其他名人的課，因為好奇，我也偶爾聽聽，比如外文系陳福田先生的西洋小說史。記得那一年外文系的男同學都調去做美軍翻譯官了，所以班上七八個全是女同學。男生一共兩個，還都是去旁聽的，我是其中之一，另一個是楊振寧。陳先生是美國檀香山的華僑，清華外語系主任，他的英文比中文還好。但他的課只從十七世紀《魯濱遜漂流記》的作者笛福開始講起，按現在的教學方案來說挺沒章法的，不過這在當時沒人管。而且陳先生對戰局非常關注，後來還主持辦翻譯官的訓練班，所以他上課不是先講狄更斯、巴爾扎克的小說，而是一上來就把新加坡失守之類的戰局情況分析一遍，內容也挺豐富的。

再比如沈從文先生的中國小說史。那個課人數很少，大概只有六七個人聽，我旁聽過幾堂，並沒有上全。沈先生講課字斟句酌的，非常之慢，可是我覺得他真是一位文學家。不像我們說話東一句西一句的連不上，他的每一句話、每一個字都非常有邏輯性，如果把他的課記錄下來就是很好的一篇文章。沈先生非常推崇《金瓶梅》，我現在印象還很深刻。《金瓶梅》過去被當作淫書，不是正經的小說，一直到民國以後都被禁止。可是沈先生非常欣賞這本書，認為對人情世態寫得非常之深刻，《紅樓夢》在很多地方都繼承了《金瓶梅》的傳統。沈先生是非常用功的，可是沒有任何學歷，連中學都沒唸過，並且當過兵。後來他到大學裏教書，還成了教授，所以往往受學院派的白眼。記得有個同學跟我講，劉文典在課堂上公開說：「沈從文居然也評教授了，……要講教授嘛，陳寅恪可以值一塊錢，我劉文典一毛錢，沈從文那教授只能值一分錢。」包括錢鍾書，他在一篇小說裏也罵過沈從文，說：有一個人，年紀輕輕的，可是他的經歷豐富極了，好像幾十年都幹不過來。* 不知這是哪一篇文裏說的，我都忘記了，可一看就知道是說沈從文。可惜我們現在看過去的人總是帶着諒解的眼光，

* 錢鍾書在小說〈貓〉中影射了文化界的眾多名流，其中有舉動斯文、「講話細聲細氣，柔軟悅耳」的作家曹世昌，即暗諷沈從文。

只看到融洽的一面，沒有看到他們彼此之間相互輕視、看不起的那一面，沒能把人與人之間的一些矛盾真正揭發出來。

劉文典大概是西南聯大年紀最大的，聽說他早年參加清朝末年同盟會，和孫中山一起在日本搞過革命，非常老資格。而且，他完全是舊文人放浪形骸的習氣，一身破長衫上油漬斑斑，扣子有的扣、有的不扣，一副邋遢的樣子。有一件事我想是真的。北伐時候劉文典是安徽大學校長，蔣介石到安徽時，照例要請當地的名流見面。蔣介石是很注重儀表的一個人，可是劉文典挺乾癟的一個老頭兒，還戴着副眼鏡。蔣介石看他其貌不揚，問：「你就是劉文典嗎？」他回了一句：「你就是蔣介石嗎？」一下把蔣介石給惹惱了，把他抓了起來。後來經蔡元培、吳稚暉等等元老保釋，才把他放出來。

劉先生當然非常有名了，而且派頭大，幾乎大部分時間都不來上課。比如有一年教溫李詩，講晚唐詩人溫庭筠、李商隱，是門很偏僻的課，可是他十堂課總有七八堂都不來。偶爾高興了來上一堂，講的時候隨便罵人，也挺有意思，然後下次課他又不來了。按說這是不應該的，當時像他這樣的再找不出第二個，可他就是這個作風。後來因為出了點事，據說是接受了甚麼人贈的煙土，學校把他給解聘了，他就去了雲南大學。抗戰勝利以後，其他人都走了，劉文典卻留在雲南不出來。第一，雲土好，劉文典吸鴉片煙，這在聯大是絕無僅有的。第二，雲腿好，他喜歡吃雲南的火腿，所以不走。有人給他起了個外號，叫「二雲居士」，解放後做了政協委員，1957也弄了個右派。好多年前，雲南大學教授、老學長李埏給我講了一個劉文典的故事，挺好笑。反右的時候有人揭發劉文典，說他有一首黑詩，就拿出來唸。詩的前面是一段序，說他有一個姬人非常可愛，怎麼明媚、怎麼窈窕，溫存又體貼，總而言之好得不得了。可惜短命死矣，弄得他晚上十分感傷睡不着覺，於是寫了一首詩懷念她。那詩寫得確實纏綿悱惻、哀婉動人，怎麼成黑詩了呢？揭發者說，劉文典根本就沒這麼一個姬人，實際上寫的是他那杆煙槍。解放後不准抽大煙，他就只好懷念他那杆煙槍。

聞一多的《詩經》、《楚辭》，還有朱自清的課我也去聽，不過朱先生講課不行的，較為平淡。外文系卞之琳先生屬晚一輩的教師，作為詩人、作家，當時就非常有名了，可在學校裏還不是正教授，講課也不行。卞先生是江蘇海門人，口音非常之重。我有一個同班同學上了一年卞先生的英文，回來就說：「卞先生的課呀，英文我聽不懂，中文我也聽不懂。」這一點我非常理解，因為我趴着窗戶聽過他的課。他那中文實在是難懂，我想他那麼重的口音，英文發音也不會太好。不過，一個人說話是不是清楚和他的學識沒有關係，這是兩回事。我們一年級學英文都去聽潘家洵的課，潘先生五四時候就翻譯了易卜生的作品，教我們的時候總有五十來歲了。因為潘先生的專業課是語音學，所以他的發音非常標準，而且說得又慢又清楚，幾乎每一個字都能聽進去，我們都喜歡跑去聽他的課。

錢鍾書先生名氣大，我也跑去聽。他的課基本都用英文講，偶爾加一句中文。不過他有時似乎有點喜歡玄虛，不是很清楚明白地講出來，而是提示你，要靠你自己去體會。所以非得很聰明的人才能夠跟上他，笨的就對不上話了。另外，當年清華四大導師裏我趕上了陳寅恪，他教隋唐史、魏晉南北朝史。不過那時候我還是工學院一年級的學生，沒有資格選這種專業課。陳先生的課正式上的人很少，大概就七八個。但是陳先生名氣大，大家都知道他是泰斗，所以經常有人趴到窗戶那兒聽，我也夾在其中。上課了，陳先生夾一個包袱進來，往桌上一放，然後打開書。可是他基本不看，因為他對那些材料都非常熟悉，歷歷如數家珍，張口就是引甚麼甚麼古書中的哪一段，原話是甚麼甚麼。如果按照解放後的標準來說，沒有任何教學大綱，完全是信口講，他的那種教課方式是不夠格的，但解放前允許這種講法。陳先生說話有口音，講得不是很精彩，不是靠口才取勝的那種教師。而且他講的那些東西太專門了，引的古書我們都沒看過，所以完全不懂。陳先生第二年就走了，本來是去英國任牛津大學的講座。因為德國剛佔領了法國，馬上就要打過海，英國岌岌可危去不了了，只好留滯在香港。

5. 圖書館不是藏珍樓

聯大有個大圖書館，每個系也有自己的圖書館，這在戰爭期間是很難得的。而且全部開架，學生可以自由進書庫，願意看甚麼書就看甚麼書，隨便你甚麼時候，待上一整天也沒人管。有的書看着名字不錯就拿出來翻翻，如果覺得沒意思，又給擱回去，有的非常感興趣就借出來，好像浸泡在書的海洋裏，那種享受真是美好極了。解放後我在歷史所待了三十年，也算是研究人員了，那都不能進書庫。要看書的話得在外邊填借條，然後交給管理員去拿。有一次我跟管書庫的人商量，説我就查一個材料，但不知道在哪本書裏，你讓我進去翻一下就完了，不必來回填條換書，太麻煩了。其實那時候我年紀挺大，都五十多歲了。後來他答應了，「恩准」我進去查書，還拿個手電筒，就離兩米遠，緊盯在我屁股後面，似乎唯恐我在裏面偷書，或者搞破壞。你想，你在那兒站着看書，還得有個人監視，就覺得尷尬極了，很不舒服。現在的北京圖書館也一樣，許多館室不能入庫，得先在外面填條，而且限借三本。但也許只找出一本來，翻翻可能還不是你想要的。得，這半天等於瞎耽誤工夫，翻了一本沒用的書就報廢了。

後來我在美國國會圖書館碰見一個美籍華人，叫居密，她是國民黨的元老、司法院院長居正的女兒。她説去南京找材料，借書麻煩極了，借檔案就更麻煩，結果待了七個月，所看到的內容抵不上在美國圖書館看一個月。這個我相信，因為我們的手續太麻煩了。如果書庫能隨便出進，就跟逛書店一樣，左翻一本右翻一本，那一天能看多少？雖然不是所有書都仔細看，可是信息量就非常大了，需要哪本可以再借哪本。如果不能進書庫，借甚麼書得填條讓他給你拿，那一天又能看多少？我覺得，這跟我們的指導觀念有關。圖書館的作用是甚麼？應該是盡最大的可能把書讓大家看到。可是按照我們後來的觀點，圖書是國家的財富，要盡量地把它保護好，越翻越爛怎麼成？所以就千方百計地盡量少讓人看，或者不讓人看。無形之中，這使我們在吸收知識方面落後了。圖書館是為傳播知識設立的，着眼點不應當是建多少高樓、收藏多少圖書，而是怎麼才能讓這些書流通，最大限度地發揮作用。如果這一點不考慮的話，圖書館變成了藏珍樓，生怕人家給摸壞了，這就失掉了它最初的意義。

所以，1980年我第一次去美國的時候，印象最深的就是他們的圖書館。按理說我是一個外國人，也沒介紹信，甚麼證件都沒有，可是並沒有人查問，書庫照樣可以敞開了進，沒關係。圖書館從清晨開到夜半，只要你有精力，可以從早幹到晚。而且它的條件非常好，裏面有沙發，旁邊就是小吃店，累了、餓了可以歇一陣再繼續，那你一天能收穫多少？而且裏面那些關於中國的書，包括港臺的書、大陸出版的書，報刊、雜誌幾乎都有。可是我們這裏呢？國外的書看不到，港臺的書也看不到。記得六十年代初我在歷史所工作的時候，聽説林語堂在臺灣中央研究院的期刊上寫了一篇評《紅樓夢》的文章。因為我對《紅樓夢》也有興趣，於是想借出來看看，可是圖書館負責人對我講：「借臺灣的出版物得寫個申請，讓黨委特批。」搞得像個政治事件一樣，你説，誰願意去找那個麻煩？這等於在思想上自我封閉了。別人的都不看，關起門來就看自己的那一點兒，好比一個足球隊整天關起門來自己練，人家是甚麼打法你都不知道，這種球隊出去能贏嗎？它是資本主義，既然你在理論上你先天就比它優越，它都不怕你，你為甚麼要怕它呢？

那時候，我們有好幾條路徑可以提高英文，一個是跑到外文系圖書館借英文小説。記得有個同學問我：「你看了多少本？」我説看了二十本吧，他説：「二十本不夠，得三十本。」後來我們發現，讀英文小説不要看英美人寫的，而要看其他國家的作品翻譯成英文的。比如法國人大仲馬、小仲馬、莫泊桑的，或者俄國人托爾斯泰、屠格涅夫的，那些作品被翻譯成英文就容易得多。還有一條路，就是看英文雜誌。聯大有個挺大的雜誌閱覽室，國內、國外的期刊雜誌總有兩三百種的樣子。沒事了可以到裏面翻一翻，跟逛書店一樣，可以吸收很多東西。其中我有興趣、而且現在還記得很清楚的，比如Apollo，那是關於美術史的，裏面插圖非常精彩。其實學校沒有美術史的專業課，可那種雜誌閱覽室裏也有。還有一本講音樂史的雜誌，名字是法文的，叫Etude，介紹了很多古典音樂。有一篇文給我印象很深，講舒伯特的歌Erlkönig(〈魔王〉)。那是一個德國民間的傳說，有個小孩病得很重，父親抱着他騎馬去看醫生。晚上風吹得很緊的時候，忽然有一個魔王出現勾引那個小孩，後來他就死了，在狂幻之中死去。這首歌我在北京就知道，是歌德的詩，可是一直沒找着，看見那本雜誌上有，趕緊抄了下來。這些條件後來就都沒有了。我在歷史所那麼多年，牌子也是「中國科學院」的甚麼甚麼，按理說條件應當很豐富，結果反倒不如聯大的時候。

英國領事館離我們學校不遠，它的閱覽室可以隨便進。一般只有三四個讀者，而且閱覽室的人挺殷勤的，還給你倒一杯茶。1939年秋天，就在我離開貴陽的前兩天，希特勒進攻波蘭，二戰開始了。英國領事館裏有各種英文的報紙雜誌，當時我們對戰局也很關心，常過去翻看。其中有一份*The Illustrated London News*(《倫敦畫報》)報道戰局，配了很多照片和圖畫。1940年6月，法國投降，希特勒佔領了巴黎。戴高樂跑到英國繼續打仗，叫作「自由法國」，後來叫「戰鬥法國」。其實戴高樂在法國地位並不很高，原是陸軍部一個局長級的人物，不過他提出了一個新的戰術觀念很有名。他認為，未來作戰主要是靠機械化的機動戰，而不是像一次大戰那樣打壕塹戰，挖個深溝，有個機關槍守着敵人就過不來。二戰時候大規模使用坦克，可以到處跑，所以打的是運動戰。德國打敗法國以後有個「海獅計劃」，準備過海打英國。先是大規模地轟炸，每天都是幾千架飛機，連續轟炸了三個月，倫敦的居民都住在地鐵裏，那些情形《倫敦畫報》上都有。當時英國只有八百架戰鬥機，數量上遠遠少於德國，可都是當時最先進的。一種噴火式(spitfire)，一種颶風式(hurricane)，性能非常優越。而且英國還有一個秘密武器是雷達，在「大不列顛之戰」中起了非常大的作用，所以德國終於沒能過海。這些都是我從領事館的閱覽室裏看到的，一方面增加了時事知識，另一方面，不自覺地就吸收了許多現代報刊的應用英文，那和文學的範文又不同了。

另外，我還訂過一份《新華日報》，那是唯一的共產黨報紙而在國民黨控制區發行。當時也有些其他同學訂，我不知道具體的數字，但一般都可以看得到。因為凡是當了權的都喜歡説空話，甚麼為人民謀福利之類，我們都不愛看，也不相信，就想聽聽不同的聲音。這份報紙是公開的，在昆明找的都是十三四歲的小孩送，可惜後來被三青團給砸了，以後就收不到了。國民黨的官方報紙是《中央日報》，相當於我們的《人民日報》，各個省政府也自己的報紙，軍方辦的叫《掃蕩報》。《大公報》在當時是比較中立的，解放後我們説它是「小罵大幫忙」，小罵國民黨、大幫國民黨。有意思的是，前幾年我在某雜誌上看見一篇文，說舊《大公報》是小罵共產黨、大幫共產黨。當然，這只是他的理解。那時候《大公報》講「大公」，所以經常指責國民黨，對共產黨雖然有時也同情，但也會指責。抗戰剛一勝利的時候，國民黨、共產黨都在搶淪陷區，特別是東北。《大公報》曾發表社論〈可恥的長春之戰〉，對國民黨、共產黨各打五十大板。緊接着，《新華日報》發表社論〈可恥的大公報社論〉回敬，這是後話了。

6. 茶館聽吹牛，里根掛二牌

我們那時候的生活條件極差，尤其教師就更艱苦了。以前那些名教授，比如馮友蘭，戰前一個月的工資有四五百大洋，在北京可以買一套四合院的房子。可是後來一打仗就不行了，每況愈下。從前都是用硬幣，比如銀元，上邊有袁世凱或孫中山的頭像，還有銅板。不過都很麻煩，稍微多一點就很重、很累贅，而且非常髒。1935年，國民黨政府請英國的專家李茲·羅斯來中國進行幣制改革，改用法幣，即「法定的貨幣」，由中央政府的銀行統一印發，全國通用。這當然比硬幣優越，一開始很方便，而且打仗要用錢，錢從哪裏來？票子一印就出來。所以，當局採取最簡單的辦法就是印票子，可是老那麼掏窟窿怎麼受得了？1935到1937年，國民黨確實也在着力，因為知道戰爭是不可避免的，包括幣制改革也是備戰。但你不能一味地靠這一種辦法。從1937年打仗到38年、39

年，物價顯著上漲，結果通貨膨脹，導致整個經濟崩潰，最後連吃飯都很困難了。

八十年代末，我們也經歷過一次。那兩年物價漲得很快，大家搶購，清華的銀行貼出條兒來，說：大家注意，不要來取錢了，我們這兒沒錢。這大概也是社會主義的優越性了，因為我們那時候可以接觸到的只有一個中國人民銀行，談不上競爭，等於國家壟斷。如果是在資本主義社會，或者舊社會，哪個銀行要是貼這個條子就該倒閉了。所以舊社會的銀行最怕謠言，一說「某某銀行要倒閉了」，大家拼命去取錢，就把銀行擠垮了。

西南聯大時候，吃也差、穿也差、住也差。一間茅草棚，上、下通鋪住四十人，頗有點類似我們七十年代五七幹校的宿舍。由於生活不安定，有的人休學，個別有點錢的在外邊自己租間小房子住。還有的根本就在外邊工作，比如在外縣教書，到考試的時候才回來。宿舍裏往往住不滿，但也有二三十人，很擠。我同宿舍裏有一位，那是後來有了名的作家，叫汪曾祺。他和我同級，年紀差不多，當時都十八九歲，只能算是小青年。可那時候他頭髮留得很長，穿一件破舊的藍布長衫，扣子只扣兩個，趿拉着一雙布鞋不提後跟，經常說笑話，還抽煙，很頹廢的那種樣子，完全是中國舊知識分子的派頭。北大歷史系的汪籛當時已經是助教了，也是這種作風，可惜文革初的時候自殺了。

當年的艱難，恐怕是今天難以想像的。不過好在不要錢，上學、吃住都不要錢。學生每個月靠「貸金」吃飯，而且不用還，這和今天大不一樣了。假如那個時候要收費的話，我相信絕大部分學生都上不了學。不但我們上不了，就是再大的名人也上不了，包括楊振寧。那時候教授錢太少了，楊振寧的父親楊武之是數學系主任，他一大家子人，飯都不夠吃的，還上甚麼學？所以我覺得，解放後上學反而要錢了，是一個倒退。學校不是做生意，不能因小失大。畢竟賺錢不是目的，為國家培養人才才是最大的收穫。

幸福最重要的就在於對未來的美好希望。一是你覺得整個社會、整個世界會越來越美好，一是你覺得自己的未來會越來越美好。只有具備這兩個條件，人才真正的幸福。那時候也挺有意思，日本飛機經常來轟炸，生活非常之艱苦，可是士氣卻沒有受影響，並沒有一種失敗主義的情緒流行。大家總是樂觀的、天真的，並且理所當然的認為，戰爭一定會勝利，而且勝利以後會是一個美好的世界，一個民主的、和平的、自由的世界。這是我們那個時代的青年最幸福之所在。

聯大的學生絕大多數都是背井離鄉，寒暑假也回不了家，一年四季都在學校裏。而且因為窮困，吃喝玩樂的事情極少有可能，只好大部分時間都用來學習，休息時就在草地上曬曬太陽，或者聊聊天。昆明大西門外有一條鳳翥街，街上幾十個茶館，大家沒事就去喝碗茶。其實喝甚麼無所謂，無非就是茶葉兑開水，很便宜，大概相當於現在的一毛錢。有的人是真拿本書在那兒用功，但大部分人是去聊天，海闊天空説甚麼的都有。最清楚記得有一次，我看見物理系比我們高一班的兩位才子，楊振寧和黃昆，正在那兒高談闊論，對着吹。其實我們也沒有來往，不過他們是全校有名的學生，誰都知道的。黃昆問：「愛因斯坦最近又發表了一篇文章，你看了沒有？」楊振寧説看到了。黃昆又問以為如何，楊振寧把手一擺，一副很不屑的樣子，説：「毫無originality(原創)，是老糊塗了吧。」這是我親耳聽到的，直到現在印象都很深。

當時我就想：「年紀輕輕，怎麼能這麼狂妄？居然敢罵當代物理學界的大宗師，還罵得個一錢不值?!用這麼大不敬的語氣，也太出格了。」不過後來我想，年輕人大概需要有這種氣魄才可能超越前人。正好像拿世界冠軍一樣，下運動場的時候必然想着：「我一定得超過他，我一定能打贏他！」如果一上來先自己洩了氣，「哎呀，我不行，我不行」，那還怎麼可能打敗別人？科學一代一代發展，總是後勝於前的，這個道理很簡單，因為所依賴的基礎不同了。我們之所以比他們高明，是因為站在了他們的肩膀上，這是牛頓的話。牛頓花了前半生的工夫得出三大定律，可是今天的中學生聽老師講一個鐘頭不就明白了嗎？但我們不能為此就嘲笑牛頓。任何學術都應該、而且必然後勝於前，尤其對於那些有才華的人，他的眼界就應該比前人更高。假如只能亦步亦趨地跟在老師背後，甚麼「字字是真理」，那是沒出息的表現。

再比如老友王浩，他是學數學的，後來是世界級的權威了，可是對哲學極有興趣。我跟他聊天的時候，他倒很謙遜，總說不懂不懂。可有時候聊着聊着，無意之中，忽然他就吐露出非常狂妄的話。比如我們談到某某哲學家，我說：「在這個問題上，這位哲學家好像沒有說得太清楚。」他突然來一句，說：「哲學總有講不通的地方，他也就只能這麼講了。」就是說，他沒那個水平，只能講到這兒為止了，結果把一個大哲學家說得好像挺不值錢的。我想，這些地方反而應該是一個年輕人必備的品質。要想超越前人，必得先看出前人的不足，要是拜倒在他的腳下，那就永遠也超不過他。自慚形穢的人，比如我，大概永遠不會是有為的。

那時候時常看看電影，而且也不貴，一個月總得看上兩三次。我在昆明待了七年，看了大概有兩百多場。當時有一家南屏電影院是新蓋的，設備很新，影片也都是最新的。記得每次演電影之前先放一段國歌，「三民主義，吾黨黨所宗，以建民國，以進大同。」然後大家起立，屏幕上依次放映國父孫中山、國家主席林森和蔣介石委員長的像，接下來才是看電影。

電影分為幾種，一種是時事性的紀錄片。比如隆美爾和蒙哥馬利在北非的沙漠之戰，片子很快就出來了。1945年2月雅爾塔會議，也是馬上就公映。那次讓我非常驚訝的，就是羅斯福的衰老不堪。那年羅斯福才六十三歲，對於一個政治家來説，應該是正當年的時期。可他衰老的不得了，簡直就是九十三歲，和不久之前判若兩人。果然，看了那片子以後沒幾天他腦溢血，突然就死了。另一種是故事片，很多都是描寫二戰的，像《卡薩布蘭卡》(當時叫《北非諜影》)、《魂斷藍橋》。再比如《東京上空三十秒》，那是頂新的片子。1941年底日本偷襲珍珠港，第二年初美國就炸了東京，電影裏演的就是那次轟炸。還有一部電影講二戰海戰，看了以後我才知道，那些潛水艇裏的人要時常照日光燈，補充一些紫外線。另一種是文藝片，比如《簡愛》、《亂世佳人》，還有音樂片。像講小施特勞斯的《翠堤春曉》，音樂非常好，我看了三遍，可有的同學看了五六遍，裏邊的好幾個歌我們都會唱。《葡萄春滿》講的是舒伯特的一生，還有《一曲難忘》，寫肖邦的。演肖邦老師的是Paul Muni，演喬治·桑的是Merle Oberon，都是當時非常有名的演員。那個片子我也看了好幾遍，就是喜歡聽它的音樂。後來Merle Oberon和Laurence Olivier合演了《呼嘯山莊》，當時譯為《魂歸離恨天》，那個也很好看。還有Laurence Olivier和Joan Fontaine合演的《蝴蝶夢》，都是當時有名的片子。

那時候的新片子非常多，里根的電影我也看了好幾部，在當總統以前，他是個二流演員。當時有個英國的著名演員叫Eroll Flynn，演了許多戰爭武打片。其中有一部叫《絕望的旅程》，里根就在裏面給Eroll Flynn配戲，用京劇的行話講，是「掛二牌」的。當然還有「掛三牌」的，那就更不重要了。

據說當時擔任影片中譯名工作的是吳宓老師，大家都言之籍籍，不知確否。不過從某些片名來看，比如《卿何薄命》、《魂歸離恨天》，兩辭皆出自《紅樓夢》，很像是吳先生的風格。附帶說一點，當時的電影沒有配音，有些同學就是去學英語的。我作為歷史系的學生，也從電影裏認識了一些具體的古代生活情況。比如Laurence Olivier、費雯麗主演的《漢密爾頓夫人》，描寫了特拉法爾加海戰，那在英國歷史上是非常有名的。還有Norma Shearer演的Marie Antoinette，中譯名為《絕代艷后》，即法國路易十六的王后。這些都豐富了我們的知識，同時也享受了美妙的藝術。再比如狄斯尼畫的Fantasia，用了貝多芬的〈田園交響樂〉等名曲伴奏，最後以舒伯特的〈聖母頌〉結尾。看過之後，真是令人三月不知肉味。

7. 兼職做教師

從1939到1944年，對我是最困難的幾年。抗戰前在北京做中學生的時候，學校裏一天吃三頓飯，一個月才花五塊多錢，質量不錯，而且可以敞開吃。後來我在長沙上學，還是五塊多錢，吃的也不錯，至少都是細糧。可是到1939年就不行了，物價飛漲。學校裏吃飯雖然不要錢，可是非常之差，跟我們六十年代「三年困難」期間差不多。人的胃口畢竟有限，可是困難時期糧食定量，就意味着限制你的口糧，不讓吃飽了。西南聯大的時候雖然沒有定量，可大家都過去搶，不一會兒工夫就沒有了。一直到1942年，我在外面可以找個零星的工作兼差了，才算好一些。

1943年讀了研究生以後，我就在中學裏做兼職教師。每個月工資好幾千，聽着挺多，大概相當於現在的七八百塊錢。每頓飯都自己花錢在中學裏買，總算能吃飽一點了，只要不養家餬口，生活還算過得去。昆明有好幾十個中學，比較缺教師，幾乎全讓我們給包了。聯大學生的水平比當地的高一些，而且年輕人精力充沛，還可以「殺價錢」，工資壓得比較低，所以學校裏也願意用。記得我有一個同學教地理，這種課一般大家都不太重視，可是他教得特別好，還編了許多順口溜。你問他班上的初中小孩子：「巴拉圭的首都在哪？」這種小國家連我們都不知道哪兒是哪兒，可是那些小孩能哇啦哇啦背出來，我現在都説不上來了。只記得阿比西尼亞，即今天的埃塞俄比亞，問一個學生：「阿比西尼亞的首都在哪？」他張口就答：「亞的斯亞貝巴！」

我們做研究生的時候，幾乎沒有人不做中學教師。只有工學院的例外，他們可以下工廠，修公路、修鐵路，或者修汽車。除此以外，我想大多數同學都在兼課，包括鼎鼎大名的楊振寧。楊振寧在聯大附中教書，他的愛人杜致禮以前就是他班上的學生。後來他出國了，王浩就接手在那裏教。當時不但是學生教，連老師也在中學裏兼職。我在好幾個中學都教過，求實中學、五華中學、龍淵中學、昆華女中，教國文，教英文，也教過歷史、地理，研究生三年基本沒間斷過。在五華中學教中文的時候，朱自清先生也在那裏教一班，我教另一班。他的威望、名氣我比不了，本來就是名教授和文學家，當然應當比我高明得多，所以我也並不覺得洩氣。聞一多先生也在昆明的中學裏教書，學校知道他是有名的詩人，給的工資特別高，還特別給他一間房子。雖然現在看來不覺得怎樣，不過在當時就非常了不起了。

8. 鬧戀愛？

在戀愛、婚姻的問題上，老一輩人和我們當時的年輕一代有很大不同。五四那輩人一方面是維新的，比如錢玄同，號疑古，他的名字就是「疑古玄同」之意，對古代根本是懷疑的。可是另一方面，他們的舊學根底都非常深，其中也包括了舊的思想。所以他們的婚姻大多是家庭包辦，後來又講婚姻自由、個性解放，對家庭包辦的婚姻不滿意，就另外找人結合。其中最典型的就是胡適。胡適的婚姻是家庭包辦的，雖然後來也另外有人，除了韋蓮司可能還有別人，但他不願意傷母親的心，始終保持着和江冬秀的婚姻。這是中國舊的倫理傳統，郭沫若、魯迅都是這樣。雖然在外面又有了新的婚姻，原來包辦的夫人卻還在，算是家庭成員。

到了我們那一代，學校沒有規定學生不可以結婚，不過事實上不可能結婚。書還沒唸完，自己生活不能自立，怎麼維持家庭？「青年男子誰個不善鍾情？妙齡女人誰個不善懷春？這是我們人性中的至神至聖」，這是郭沫若譯歌德《少年維特之煩惱》的卷頭詩。* 但那時候真正鬧戀愛的人很少很少，很少有人在畢業以前就談戀愛，結婚的更是絕無僅有，總以為那是遙遠的將來的事情。一般都是參加了工作，到二十五六歲，甚至三十多歲才結婚。女同學結婚的就更少了，或者一結婚就中斷學業，去做家庭主婦了。

五十年代末有一本小說很流行，叫《青春之歌》。我不知道別人怎麼想，反正我覺得那本書很敗壞胃口。小說寫「一二·九」運動，寫北大的女生。那時候北大女生才四五十人，宿舍就在馬神廟的北大五齋，我兩個姐姐都住在那裏。我去過好多次了，所以那幾十個女生我至少認識一半以上，可是沒聽說誰是結過婚的。男同學裏也很少有人結婚，除非是從偏遠地區或農村裏來的，城市裏長大的大都沒結婚。可是書裏寫林道靜未婚同居，而且還換了人，那在當時簡直是絕無僅有的，哪有女同學隨便跟人同居？後來我在聯大唯一見到有學生同居，大都是東北的。那時

* 出自郭沫若1922年譯本。

候東北已經被日本佔領了很久，國破家亡，甚麼都沒有了。那些同學流亡在關內，自己沒有安身的地方，所以兩個人就找一個公寓住下來。可這是很少有的，一般都不這樣。一個人寫小說，總是有意無意地把自己的經驗放在裏邊去。大概楊沫本身是這樣的，可她又不是北大出身，所以那些情節就顯得太虛假，完全不符合當時的真實情況。

9.「天人交感」下的人生觀轉變

我做研究生第一年讀的哲學，可是不久得了肺病，一犯起來就吐血，身體非常虛弱。那時候肺病非常普遍，大概很多人都有，只不過沒有檢查出來。因為不犯病的時候和正常人一樣，如果我不吐血，我也不會知道自己有肺病。也許是別人傳染給我的，也許我還傳染了別人，這些都不知道。沒有隔離，也沒有藥，等於自生自滅。

後來我才知道，吐血好像也並不那麼嚴重。細菌把血管咬破了，所以就吐血，如果一個人失血不很多的話，沒有那麼嚴重。吐血而死往往並不是因為失那點兒血，一般都是因為窒息。血出來的時候把氣管給堵住了，那是非常難過的，我挺有體會。而且我得肺病還有個特殊經驗，只要天氣一變，比如忽然打雷、忽然下雨，我就感到氣悶壓迫，開始吐血。有位同學跟我開玩笑，說：「你這是『天人交感』。」《資治通鑒》裏有一段故事，武則天的時候屢興大獄，抓起人來就用酷刑。有一個人在監獄裏受了很重的刑，結果出來以後能夠預報天氣。比如要變天了，要下雨了，他就能事先感知到，特別靈驗。別人問他：「怎麼會這麼靈？」他說不是他靈，而是他的傷一變天就立刻發作，所以預言非常準確。我想這個是對的，當時我也有這種經驗，天一變就能感覺到。

我的遭遇還算不錯，終於挺過來了，不過並不是所有人都這麼幸運。物理系一個同學叫張崇域，我跟他中學就在一個班，物理唸得是最好的，後來還上了研究生。我相信如果他一直活下來的話，現在也該是物理學大家了，也可以是諾貝爾級的。不幸後來得了肺病，畢業不久就死了，非常可惜。化學系有個小胖子叫陸鐘縈，也是讀得非常優秀，我們一起上過德文。他畢業的時候得了肺病，眼看着一天天消瘦下去，真是骨瘦如柴瘦得不得了，後來也死了，實在太可惜了。他們那麼年輕有才，如果給一個條件能夠活下來的話，我想一定非常有成績，可惜很早就去世了。

本科畢業以後，我唸了三年研究生。起先受王浩的影響一起唸了哲學，不過我沒有唸完。一是因為生病，半年都沒上課，二是又受王浩的影響，放棄了哲學。王浩本科是學數學的，哲學唸得也非常好。他說，學哲學只有兩條路可走，一條是從自然科學入手，特別是從數理科學入手，不然只能倫理說教。比如孔孟之道，仁者愛人之類，但這些並不是哲學，真正講哲學一定要從自然科學入手。另一條路，就是得一點哲學的薰陶，然後改行搞文學。他這一點説得非常有理，西方的大哲學家大都科學家出身。像近代的笛卡爾、萊布尼茨，當代的懷特海、羅素，還有列寧批判過的馬赫、彭加勒，都是第一流的科學家。王浩是學數學的，當然可以搞「真正的哲學」。我沒自然科學的基礎，唸了一年工科遠遠不夠，心想還是不要學哲學了，學也學不好的。那時我正病重，於是找了一些文學書排遣，特別是英國浪漫派，雪萊、拜倫、濟慈的詩歌對我產生了非常大的影響。

西方的詩歌和中國詩有一個最大的不同，往往都是長篇大論，一首詩就是一小本書，發揮一套完整的人生哲學，這在中國詩裏很少見。英國十九世紀有兩個重要詩人，Browning(勃朗寧)和Tennyson(丁尼生)。一般的評價是勃朗寧更高明，可我當時的感受是，勃朗寧的詩歌雖然氣勢雄渾，但缺少人生境界的深度。在這一點上，丁尼生似乎更勝一籌，也更加讓我着迷。中年時候，丁尼生寫了一首長詩《懷念》(*In Memoriam*)，懷念他死去的朋友，寫得非常感人，系統地發揮了自己的人生哲學以及宗教信仰。而他之打動我的，更多是一種精神寄託，用陳寅恪先生的話講，就是「暢論天人之際」。再比如，丁尼生八十三歲去世，他的最後一首詩"Crossing the Bar"幾乎每個選本上都有。詩的大意是，那天早上他出港的時候趕上大霧，船出不去，直到中午霧氣散盡才駛離港口。丁尼生想到自己八十多歲了，人生快要走到盡頭，跨過人生的界線、駛離此岸的港灣，之後，就可以見到「我的舵手」(即上帝)，“I hope to see my Pilot face to face/When I have crost the bar.”這些詩我讀過之後非常感動，而且非常欣賞這種人生觀，覺得這才符合我的胃口。所以，第二年我又轉到外文系唸文學去了。

我在外文系的第一位導師是吳宓先生，後來他去四川了，由美國人溫德(Robert Winter)做我的導師。不過後來也沒唸好，因為我主要的興趣不是文學研究，只是那些詩對我有啟發，覺着非常有會於心。我一直都這樣認為，精神上的追求和享受本身就是目的，不能太功利。比如唸這個對我沒多大用處，拿不到博士，也找不着好工作，那我就不幹了。當然這樣想也不算錯，但那是另外一種作風。從中學開始，很多年我都不大用功，這大概與我自由散漫的習慣有關係，也可以說跟自己的人生觀有關係。在我看來，讀書最大的樂趣在於自己精神上的滿足，這比甚麼都重要，而不在於是不是得到一種世俗的榮譽。假如不是很有興趣，又要付出很大的犧牲，我覺得犯不上。或者說，太功利就喪失了自己的生命，反而得不償失。

1945到46年，正是我做研究生第三年。「一二 · 一」民主運動非常熱鬧，絕大多數同學都參加了，我也在其中。課停了，學校裏也亂，靜不下心來讀書寫論文。1946年聯大宣告結束，清華、北大回北京。本來我應該跟着回北京寫論文，我想寫一篇論叔本華。因為叔本華雖然是哲學家，可他走的是文學的路，我很有感觸。可是二姐寫信來，說母親隨她在臺灣病得厲害，以為快要不行了，我就去看她。等到可以回來的時候，內戰又打了起來，北上無望。所以研究生唸了三年，最後我也沒有拿到學位。

大學之謂：憶先生

1. 聞一多先生

一個人的性格或者思想大多初步覺醒於十二三歲，等到二十四五歲思想定型，就形成了比較成熟、確定的人生觀、世界觀。此後或許能有縱深的發展或者細節上的改變，但是不是還可以有本質的改變，我想是非常罕見的。聞一多先生早年追求純粹的美，後來成為民主鬥士，旁人看來似乎有非常巨大的思想轉變，但我以為那不過是一些表面的變化。在這一點上，我同意溫德先生的話。溫德是聞先生多年的好友，1945年民主運動的時候，他的當代文學批評課只有我和徐鐘堯學長兩個人上。有一次，溫德先生和我們談起聞先生，說：「他就是一包熱情。」接着又搖搖頭，說：「不過搞政治可不能單憑一包熱情啊。」言下似有惋惜之意。

溫德先生的這句評價非常中肯。聞先生是個熱情的人，早年追求唯美是一團熱情，後來和梁實秋、羅隆基參加極右派組織，搞國家主義，其實也是憑着一團熱情。西安事變爆發後，聞先生擁蔣、反對張學良，在教授會上痛斥：「怎麼能夠劫持統帥?!」當時很多人都有那種感覺，如果蔣介石真出了事情，肯定要發生內戰，豈不給日本製造了機會？所以西安事變的時候，很多人都指責張學良，稱之為「劫持統帥」。等到他把蔣介石送回南京，當天北京最大的報紙《世界日報》頭版大標題就是「委座出險，舉國歡忭」。第二天，北京的右派學生還舉行了遊行，也是聲勢浩大的。他們成立了一個「北京市學生聯合會」，叫「新學聯」，區別於「一二·九」時成立的左派學聯，並且還有人希望能合併成一個學聯。至於是否真正聯合，我不記得了，不過至少抗戰剛開頭的時候，左派、右派間並不是很尖銳的。及至四十年代，生活艱苦了，聞先生親身感受到了國民黨政權的腐敗和黑暗，又滿腔熱忱地投入民主運動。

聞先生晚年講詩(其實那時候他還不到五十歲)，有一首初唐詩人張若虛的〈春江花月夜〉，他特別欣賞。在他的〈宮體詩的自贖〉一文中，曾把這首詩評價為「詩中的詩，頂峰上的頂峰」。當然這首詩寫得的確很美，我也非常欣賞。不過除了濃厚的唯美傾向，還帶有幾分人生幻滅、虛無頹唐的味道，好像和他民主鬥士的形象不大合拍。所以我以為，聞先生的思想主潮早年和晚年是一以貫之的。他本質上還是個詩人，對於美有特別的感受，而且從始至終都是一包熱情，一生未曾改變過。現在不是有很多人在討論：

「如果魯迅活着，會怎麼樣？」其實同樣可以問：「如果聞一多活着，會怎麼樣？」僅憑一包熱情，恐怕也不會就暢行無阻，我這麼想。

聞先生那一輩人的舊學根底非常之好，可他同時又是極端反傳統的。社會轉型時期，有的人唯恐中國的舊文化不存在了，拼命維護。還有一種人，認為傳統的東西束縛中國人太久了，中國要進入新的時代，就要徹底拋棄過去，全面創造新文化。聞先生、魯迅、胡適都屬這種人。魯迅激烈反對中國的舊文化，説得個一文不值，甚至提出不看中國書。〈狂人日記〉裏宣稱：甚麼「仁義道德」，滿書都寫着血淋淋的兩個字「吃人」。在這一點上，聞先生跟魯迅非常相像。民主運動的時候，他在課堂上對我們説：「你們是從外面打進來，我從裏邊殺出去，我們裏外合應，把傳統的腐朽文化推翻！」意思是説：青年學子沒有受過中國傳統文化的毒害，所以你們須從外部推翻它，而我是受過這個教育的，所以我現在要反對它，從裏邊殺出來與你們合作。我想這代表他當時真實的思想情況，雖然他研究的是中國傳統文化，但並不認同。

另外還有一點，我要保留自己的意見。現在很多文章總是特別強調聞先生如何窮困，比如聯大時期給別人刻圖章，都説成是他為生活所迫，不得已。我覺得貧困是事實，但也不單純就是這樣。聞先生早年是搞美術的，又會繪畫，又會雕刻。現在北大西門一進門的地方有個西南聯大紀念碑，上面的篆字就是聞一多寫的。碑文上書「中文系教授聞一多篆額」*，寫得非常好，而且只有公認的大手筆才有資格題。所以說，搞美術乃是聞先生的本行，寫字、篆刻都是他的專業。當然他也是因為貧困，掙點小錢補貼家用。但如果過分強調為生活所迫的一面，刻字竟成了他不務正業的謀生手段，不免有些過分渲染的味道。

2. 張奚若先生

學術和政治的關係總是非常微妙的。一方面，學術永遠不可能脱離政治，政治也永遠不能脱離學術，甚至希特勒獨霸世界還得有一套思想理論的基礎，所以學術和政治永遠有它們相結合的地方。但另一方面，學術和政治又不能完全劃等號，關鍵在於如何把兩者的關係擺在一個正確的位置上。不要東風壓倒西風，也不要西風壓倒東風，否則就沒有學術可言了。

在歷史所的時候，有一次和年輕的同志聊天，他問：「解放前能看《共產黨宣言》嗎？」我説：「從前我做學生的時候就看過，而且的確很受感動，還手抄了一遍，沒事就拿出來看看，挺珍貴它的。」那個同志聽了覺得奇怪，説：「怎麼那時候就能看這種書呢？」其實那時候學校裏的自由度相當大，借書幾乎沒甚麼限制，何況還是張奚若先生指定的必讀書，哪能不讀？張先生講政治思想史的時候，指定幾本書必

* 實為「中國文學系教授聞一多篆額」。

讀，其中就有馬克思的《共產黨宣言》、列寧的《國家與革命》。當然都是英譯本，到圖書館隨便就可以借出來看。

張奚若先生把馬克思作為一門學術來研究，不過我覺得，他本人當時的傾向是自由主義的改良主義。舊社會的政治學界很大一部分都是受自由主義的影響，特別是清華、北大的教師，大多受拉斯基(H. J. Laski)的影響。馬克思講無產階級專政，很重要的一點就是暴力革命，可是英國幾百年都是和平改良，最不贊成暴力革命。拉斯基是倫敦政治經濟學院的教授，主張改良。雖然他也承認軍隊、警察等等國家要害部門都掌握在資產階級手裏，無產階級很難取得政權，暴力也許是必需經過的。可是他又說：如果不事先通過民主競選，"You are not justified"(你是沒有道理的)。就是說，還得先禮後兵。先通過競選爭取，若不成功，再採取其他的方法，不能一上來就暴力革命，這是拉斯基的觀點。張奚若先生也認為，共產黨未必不能通過合法的手段取得政權，所以應該先試着採取競選。而且，二十世紀四十年代有一個時期，法國共產黨和意大利共產黨選票非常之高，甚至於成為第一大黨，似乎並不見得永遠不能競選成功。不過後來受蘇聯的影響，形勢又變了。

有一個現象很奇怪。按理說，馬克思主義代表先進的工人階級思想，應該是在工人階級數量最多的國家裏最流行，共產黨也應該在這種國家最有力量。可結果正相反，馬克思主義在二十世紀最薄弱的地方反而是英美這些資本主義最發達的國家，那裏共產黨的力量也最小。美國的共產黨始終不成氣候，好幾次總統大選都有以個人身份參加競選的，可是共產黨連競選的力量都沒有。英國也是這樣。相反，越是在落後的非工業化地區，或者說，在工人階級最少、資本主義成分最少的地方，馬克思主義反而流行。這一點似乎很值得研究，為甚麼會出現這種怪的現象？

另外，我們所説的專政和馬克思的無產階級專政有一點很大的不同。馬克思所説的專政是政治意義上的，在政治上剝奪資產階級的權力，而我們的則是所謂思想專政，「在思想上對資產階級進行全面的專政」。我覺得，這與馬克思的原意似乎不吻合。當然你可以説，這是創造性地發展了馬克思主義，但也可以説是大大背離了。馬克思本人對資產階級的學者、藝術家、詩人、文學家往往有很高的評價，引用了那麼多莎士比亞的著作，對黑格爾非常欣賞。恩格斯在《自然辯證法》裏對文藝復興的資產階級文化巨人的評價也非常之高，並沒有在思想上專政的意思。《法蘭西內戰》中，馬克思對1870年的巴黎公社高度讚揚，視之為無產階級第一次的實踐行動。實際上，巴黎公社的成員要麼是布朗基主義者，要麼是無政府主義者，而且無政府主義佔了絕大部分，總之都不是馬克思主義者。但馬克思從來不認為這些人是反動派，相反，他熱情地讚美，説巴黎公社是最早的無產階級專政。假如放在我們無產階級文化大革命時期，巴黎公社那些人恐怕都得挨整，誰敢站出來承認：「我是無政府主義。」那還活得了？

張先生教課喜歡雜着英文，經常講着講着就成英文了。他有一個發音我現在都記得，hu應該發[hjuː]，可他是陝西人，老説成[xjuː]。比如human讓他唸就成了「休曼」，不過我們都習慣了。第一年上西洋政治思想史，從古希臘講到十八世紀的盧梭。第二年西洋近代政治思想史，本來應該介紹整個十九世紀的西方政治思想，可是張先生並不全講，只談他特別注重的幾家。上學期只講了黑格爾、馬克思兩個人，下學期講T. H. Green、F. H. Bradley和Bosanquet，三個人都屬新黑格爾派。其實他們僅僅是十九世紀末英國唯心論的一派，不足以包括近代的西方政治思想，可張先生就這麼講。好在當時有這個自由，教師可以按照自己的思路發揮，解放後這樣講就不可能了。

和其他一些老師的課一樣，張先生也經常在課堂裏扯閒話。比如亞里士多德説「人是政治的動物」，動物過的是"mere life"(單純的生活)，但是人除此以外還應該有"noble life"(高貴的生活)。接着張先生又説：「現在米都賣到五千塊錢一擔了，mere life都維持不了，還講甚麼noble life？」張先生有時候發的牢騷挺有意思，最記得他不止一次地感慨：「現在已經是民國了，為甚麼還老喊『萬歲』？那是皇上才提的。」

(指「蔣委員長萬歲」)還有一次提到馮友蘭的《新理學》，他說：「現在有人講『新理學』，我看了看，也沒甚麼『新』。」他沒有點馮先生的名字，我們當然都知道說的是誰，因為1941年《新理學》在教育部得了一等獎，大家都知道。其實課上扯扯閒話也挺好，你可以從他的自由發揮裏知道他真正的想法，這是書本裏學不來的。

另外還有吳之椿先生，那時候快五十歲了，比一般的老師都老。他也是講西洋政治思想史，其實主要就是十九世紀後半葉英國達爾文主義的社會思潮。吳先生的課講得非常深刻，談到斯賓塞以降的英國政治思潮，真是歷歷如數家珍。不過和張奚若先生一樣，都沒寫過大文章，要按現在的標準得被刷下去，可是那時候都知道他們是大學者，學問非常好。吳之椿先生偶爾寫文章，也不是純學術性的，我倒是很欣賞。有一段文字我現在都記得，他說，人類的關係有一種是權威的關係，一種是聖潔的關係。比如政治就是權威的關係，你是我的下屬，你就得服從。可夫妻間就是純粹聖潔的關係，雙方是平等的，並不是說一方命令你甚麼，你就得聽他的。吳先生說：「可惜中國人的事情總是權威的成分多，而聖潔的觀念少。」這段話給我印象挺深的。

張先生是民主人士。1946年1月，在重慶召開了一個政治協商會議，召集各黨派、無黨派的代表人士總共三十八人來參加。其中國民黨八人，共產黨七人，民主同盟、社會賢達各九人，青年黨黨五人。天津永利公司的李燭塵代表民族資產階級的實業家，學者傅斯年、張奚若，他們都是無黨派的代表。這裏還有一段小插曲，挺有意思。張奚若的代表名額是共產黨提出來的，國民黨說：「張奚若是本黨黨黨員，不能由你們提。」後來張奚若還有個聲明，說：我不是貴黨黨員。張奚若是老同盟會的，本來擁護國民黨，但在民主運動中轉向，而且反得很厲害，並不承認自己是國民黨黨員。

解放後，張先生做過教育部部長、中國人民外交學會的會長。因為那時候，我們只和幾個社會主義國家建立了外交關係，跟廣大的世界(或者說廣大的資本主義國家，包括先進的、落後的)都沒正式建立外交關係。可是中國畢竟要在各個方面和外面世界聯繫，於是成立了一個中國人民外交學會，和其他國家進行民間交往，張奚若先生做會長。1957年張先生幾乎被打成右派，因為他總結了十六個字：「好大喜功，急功近利，鄙視過去，迷信將來。」劉少奇就批判他說：「有一個朋友說我們好大喜功，好大喜功有甚麼不好？好六億人民之大，喜社會主義之功，這有甚麼不好？」* 但後來還是保護了他。也許因為總要保護些有

* 1958年，毛澤東在南寧會議、成都會議，及兩次最高國務會議等講話中多次批駁張奚若。劉少奇也曾在工作報告中說：「有人批評我們『好大喜功，急功近利』。說得正對！難道我們能夠不好六億人民之大，喜社會主義之功嗎？難道我們應當好小喜過，絕功棄利，安於落後，無為而

名的人，雖然有些話説得過了頭，也沒有太受衝擊。

現在回想起來，張奚若先生總結的那十六個字還是有道理的，我們是有些鄙視過去、迷信將來。其實有些傳統的東西和階級鬥爭沒有關係，那是人類經驗的積累、人類智慧的結晶，不能隨隨便便就否定了。比如紅燈的波長最長，看得最遠，所以紅燈停、綠燈走。這是有科學依據的，全世界都是這樣，資產階級、無產階級都得按信號燈走。可是文革的時候就有人提出：「紅色代表革命，所以紅燈應該走，綠燈應該停止。」那不亂套了？那時候太簡單化了，以為舊的都要不得，新的都是好的。其實新的事物在開始的時候總是不成熟的，應該逐步地讓實踐來檢驗。不能一聲令下就一哄而上，那就太盲目、太不切實際了。

3. 戰國派雷海宗

歷史系主任雷海宗先生，我上過他三年的專業必修課。在我的印象中，雷先生不但博學，而且記憶力非常了不起。上課沒有底稿，也從來沒帶過任何一個紙片，可是一提起歷史上的某某人哪一年生、哪一年死，或者某件事發生在哪一年，他全都是脱口而出，簡直是神奇。一般的像我們，除非特別有名的可以記一記，哪能每個都記得？反正我不能，他那腦子真是了不起。或許正因為雷先生有這個天賦條件，所以他

治麼？」參見劉少奇：《中國共產黨中央委員會向第八屆全國代表大會第二次會議的工作報告》(北京：人民出版社，1958)，頁23。

在看待歷史問題時並不執著於某個偏僻的小題目，而是放眼世界，注重宏觀歷史理論的研究。這是很難做到的，而且在當時考據盛行的氣氛下就更難得了。何炳棣回憶錄裏説，陳寅恪看不起雷先生，説：「有人還教中國通史。」* 意思好像是中國通史不能教。雷先生不但教中國通史，還教西洋史和史學方法，甚麼都能教，這和湯用彤先生有點相似。湯先生是北大哲學系主任，講印度哲學、講佛教，也講魏晉玄學、講西方哲學，不但在當時，就是現在也很少有人能中、印、西三種哲學都講。照我看來，湯先生好比哲學系裏的歷史學家，而雷先生才是真正的哲學家，是歷史系裏的哲學家了。

雷先生受斯賓格勒的影響非常深，醞釀出一套自己的歷史哲學。斯賓格勒在《西方的沒落》裏提出一種理論，認為文明和人的成長一樣，也有一個生命的週期：列國時期、戰國時期、大一統帝國、蠻族入侵、文明滅亡。比如古代的埃及文明、巴比倫文明，希臘、羅馬文明莫不如此，現在，西方的文明已經快要到了它的沒落時期。這種學説被稱為文化形態學，雷先生基本接受這一學説的論點，他的中國史、西洋史都有一套與眾不同的理論體系。但雷先生又把這種

* 同行揶揄，雷海宗總以「大過人」的容忍對之。何書中轉述同學黃明信的話，1937年春歷史系師生茶話會上，「陳寅恪先生相當高聲地和一位同學説，何以目前居然有人會開中國上古史這門課。那時雷先生不過幾步之外，決不會聽不見這種諷刺的。」參見何炳棣：《讀史閱世六十年》(桂林：廣西師範大學出版社，2005)，頁115。

理論發展了，認為中國的文明經歷了兩個週期：公元383年淝水之戰，北方蠻族打進來，漢族退到江南，從此開始南北朝的時期，這是第一個週期的結束，也是第二個週期的開始。

雷先生講課十分動人。巴金的愛人蕭珊那時候叫陳蘊珍，比我高一班，她也上雷先生的課。有一次我聽見她跟一個女同學説：「雷先生講課真有意思，好像説故事一樣。」雷先生很會講故事，有的就跟他親眼看見了一樣，不過我總半信半疑。講者動情、聽者動容，並不等於可信。至於文化形態學的理論，我也覺得有幾分牽強，甚至可以説是武斷的。有人説，斯賓格勒並不希望西方文明沒落，這一點我相信。不過按照他的理論，西方文明非得沒落不可，這是他理論的一個必然，所以我年輕時就不太能接受這種論點。文明畢竟是人類共同的創造，是不是能把個體生命的生物學規律硬搬到人類的歷史文化上來，這一點很難肯定。比如中國的文字，從甲骨文一直到今天的簡化字，這是幾千年積累演化而來的結果。也許有一天它會消失，不過這個很難説，未必就意味着它有一個固定的生物學意義上的週期。

雷先生和林同濟先生是好友。1939年秋天，林先生在西南聯大做過一次講演，題目是「戰國時代的重演」，把當時的國際形勢比作新的戰國時代。林先生口才非常好，講得確實動人，所以那天非常叫座。大教室裏擠得滿滿的，總有兩百人的樣子，我也去聽了。記得有個同學提問：「馬克思講過，人類社會的進化最終要進入共產主義，沒有戰爭，實現世界大同，是不是這樣？」林先生回答說：「馬克思是個很聰明的人，但聰明人的話未必都是正確的。人類社會今後是不是這樣，還要事實來驗證，不是事先可以預言的。」後來雷先生、林先生，還有外文系的陳銓、雲南大學政治系的何永佶等幾個人物辦了一份雜誌《戰國策》。別人稱他們作「戰國派」，在抗戰期間算是一個重要的學派。

1941年的年底，太平洋戰爭爆發。日本人把英美打了個措手不及，最初的那一個月把整個遠東都席捲了。越南是早就給佔了，這次又把緬甸、新加坡，一直到印尼、菲律賓一網打盡，速度之快非常驚人。《大公報》的「星期評論」上每週都請名人寫文章，當時公孫震發表了〈新加坡失守以後的盟國戰略問題〉。文章寫得確實大氣磅礴，據說「公孫震」即是林先生的化名。文中有一個意思是責備英美，認為他們對中國僅僅停留在援助上，未能在生死關頭全力以赴地投入。那篇文章轟動一時，而且博得了很多讚美。

不過按我現在的理解，戰國派有一個很重要的缺點，並沒有真正從人文的高度，而僅僅是技術的層面看問題。這一點倒是吻合了「戰國策」的名字，完全是從戰爭的策略上去考慮。二戰以後，雷先生寫過幾篇關於世界政治格局的文章，也都是從技術角度着眼。比如空軍在軍事上已經佔有非常重要的地位了，舊大陸、新大陸之間走北極最近，所以一定要在阿拉斯加或者挪威的斯匹茨卑爾根島建立空軍基地等等。當然他說的也對，這些也應該考慮，不過總欠缺一些更深層次的人文底蘊。而且，因為他們是右派理論了——雖然技術是中性的，但畢竟總有一個意識形態的依託，有為誰服務的問題，所以也受到很多人攻擊。當時還出了一份叫《蕩寇志》的雜誌，專門批《戰國策》，同時左派也攻擊他們。我最近看到一篇回憶錄，説周恩來在重慶的時候，還曾向左派的一些評論家説：不要這樣攻擊戰國派，畢竟他們還是抗日的，還在同一個戰壕裏。

1942年春天，林同濟在雲南大學主持一次講演，雷先生又去專門講了他的那套歷史週期論，我也去聽了。講完以後，林先生讚美説：「這真是 the romance of a historian (歷史學家的浪漫)。」林先生的英文極好，本來是政治學教授，解放後資產階級政治學不能教了，他就改行搞英國文學，教莎士比亞。1980年，在訪問美國期間去世了。

4. 吳晗印象

吳晗是專門研究明史的，當時任教雲南大學。錢穆離開西南聯大以後，中國通史課人手不足，就把他請來接手。

吳晗的課我聽過，可是不大欣賞，因為他不是對歷史做綜合的觀察，而是分成許多條條。比如中國的官制、中國的經濟等等，把歷史分割成許多專史，缺乏綜合的整體觀點。而且他有幾件事情，給我留下的印象都不大好。我的姐姐是38級經濟系的，畢業以後不能住在學校，得找個房子。吳晗那時候是二房東，租了很大的一所房子，然後分租給好些家，我姐姐就租了他一間小房。「二房東」在舊社會是一個很不好聽的詞，被認為是從中剝削、吃差價。吳晗經常趕人搬家，説有親戚要來住，得把房子收回去。不知道他是不是真有親戚要來，不過在舊時代，二房東要漲房租的時候總是這樣趕你走，不然就給他加點房錢。吳晗轟過我們好幾次，印象深刻。

還有一件事情。那時候日本飛機經常來轟炸，我們天天跑警報。而且有一種緊急警報，告訴大家飛機馬上要臨頭了，就不要再跑了，趕快找個地方隱蔽起來。昆明不像重慶，重慶是山城，一拉警報大家就鑽山洞。昆明沒有山洞，所以大家就往郊外跑，可以跑很遠，就看你能不能跑了。我們年輕，十分鐘就能翻過兩個山頭，躲在山溝裏就足夠安全了。老師們則不然，年紀大了，而且一二十年的習慣本是在書齋裏靜坐，翻山越嶺則非其所長。大凡在危急的情況下，很能看出一個人的修養。比如梅校長，那時候五十好幾了，可是頂有紳士風度，平時總穿得很整齊，永遠拿一把張伯倫式的彎把雨傘，走起路來非常穩重。甚至於跑警報的時候，周圍人群亂哄哄的，他還是不失儀容，安步當車慢慢地走，同時疏導學生。可是吳晗不這樣，就知道慌着逃命一樣。有一次拉緊急警報，我看見他連滾帶爬地在山坡上跑，一副驚惶失措的樣子，面色都變了，讓我覺得太有失一個學者的氣度。

第三件事情。吳晗教了好幾年中國通史，因為是公共必修課，上課的人很多，有一年的第一次考試全班都不及格。當然也有類似的情況，比如周培源先生上物理系二年級的必修課，教力學，據説第一次月考也是全班不及格。這有點像《水滸傳》裏講的，犯人來了先打三百殺威棒，要你嘗點苦頭。不過必須是權威教授才可以耍這個派頭，大家也吃他這一套，不及格就不及格了。可是吳晗輩份很低，剛畢業沒幾年，開頭做助教，後來在雲南大學做講師，到我們聯大時不過就三十幾歲，結果你也耍這個派頭？未免太自高自大了。同學們派代表和他交涉，首先自我檢討沒有學習好，然後表示老師的教法是不是也有可以改進的地方。吳晗一怒之下宣佈罷教，在校園裏引發了一場不大不小的風波，當時上課的同學大概還有人不會遺忘。解放後我看吳晗寫的回憶，覺得他在心理上總有一個情結(complex)，或者説老有個疙瘩，希望自己躋身於名教授之列。比如他説自己拿桶到井裏打水，老打不上來，便感嘆教授生活的悲慘，老也念念不忘自己是個名教授。教授為甚麼就不可以去打一桶水呢？而且我們那時候，沒誰認為他是個名教授，可老要耍派頭，我對他這點的印象也不好。

吳先生是明史專家，寫《朱元璋傳》，前後四次修改，先是被説成諷喻蔣介石的，文革時又被紅衛兵批為反對毛主席。* 看來吳先生對於歷史的理解似乎依然不夠透徹，未能逃脱歷史的必然。文革後，清華給吳晗立了像，我覺得也有點問題。講名望、社會地位或影響，梁啟超大概要遠遠超過吳晗，為甚麼不給梁啟超立像？要論文革受迫害，受迫害的人多了。比如趙九章，那是氣象專家、兩彈一星的功臣，文革受迫害自殺了，可是沒給趙九章立像。再比如葉企孫，物理學界的元老了，文革時候説他是特務，關了好幾年，後來死得很淒涼，但也沒給他立像(何按：在眾多學者的呼籲下，清華大學現已為葉企孫立像，但也只在教學樓裏，似乎並沒有立在校園中)。我並不是説吳晗不可以立像，不過比他更優秀的人太多了。講學術，他比不上陳寅恪、王國維。講影響，他比不上梁啟超。講貢獻，他比不上葉企孫、趙九章。為甚麼單

* 第一稿作為歷史通俗小冊子，1944年在重慶出版，一名《由僧缽到皇權》(在創出版社)，又名《明太祖》(勝利出版社)。作者對此稿頗為不滿，後補充大量史料，更名為《朱元璋傳》(1949年，上海新中國書局、三聯書店、香港傳記文學社)。此兩稿借古諷今，以朱元璋影射蔣介石，二稿尤甚，極盡譴責與貶低，描寫了一個殘暴、無恥的獨裁者，從流氓為暴君，藉以痛罵國民黨政府。

作者曾赴解放區，將二稿呈遞毛澤東，毛與吳晤談，並書信一封給予意見。1954年第三稿，作者力求客觀公正，僅油印百餘冊以徵求意見。有學者指出，該書階級關係、階級矛盾的分析不夠。毛的意見：朱元璋是農民起義領袖，是該肯定的，應該寫得好點，不要寫得那麼壞。十年之後，作者再度修改，進一步運用歷史唯物主義的方法，認為「和歷史上所有的封建帝王比較，朱元璋是一個卓越的人物」，還是「功大於過」的，但仍大量保留以猛治國、誅殺功臣、嚴刑重罰、大搞特務統治等等。是為第四稿，1965年三聯書店出版。

給他立像，不給別人立？或許是政治的原因吧。不過我覺得，這個標準似乎不太適宜。

5. 馮友蘭先生

前不久，我在《科學文化評論》雜誌上看到對鄒承魯院士的訪談。記者問他：「西南聯大的先生裏您最欣賞誰，最不欣賞誰？」鄒承魯説：「最佩服的是陳寅恪，最不欣賞馮友蘭。」* 這話説來似乎有點大不敬了，不過當年我們做學生的大多對馮先生的印象不佳，主要還是由於政治的原因。馮友蘭對當權者的政治一向緊跟高舉，像他《新世訓》的最後一篇〈應帝王〉等等，都是給蔣介石捧場的。在我們看來，一個學者這樣做不但沒有必要，而且有失身份。1941年，教育部舉辦過一次全國學術評獎，就我的記憶，國民黨當政二十二年中僅舉行過這麼一次。† 當時評出一等獎兩名，一是馮友蘭的《新理學》，也是《貞元六書》的第一本，另一部是華羅庚關於數論的著作。

---

* 採訪人問：「在西南聯大的諸位前輩中，您最佩服的是誰，最不佩服的是誰？」鄒答：「在老師裏面，佩服的是陳寅恪，不佩服的是馮友蘭。你不知道，在西南聯大時，我們這些學生對於馮友蘭就是很有看法的。他是當時少數幾個部聘教授之一，曾得到過蔣介石的接見。解放後他又得到了毛澤東的接待。真相信某個東西倒也沒關係，但不要説違心的話。陳寅恪堅持自由之精神，獨立之人格，深為我所佩服。」參見熊衛民：〈自由之精神，獨立之人格——訪鄒承魯院士〉，《科學文化評論》，第一期(2004)，收錄於《口述歷史》第三輯(北京：中國社會科學出版社，2005)。

† 實際上，1941–1947年間，民國教育部總共頒佈了六屆政府級學術獎勵，其中第一屆格外轟動。

馮書的評審者是張君勱，對馮書給予了極高的評價。馮先生在學術上是有貢獻的，但是否即如張君勱所推崇的那麼高，恐怕不無疑問。洪謙先生隨後發表一系列文章，評馮先生的哲學，幾乎是全盤否定、一無是處。解放後，馮先生對自己做了一系列深刻的自我檢討，張君勱在海外看到之後大為生氣，又把馮先生罵得狗血淋頭。*

1945年國民黨在重慶開全黨的代表大會，主席團有十幾個人，自然都是國民黨最重量級的人物了。馮友蘭也躬逢其盛，赫然名列其中。後來聽說國民黨要他做中央委員，他沒有接受，還是留在學校裏教書。那時候在民間，民主的氣氛還是佔上風，所以大家跟馮先生的思想就拉開了距離。國民黨也曾表示出一副民主的姿態，要在基層進行選舉，街道上貼出一個大榜，寫着：選民誰誰誰，某月某日選舉。好友王浩跟我講，一次和馮先生聊到此事，馮友蘭說：「中國以後要走民主的道路。」王浩說：「可那只是故作姿

* 解放之初，張君勱公開指責馮友蘭，措辭嚴厲道：「足下將中國哲學作為一種智識，一種技藝，而以之為資生之具，如牙醫之治牙，電機工程師裝電燈電線，決不以之為身體力行安心立命之準則，⋯⋯足下讀書數十年，著書數十萬言，即令被迫而死，亦不失為英魂。奈何將自己前說一朝推翻，而向人認罪，徒見足下之著書立說之一無自信，一無真知灼見。自信不真而欲以之信人，則足下昔日之所為，不免於欺世。今日翻然服從馬氏列氏之說，其所以自信、信人者又安在耶？⋯⋯即令足下不發一言，中共未必置之於死地，北平城內噤若寒蟬者何可勝數，奈何足下竟不識人間尚有羞恥事乎？」參見張君勱：〈一封不寄信——責馮芝生〉，1950年發表於香港《再生雜誌》，收入藍吉富：《當代中國十位哲人及其文章》(臺北：正文出版社，1969)，頁66–67。

態，都是假的呀。」馮友蘭答道：「不能這樣說。既然當局肯這麼表示，就說明它真心要這麼做。」一個大哲學家，簡直連三歲小孩兒都不如，怎這麼幼稚？不要說那時候，就是今天也一樣。貼個選民榜，然後讓每個人去選舉，這就是民主了？還差得遠呢。

馮先生後來沒有去臺灣，其實他完全有資格的，可是他留了下來，這是他的功績。解放後，馮先生又高舉緊跟毛澤東思想，不斷寫檢討，說自己是唯心論的，以前主要是為蔣介石服務等等。或許是他說得太深刻了，或者怎麼樣，總讓我們覺得有點過分。記得有一次他在檢討上說：現在大家都要做毛澤東的小學生，我還不夠格，我現在要爭取做毛澤東的小學生。他就檢討到這種地步，就這麼謙虛。文革時候，馮先生又跟着四人幫走過一陣，這是他一貫的作風。江青有一段時候特別提倡女性要當權，批孔高潮之際，馮先生已年近八十，以梁效寫作班子顧問的身份隨江青到天津。不幸因病住進醫院，病榻之上還力疾寫了一系列詠史詩，其中有兩句力捧女皇，「則天敢於作皇帝，亙古反儒女英雄」*，參與到喧騰一時的「女皇頌」之中。不久文革結束，北大陳啟偉先生有一篇〈評梁效某顧問〉†的文章，所批的就是馮先生。

* 〈詠史〉二十五首原載《光明日報》(1974年9月14日)，所引兩句出自第十一首。參見《三松堂全集》(鄭州：河南人民出版社，2001)，第十四卷之「閏編」，頁1092。

† 王永江、陳啟偉：〈評梁效某顧問〉，《歷史研究》，第四期(1977)，頁12–23。次年3月，《哲學研究》第三期發表王永江、陳啟偉文章〈再評梁效某顧問〉。

1980年我去美國的時候，曾和一位臺灣學者閒聊。他説臺灣有四大無恥文人，第一個是錢穆。接着又説了三個名字，不過因為我們和臺灣隔絕得很厲害，所以我都沒有聽説過。後來他又説，大陸也有四大無恥文人，哪四位呢？第一郭沫若，第二馮友蘭，第三老舍，第四臧克家。這是我第一次聽人這麼説，起初以為只是臺灣的説法。後來看到徐鑄成先生的回憶文章，説他在解放之初來清華大學曾見過馮先生，想不到後來馮先生竟名列「四大」*，可見「四大」之説大陸亦有之。徐先生生平的立言真誠、立場進步，這是眾所周知的，毋庸置疑。

文革結束後，馮先生又寫了好幾次檢討，説自己在文革時候犯了錯誤，違背了「修辭立其誠」的原則。有一次開會，我遇到涂又光先生，他在河南人民編《三松堂全集》。我問：「馮先生的歷次檢討收不收？」他説不收。我問為甚麼，他説：「因為那都是言不由衷。」我不同意這種觀點。作為一個全集來

---

* 「四大無恥文人」即所謂「四大不要臉」，徐鑄成先生措辭含蓄，稱之為「四大不要……」，其中涉及馮友蘭的內容已不可考。徐時霖先生(徐鑄成後人、其系列作品整理者)遍查回憶錄及相關資料，亦未查到出處。徐先生謹慎，求證於諸位學者、文人後代及徐鑄成弟子，已有數人明確表示讀過，疑散見某報刊雜誌，今不可考。

  另，牟宗三曾在東海大學「中國文化研討會」上做過一次演講，作為新版序言，收錄於《政道與治道》(臺北：學生書局，1980)。其中言及五代這個「很差勁的時代」時，憤憤然道：「五代人無廉恥，代表人物即是馮道，亦如今日大陸上有所謂的『四大不要臉』，其中領銜的即是郭沫若與馮友蘭。」(頁6)是為旁證。

說，凡是他有的就都應該收，至於言之由衷還是不由衷要由讀者來判斷，不能由編者決定。不然就應該叫選集，怎麼能叫「全集」？雖然有的人那樣說是迫於壓力，比如翦伯贊死的時候，兜裏還揣着個條兒：毛主席萬歲，萬萬歲！他為甚麼要這麼說？是真相信，還是其他的甚麼原因？有一種猜測，認為他是為子女着想。因為假設要寫「打倒……」的話，恐怕他的子女都不會有好下場。究竟他最後怎麼想的，誰也不知道了，可是這些作為原始資料都應該保留。馮先生的作品也不例外，而且我以為，馮先生的檢討是他平生著作裏最值得保存的一部分。因為它代表了那一代中國知識分子自我反省的心路歷程，有極大的歷史意義，可以算是二十世紀下半葉中國知識分子的一種非常典型的思想狀態的結晶。所以，不但不應該刪掉，反而真應該給它出個單行本。這不是為他個人，而是為當時中國整個文化界、知識界留一份典型史料，這甚至於比他的著作還重要，更有價值得多。學術可以否定，可是作為歷史的見證，他的檢討永遠具有史料價值。

馮先生一生也有非常真誠的一面。解放之初，他寫信給毛澤東，表示接受批評，努力自我改造，五年之內重新寫一部中國哲學史。毛覆信說：「總以採取老實態度為宜。」文革以後，他想和梁漱溟見上一面，梁漱溟回信說：北大哲學系的老人現在只剩我們兩人了，本來應該見一面，但你「諂媚」江青，我不願意見你。* 如果是別人，不見就算了，大概不會再提這事，但是馮先生非常有意思，這個他也拿出來公諸於眾。在這一點上，確實也很難得。

八十年代初，美國哥倫比亞大學授予馮先生榮譽文學博士學位。其實他本來就是哥倫比亞大學的博士，現在又給個榮譽的，他就去了。那次的行禮會非常有意思，無論對中方、對美方都非常有意思。美方有個致辭，表彰馮先生對於中國哲學的貢獻，諸如此類一大套。其實那都是他解放前的貢獻，而這一部分恰好是他本人早就徹底否定了的，可是現在卻又為此授予他榮譽博士學位。馮先生的答辭也很奇怪，絕口不提那些美方所謂的貢獻，給了一套完全驢頭不對馬

---

* 關於梁漱溟與馮友蘭的這段往事，其後人皆有文章回應。1971至1985年間，梁、馮無交往。1985年12月馮友蘭九十壽宴，宗璞代父致電邀請梁漱溟，梁以「天冷不能出門」拒絕。據梁培寬先生回憶，梁漱溟在電話中一再重複「不去」、「我不去」，「且面帶惱怒之色。最後再次厲聲說出『我不去』三字，隨即重重地掛上話筒，似未容對方將話再說下去。」數日後，馮友蘭收到一封短信，據宗璞先生回憶，大意是：「北大舊人現惟我二人存矣，應當會晤，只因足下曾諂媚江青，故我不願來參加壽宴。如到我處來談，則當以禮相待，傾吐衷懷。」馮友蘭讀後「並無慍色，倒是說這樣直言，很難得的」，並寄贈《三松堂自序》。……不幾日，梁將《自序》全部讀完，為其「認真自我剖析」打動，態度有所轉變，「由極不以為然，變為可以諒解；由拒不赴宴，變為表示『甚願把晤面談』。」

參見宗璞：〈對《梁漱溟問答錄》中一段記述的訂正〉，原載《光明日報》(1989年3月21日)，收錄於《霞落燕園》(北京：作家出版社，2005)。梁培寬：〈馮友蘭先生與先父梁漱溟交往二三事〉，原載《博覽群書》，第9期(2002)。

嘴的說法。他說中國是個古老的國家，但是「周雖舊邦，其命維新」等等*，然後行禮如儀，把榮譽證書接到手中。雙方就跟演一場滑稽戲一樣，究竟肯定甚麼，否定甚麼？這一點倒正好象徵當時中美雙方的關係，各說各話，實際上又完全對不上口徑。

我想，馮先生在某種意義上還屬中國舊知識分子的一個典型。舊時代裏，知識分子唯一的出路就是做官，這是根深蒂固的一個傳統，和近代資本主義國家有很大的不同。近代資本主義國家有很多其他的路可以走，比如愛迪生只唸過三個月的小學，比爾·蓋茨大學唸了兩年沒有畢業。只要他有本事就成，並不需要依賴官本位這張皮。可是在中國過去，知識分子除了官本位沒有其他出路，只能靠依附專制皇權得到自己的地位。

馮友蘭先生教中國哲學史，他那上、下兩卷的《中國哲學史》寫於抗戰前夕，在當時是很轟動的，成為標準教科書，現在也不失為哲學史的經典著作之一。馮先生的理論邏輯非常清楚，而且要言不煩，沒有囉嗦的話，這是他的優點。但他那部書也有很大的缺點，當時我就這麼認為，現在看來就問題更多了。第一，馮先生總是先有一個理論的架子，然後用材料去填充，或者說先有結論，再倒着去研究，這是他的一大缺點。第二，馮先生對哲學有自己的理解，所以

* 參見《三松堂全集》第一卷之「自序」，頁306–312。

總是按照自己的想法去發揮，至於古人是不是就如他所寫的那樣，總有幾分可疑。第三，他那本書雖然叫「中國哲學史」，可實際上並沒有跟歷史掛鈎。每一種思想都不是憑空產生的，總有它的背景和現實意義。所以從嚴格意義上講，馮先生寫的是「按照歷史順序排列的哲學」，並沒有表現出「史」的作用來。第四，馮先生不懂佛學，那段是全書最弱的一部分，始終沒有講清楚，只是用幾段引文代替了理論的講解。佛學是很難懂的，印度的思路本身跟我們就不一樣，而且都是翻譯的，又不是嚴格的翻譯，裏邊加了很多中國自己的思想，所以就更難了。佛學應該是一門很專門的學問，他沒有懂。另外還有一點，近代部分寫得太薄弱，好像草草了事。馮先生在「自序」裏邊也說，「九・一八」以後形勢很緊，來不及再詳細寫，就匆匆忙忙收尾了。我以為寫得最好的部分是先秦的名家、道家以及宋代的朱子。但這兩部分更多的卻是作者本人思想的發揮，未必就是古人的原意，古人大概也不會有那麼明晰的體系。而後來馮先生新理學的體系主要來源正是這兩家哲學。

馮先生很敏鋭，後來寫《中國哲學史新編》的時候又提出了一些新見解，給太平天國再翻案。太平天國是農民起義，這點我們都肯定，可他提出太平天國是反動的。因為鴉片戰爭以後中國進入近代化了，太平天國搞神權政治、搞迷信，那是古代的玩意兒，所以是反動的。其實這一點大家過去也都知道，只是不能談。他那套書一共是七冊，其中第七冊國內不能出，只在香港出了，不過現在大概也可以了吧。*

6. 金岳霖先生

金先生早年學的是政治學，博士論文是關於T. H. Green的政治思想，改行邏輯學已是中年以後了。不過我想，一個人的思想到二十多歲就基本定型了，當然你可以進步，但思維方式不會再有根本的改變，不大可能真正從新開始。比如毛澤東，年輕時接受的是鬥爭哲學，可以終其一生鬥爭到老，而像我這樣的人總覺得那是件挺傷神的事，不願意去幹。「與天鬥其樂無窮，與地鬥其樂無窮，與人鬥其樂無窮」，這是毛的話。要讓我說，「與人鬥爭，其苦無比」，費那勁呢。中年的金先生思想仍然很敏鋭，察覺到了新的哲學路數，然後介紹到中國來。雖然他自己在這方面只寫了一本《邏輯》，但他的貢獻在於培養了從沈有鼎以下的一批青年學人，開闢了數理邏輯的新路數，這是中國歷史上幾乎不曾有過的。假如當年不是盲目學習蘇聯，而是獨立自主、有選擇地探討當代科學前沿，很可能中國已經在這一嶄新領域達到世界的前沿了。因為它畢竟不像某些尖端科學那樣，不需要非常昂貴的費用和悠久深厚的傳統。

---

* 《中國哲學史新編》第七冊的單行本更名為《中國現代哲學史》，先後由香港中華書局(1992)、廣東人民出版社(1999)、三聯書店(2009)等社出版。2000年版《三松堂全集》第十卷中，也已收入《新編》第七冊。

二十世紀以後，西方哲學主要有兩大分支。一派是大陸哲學，重點在人生哲學，包括對生命的體驗、生命的價值等等，比如海德格爾。這一派在歐洲非常流行，可是在美國卻不吃香。二戰的時候，歐洲很多大陸哲學派的學者跑到美國，結果名牌大學都不要，只能到不起眼的小大學去。所以二戰結束後，他們又回到歐洲，才把這套東西再炒熱起來。另一派是分析哲學，專門講邏輯分析、語言分析。數理邏輯(Mathematical Logic)，那時候也叫符號邏輯(Symbolic Logic)，你可以說它是哲學，也可以說是數學。羅素說：哲學都講倫理學，可是我不明白哲學為甚麼要談這些問題。在他看來，倫理道德問題沒有觸及哲學的根本，或者說，根本不成其為哲學問題。搞這個路數的人往往會走過頭，結果成了一種純技術性的操作，就像下圍棋一樣，淪為一種人工智能的遊戲。當然這也非常重要，但如果把這個就認同為哲學，似乎有點走偏了，哲學豈不成了數學的分支？不過學術上應該允許有不同的路數，百家爭鳴才能有進步。

我們國內哲學也受了這兩大派的影響，可能受分析哲學的影響少一點，原因何在？在我看來，近代西方哲學大多是由自然科學(尤其是數理科學)進入，可是中國過去文理分家。搞文科的看不起理科，搞理科的看不起文科，大家都守着自己那一畝三分地，不能從知識上打通。比如甚麼是經濟學？按照我們的傳統來說，經濟學就是講生產關係的，歸根到底就是階級鬥爭。「階級鬥爭一抓就靈」，這是毛的話了，所以用階級鬥爭完全就可以理解經濟學，一通百通。可是你到美國去看，他們那些經濟學教授上來就是寫公式，一步步演算下去，等下了課滿黑板都是公式，好像上了一堂高等數學。這算甚麼經濟學？這不是數學嗎？可是反過來説，他們看我們那也不是經濟學，政治鬥爭能算經濟學？

對於文化，我們過去有太簡單化的毛病。政治上定個標籤，無產階級的就宣傳，資產階級的就都不要了，似乎一切問題都迎刃而解。我們學習過蘇聯米丘林－李森科「無產階級革命的生物遺傳學説」，批判資產階級孟德爾－摩爾根的「反動遺傳學」，結果也沒反對掉。李森科後來被揭發，説是個學術騙子。蘇聯還批判過數理邏輯，説它是唯心論，是資產階級的概念遊戲。可是到了六十年代，蘇聯的一些尖端學科上不去，為甚麼呢？因為計算機上不去，而數理邏輯正是計算機的理論基礎。如果金岳霖先生建立的邏輯哲學學派能得到順利發展，很可能中國哲學界裏就有一門領先於世界的學科了。

7. 中國通溫德，白俄噶邦福

西南聯大有幾位外籍教授。我入學時，外文系的燕卜蓀(W. Empson)剛剛離去，那是著名的詩人和批評家了，但溫德(R. Winter)教授一直留校任教。原先溫德在芝加哥大學教書，專業是研究十六七世紀的歐洲文學。聞先生回國後，把他介紹清華來教書。

我上過溫德先生的當代文學批評，因為只有我和徐鐘堯學長兩個人上課，所以時常和我們閒聊。記得一次他說，古往今來真正達到純粹的美的境界的，只有雪萊、濟慈和肖邦三個人，其餘的都不夠。肖邦三十九歲死了，雪萊二十九歲死了，濟慈二十五歲就死了，都非常年輕。濟慈的epitaph(墓誌銘)是他死以前為自己寫的，非常有名，“Here lies one whose name was writ in water.”(這裏躺着一個人，他的名字寫在水上。)我們知道這句話，可是不理解它的意思，甚麼叫「名字寫在水上」？溫德說，西方有句諺語：「人生一世，不過是把名字寫在沙上。」潮水一來，名字被沖沒了，人生一世就是這樣，正像中國古詩裏說的：「人生寄一世，奄忽若飆塵。」可是濟慈要把名字寫在水上，這就更徹底了，不必待到海水來，一邊寫就一邊消失了。我聽了以後非常感慨，覺得他對人生的領悟真是徹底，達到了如此的境界。後來我也喜歡讀濟慈的詩，比如他的商籟(十四行詩)Bright Star和When I have fears，非常有名。

溫德教授的後半生完全在中國度過，後來在北大一直活到一百歲，1987年才去世。溫德先生稱得上是個Old China Hand(中國通)。有一次他到雲南西部旅行，途中遇到土匪，急中生智操起一口國罵。土匪一下被唬住了，不知他甚麼來頭，加上他的個子非常高大，土匪竟被嚇跑了。還有，抗戰時候沿海的人都往內地跑，上海的工人到了後方，用竹篾片蓋起二層小樓。其實就是在表面抹了層洋灰，看上去和洋房一樣，非常巧妙。溫德把他看到的這些講給我們，繪聲繪色的，我們都覺得好笑，可見他對中國的事情非常了解。抗戰結束後，國民黨開政治協商會議，代表名單上有三十八個人。記得溫德指着傅斯年的名字說："Another Guo Min Dang."(又是一個國民黨。)傅斯年沒有加入國民黨，但實際上是站在國民黨的一面，溫德對這些政治上的事情都「門兒清」。

噶邦福(J. J. Gapanovitch)教授是白俄，畢業於聖彼得堡大學，那是當時俄國最好的大學。他的老師Rostovtzeff(羅斯托夫采夫)是世界古代史的權威，十月革命以後去了美國，任威斯康星大學古代史教授。第一次歐戰的時候，噶邦福被征當過兵。十月革命後，他輾轉到了遠東的海參崴大學任教，我想可能是因為在政治上被認為有問題，不過他沒講過。後來他到了中國，1930年左右就在清華教西洋古代史、俄國史，還講過歐洲海外殖民和戰爭史。噶邦福先生不會說中文，全部用英文教課，而且講的是希臘、羅馬的歷史，很偏僻，只有七八個人上課。可是我想學點專業英文，所以就選了他的課。噶邦福先生喜歡聊天，下了課我也常問他一些問題，但主要目的不在希臘、羅馬，還是想學英文。

噶邦福先生對歷史理論非常感興趣，這一點給我印象很深。我們從事歷史研究的人往往有一個缺點，或者說是一個優點，總能把一個小問題鑽得很深，許多人因此而成名。但歷史畢竟整體上是宏觀的。上下幾千年、東西幾萬里，如果不能放眼整個世界歷史的大局而只盯着某一點，恐怕不能算是真正理解了歷史。比如研究清史的，最喜歡談清初三大疑案：皇太后是不是下嫁給了多爾袞，順治是不是出家了，雍正是不是篡改了遺詔。當然你也可以研究，歷史畢竟包括這些具體的事實，但這些歷史事實的背後總該有個理論的總結。歷史到底是個甚麼東西？究竟有沒有規律？如果有，會是個甚麼樣的規律？我們該怎麼認識它？這些都是很根本的問題，最終總得有人對歷史的總體有一個說法。

噶邦福先生曾用英文寫過一本*The Synthetical Method of History*(《歷史學的綜合方法》)，1938年商務印書館出版。他借給我看，有些見解還挺有意思的，足以啟人深思。其中他談到，人生有兩個方面，有衣食住行物質方面的生活，也有吃喝之外的感情、思想等等精神方面的生活，兩者有時很難協調。有人只知道撈錢享受，但也有的人過分追求精神生活，比如宗教信徒，或者某些熱心的理論家、哲學家。他說，文化似乎也是這樣，有的民族偏重精神方面，有的偏重物質方面。比如古希臘人追求現實，所以他們注重肉體方面的生活，追求美、美食，追求愛情、榮譽、地位。到了中世紀就偏重於精神方面，要做宗教的聖徒，做靈魂聖潔的人。可是到了近代，這種追求又行不通了，於是又翻回來追求物質享受，飛機越快越好，汽車越漂亮越好，追求了幾百年。噶邦福先生介紹舊俄學者Sorokin(索羅金，美國哈佛大學第一任社會學系主任)教授的論點，認為現代西方過分追求物質了，這種文明是sensational(物質的，享受的)的文明。可能會出現一個反撥，又該回到追求精神世界的文化去了，回到ideational(觀念化的，精神的)的文明。我不知道是不是可以用他的這個說法來解釋世界歷史，不過當時覺得挺新穎的。可惜這本書不太流行，何況又是英文的，不可能有銷路，所以很少有人提到。

噶邦福先生喜歡聊天，偶爾也給我們講講舊俄時期的笑話，都是他親身經歷過的。他說舊俄的時候，畢業生最好的出路是做神職人員，不過要經過一番爭取才能得到「神性」，並不太容易。有兩個學生畢業找工作，其中一個成了神職人員，另一個沒有當成。他們向老師彙報以後，老師就對第一個人說：「我祝賀你獲得了你的神性。」第二個學生一副惱喪的樣子，老師轉過身來，對他說：「我也祝賀你，祝賀你還沒有喪失你的人性。」十月革命以後的事，噶邦福先生很少談起。希特勒進攻蘇聯的時候，我曾問他蘇聯的情形可能會怎麼樣，他說：「和中國人一樣，俄國人是極其愛國的。所以俄國一定會勝利，中國也一定會勝利。」

解放後不久，大概是1950年，我到清華看過他。

他正準備要走，說：「我就像是離過婚的，離過一次，就不再復婚了。」他是白俄，所謂「白」是相對「赤」而言的。革命的、共產黨的叫「赤俄」，而反革命的，或者十月革命以後不認同蘇聯政權、跑到國外去的就叫「白俄」。不過我也覺得很奇怪，白俄在學術、藝術、文學方面出了很多非常傑出的人才。比如二十世紀最有名的音樂家Stravinsky(斯特拉文斯基)，後來在美國，赫魯曉夫時期已經八十歲了，還回過一趟蘇聯。像我們很多「白華」，解放後在美國的，也出了一批人才，包括幾位大名人。

噶邦福先生有一個女兒叫噶維達，在昆明的時候才五六歲，挺好玩兒的一個小女孩，中國話說得非常好，還會用中文罵人。1988年，西南聯大五十週年紀念，昆明有個活動，噶師母和女兒都來了。噶維達女士在澳大利亞國立大學教中文，但噶邦福先生已經去世了。

8. 曾昭掄先生

化學系系主任很長一段時期都是曾昭掄先生，他是曾國藩的後人。過去常說，中國歷史上真正能夠做到「立德、立功、立言」三不朽的只有兩個人，一個是明代的王陽明。他是文學家、哲學家，講究修養，而且平了江西寧王朱宸濠的叛亂，被封為「新建伯」。另一個就是曾國藩。曾國藩講理學，講養氣，這是「立德」。平太平天國他立了大功，而且網羅了一大批最優秀的學者做他的智囊團，那時候叫「幕府」。所以曾國藩是很了不起的，被認為是個「三不朽」的人物，毛澤東年輕時也崇拜過他。蔡鍔輯錄了《曾胡治兵語錄》，「曾」是曾國藩，「胡」是胡林翼，蔣介石親自做了增補，作為黃埔軍校的教材，讓他的部下必讀。曾家家學非常嚴格，後代確實出了很多人才，包括外交家曾紀澤、數學家曾紀鴻、教育家曾寶蓀等等，曾昭掄也在其中。

曾先生這個人非常有個性，藍布大褂總是破破爛爛，趿拉着兩隻布鞋，不刮鬍子，頭髮也挺亂。聯大有些先生是穿西服的，比如經濟系主任陳岱孫。雖然生活很困苦，可是陳先生永遠西裝筆挺，頭髮梳得一絲都不亂。曾先生恰恰相反，他是非常本色的，舊話叫作「不修邊幅」，或者「名士派頭」。他是二十年代清華留美的學生，回國後在中央大學做化學系主任。我聽過一個關於他的小段子，挺有意思。朱家驊做中央大學校長的時候，有一次召集各系主任開會，曾昭掄也來了。朱家驊不認得他，問是哪一系的，曾昭掄答是化學系的。朱家驊看他破破爛爛的，就說：「去把你們系主任找來開會。」曾昭掄沒有答話，扭頭走了出來，回宿舍後，捲起鋪蓋就離開了。隨後他去了北大化學系，照樣做系主任。

曾先生在化學界是元老級的，做過多年中國化學會會長，可是他的興趣非常廣泛。1941年暑假，他帶一些學生到川康邊境地區考察，回來還給我們介紹少數民族的情況。曾先生的課我沒聽過，可是聽過他好幾回講演。有一次是講二戰以後蘇聯在國際政治上的地位，那時候他就看出來二戰後的世界將變成兩極，一個以美國為中心，一個以蘇聯為中心。還有一次紀念五四的座談會，請了好幾位先生去講，華羅庚也出席了。華先生說，德國的科學很發達，可是德國沒有民主，它的科學給世界人民帶來了災難，所以我們應該科學、民主兩者並重，缺了哪一個都不行。曾先生立論的前提、結論和華先生一模一樣，可是推論的過程正好相反。他說，德國原來有科學，希特勒上台以後沒了民主，也就沒有了科學。由此可見，科學的進步必須依靠民主，沒有民主就沒有科學的進步，所以我們既要重視科學，也要重視民主。他們兩個人的出發點、結論都是一樣的，可是推論過程不一樣。通過這次演講，我的興趣落在了「科學、民主到底有沒有聯繫」這個問題上，印象非常之深。我以為，這兩者還是有關係的。因為科學總需要不斷翻新，如果沒有民主的話，那就是獨裁、定於一尊了。誰代表絕對真理就都得聽誰的，大家都成為某一家思想的奴隸，科學就沒有進步了。

我聽化學系的同學講，曾先生一生有兩個最得意的學生，一個錢思亮，一個朱汝華。錢思亮是二十年代末清華的學生，當時在聯大化學系做教授。後來，他接傅斯年任臺灣大學校長，還做過中央研究院的院長，之後吳大猷又接了錢思亮的手。朱汝華在聯大教有機化學，是位女教授。在我的印象中從沒有見她笑過，平時一副非常嚴肅的樣子，凜然不可犯，讓我們覺得挺可怕的。我想大概是因為朱先生年輕，又沒結婚，只有這樣才能威懾住學生，要不然都拿她當小女孩兒了。朱汝華有個弟弟叫朱汝瑾，畢業以後留在化學系做助教，後來她們姊弟兩個都在美國。朱汝瑾的兒子朱棣文在斯坦福大學，得了諾貝爾獎。所以化學可以算是他們的家學，也是曾先生的嫡傳了，這是一種學術的淵源。

9. 數學系

聯大的生活條件和學習條件都很特殊，地方小、人又少，我想文、法、理三個學院加起來學生也不過一千、老師一兩百。理學院包括數學、物理、化學、生物、地質(包括地理、氣象)五個系，算是人多的。但其中數學系人最少，我畢業的那一年數學系只有三個人。大家都是背井離鄉，又沒錢，即使放假了也沒地方去，所以一年三百六十五天整天看的都是這些人。雖然有的並不很熟，比如理學院的老師，他們未必認得我，我和他們也沒有任何關係。可是因為就那麼一點兒地方，又經常見面，所以面孔都非常熟悉。

中國近代數學最老一輩的數學家有三個，都是清末的。一個是熊慶來，雲南人，老清華數學系主任。抗戰時候，他到雲南大學做校長去了，解放以後一直在法國，1957年回國在數學所，那算是元老級的。他的兒子熊秉明，哲學系的，和我們同班。另一位叫鄭桐蓀，即鄭之蕃，也是元老級的，做過清華教務長。他欣賞的一個學生是陳省身，後來把自己的女兒嫁給他了。還有一位姜立夫先生，南開大學教授，也是我們國家最老一輩的數學權威，後來許多大學者都是他的學生。聯大時候，姜先生教高等微積分，這是數學系、物理系的必修課，所以人比較多，教室也大。我沒上過姜先生的課，可教室就在南校區一進門的地方，我們路過的時候經常看見他講課。姜先生很奇怪，授課都是用英文，物理系的周培源先生也是這樣。不過當時的教科書或者參考書都是英文的，所有術語都不用中文，用英文講可能比用中文更方便，所以很多老師都是中西合璧的。比如曾昭掄先生，有一次講演，講科學在二次大戰中的應用，我去聽了。他說，英國那時候靠美國的支援，運輸物資得橫跨大西洋，德國就用潛水艇去襲擊，雙方都損失慘重。後來德國又發明了一種東西，叫「磁性水雷」，只要船一經過那個水域，就「induce一個magnetic field(誘導一個磁場)」，就會引爆。凡是碰到術語，他都用英文，不過我們也習慣了。

數學系有一位老師叫江澤涵，北大的系主任。我聽說，江先生是三十年代初去的北大，大家都知道他的姐姐是胡適的夫人。當時的學生對胡適有反感，尤其是進步的，或者說左派的學生，一聽說江澤涵是胡適的小舅子，就罷他的課。不過後來我做學生的時候，這些已經成為過去了，我一年級的初等微積分就是他教的。江先生教課很嚴謹，不過口才不太好。那年冬天的大考一共四五個題目，都是英文的，前幾個非常容易，假設甚麼、求證甚麼，一會兒就做出來了。可最後是一個文字題，而且說得非常繞，文字部分就很難懂，更不要說做題了。有個同學就問：「江先生，這題到底說的是甚麼意思呀？」江先生就給我們講了一陣，還在黑板上畫，可我們還是不懂。結果好多同學那道題都沒做出來，不是數學沒做出來，而是英文沒過關，根本就不知道說的是甚麼意思。據說江先生是國內拓撲學的開創者，那時候叫「形式幾何」，是一門非常新的學問，不過我一點兒都不懂。記得我還問過一個同學甚麼叫形式幾何，他說：「形式幾何，就是Topology。」我說：「甚麼叫Topology？」他說：「Topology，就是形式幾何。」那我還是不懂。

一般情況下，優秀的學生畢業後大多留下來做助教。華羅庚先生有兩個助教，一個閔嗣鶴，一個田方增。閔先生我中學的時候就認識。抗戰前一年，我在北京師大附中唸高中一年級，正好他大學剛畢業，就到我們學校教三角。不過閔先生口才不太好，說起話來很慢，也比較呆板。比如講四個象限，按理說講一個就可以了，其他三個無非就是正負號不同。可是他非得把每個象限都講一遍，所以給我一個印象，覺得他比較死板。可是解放後，我有一個同班同學在首都師大教數學，他跟我說，閔先生真了不起。第一，陳景潤是他培養的。第二，五六十年代的時候，全國每年都有中學數學競賽，前幾名可以直接保送大學，所以也很隆重，閔先生就在數學競賽裏負責出題目。我的這個同學還說，中學數學競賽其實不是考學生，而是考老師，最難的就是那個出題目的老師。因為他必須把題目出得恰到好處，既能運用中學的知識把它做出來，又不能有兩個學生同樣做出來，只有這樣才能從全國範圍內選出最優秀的那一個人。這種困難是旁人想像不到的，也是閔先生特別高明的地方。後來閔先生在數學研究所，但他心臟不大好，還不到六十歲就去世了。

田方增是我們中學的老學長，解放後就在數學研究所，現在九十多歲了，住在中關村，有時候開校友會還能見到他。不過他的老伴去世了，只有一個女兒在加拿大，家裏就剩他一個人。最近我讀聯大校史才知道，田先生當年是數學系唯一的地下黨員。在當時這都是秘密的了，而且田先生平時給人的印象是個老好人，誰也看不出他會是地下黨。田先生有個弟弟和我中學同班，政治上也是挺進步的，平常就表現出來。而真正的地下黨大概都不表現出來，因為需要隱蔽，被人發現了很危險的。所以地下黨的活動一般都是通過積極分子去出頭露面，包括聞一多先生。聞先生不是黨員，但他是積極分子，就由他們出面。當然積極分子也是自願的，如果他不願意，誰也不會去強迫。那時候大家的心態一是抗日救國，一是爭民主，這是大多數人的共同嚮往，所以許多人都是義不容辭地去做。

10. 物理系

物理系在理學院裏人最多，每年能有十幾個學生，四個年級加起來總得七八十人，在當時算是很大的系了。而且，老清華的物理系對現代中國物理學貢獻最多，大師雲集，出了一大批才子，當年全國最頂級的物理學家裏總有一多半是清華物理系出身。兩彈一星的功臣總共才二十三人，有十四位是清華校友，其中十個出自物理系，包括錢三強、鄧稼先、朱光亞。42級那一班人比較少，大概只有七八個學生，可那一班出了五六個尖子。有三個人是整天在一起的，楊振寧、黃昆和張守廉，當時在學生裏是出了名的，整天高談闊論，不但是物理系的一景，而且成了聯大的一道景觀。

物理系真正的元老是葉企孫，第一位系主任，也是清華理學院第一任院長，兼任過中央研究院總幹事。他是中國近代物理學的開創者，資格最老，後來的一批著名物理學家大都是他的學生。解放以後院系調整，葉企孫跟着並到了北大物理系，後來又調到中國科學院自然科學史研究所。那時候我在歷史所工作，就在建國門，下班路過王府井的東安市場，偶爾進去買點兒東西，好幾次都碰見葉先生。我曾問一個物理系的同學，說：「我怎麼總看見葉先生在那兒逛商場，好像挺悠閒的，他現在不搞研究了？」他說：「葉先生年紀大了，身體也不好，科學搞不動了，就搞點科學史。」葉先生文革的時候非常不幸，因為他的學生熊大縝，那是他以前一個很得意的門生。抗戰時，八路軍在河北農村發展了很大的勢力，但缺少現代的武器裝備。葉先生就把他的這個心愛的學生送到解放區，幫助他們搞軍工，包括槍枝、彈藥之類，被任命負責冀中軍區的供給。可是解放以前就搞過幾次運動，有一次把熊大縝也牽了進去。1939年，鋤奸隊以「國民黨特務」的罪名逮捕他，給槍斃了。因為這件事，文革時候關了葉先生很久，說他把特務介紹到解放區搞破壞，1975年才解除隔離，沒過兩年就去世了。

物理系幾位元老後來的遭遇都很慘，葉企孫是一個，還有一個是饒毓泰。饒先生是北大物理系主任，聯大的時候也就五十多歲吧，教光學，據說對學生非常嚴格。可是他的樣子特別衰老，不但拄着拐杖，而且步履非常之蹣跚，一步一搖的。我沒聽說饒先生做過任何政治活動，可是文革時也把他關在牛棚裏，結果上吊自殺了。一個將近八十歲的人，就算閻王不來請，也快自動去報到了，可是他卻迫不及待地要先走一步。所以當我聽到這個消息時，心裏十分難過。還有，清華氣象系的教授趙九章。我做學生的時候他就教氣象學，是這一領域的權威了，解放後是兩彈一星的功臣，一輩子搞科學，沒有做過政治活動。可他又是國民黨元老戴季陶的外甥，按照當時血統論的說法，「戴季陶的外甥能是好人？」所以後來他也被鬥，自殺了。

由此我想起另一件事。有一個同學比我高一班，叫丁則民，他的哥哥丁則良是西南聯大歷史系的講師，後來清華的副教授。他們兄弟兩個都是搞歷史的，1957年丁則良被劃為右派，在北大未名湖投湖自殺了。丁則民研究美國史，以前在北師大教書，後來在東北師範大學任美國研究所所長。有一次紅衛兵抄他家，抄出一張葉群的照片，就問：「你為甚麼私藏首長的照片?!」丁則民交代說不是私藏，是她送給的。又問：「你們甚麼關係?!」答：「她是我外甥女。」文革一開頭的時候，抄家風氣蔓延，而且抄得很兇，我都被抄過兩次。可丁則民是林彪副統帥夫人的舅舅，好，一下就給他消災免禍，變成了保護對象。可是好景不長，等到林彪一出事，又把他給抓起來關了一陣。那時候荒唐的事情太多了，令人感慨。一個人是革命或者反革命，跟他的外甥女有甚麼關係？趙九章一輩子沒參加過政治活動，他的舅父跟他有甚麼關係？

聯大有好幾位老師都是當時頂尖級的物理學家，一個是吳有訓。他接葉企孫的手做清華理學院院長，教近代物理。二十年代在美國留學時，他曾協助他的老師、世界級的權威康普頓教授進行大量實驗，驗證了康普頓效應，康普頓為此獲得諾貝爾獎。有人說應該是康、吳兩人獲獎，但吳先生很謙虛，説自己只是做了助手的工作，把榮譽讓給了老師。一個是趙忠堯，他是中國研究原子科學最有成績的一個。另外還有張文裕，是從英國劍橋回來的。吳大猷，後來做了臺灣中央研究院院長。周培源教力學，饒毓泰教光學，吳大猷教電學，像楊振寧、李政道一輩的青年物理學家都是他們培養的。我只上過清華霍秉權先生的物理課，後來院系調整，霍先生被調到鄭州大學，我想現在也不在了。

戰火硝煙

1937至38這兩年，全國確實有一種新氣象，《毛澤東選集》裏面也提到：「抗戰以來，全國人民有一種欣欣向榮的氣象，大家以為有了出路，愁眉鎖眼的姿態為之一掃。」可是到了1939年以後，局面有了變動，類似抗戰最開始那樣的大仗不多了。第一，日本人的重點有所轉移。那時候歐戰已經開始了，美國在物力上大量支援盟國，日本要想稱霸東亞的話，對手除了中國、蘇聯，還加上了英美。英美在亞洲的勢力很大，不會坐視日本完全獨霸中國，世界矛盾很尖鋭。所以日本得留着力量北邊對付蘇聯、南邊對付對英美，不可能把所有的兵力都放在中國戰場上。第二，中國地方太大了。日本從東北偽滿洲國一直佔領到華北、華東、華中、華南，每佔一個地方總得分一部分軍力來把守。比如佔領北京，少說也得留個七八千人，如果只留三五百，一旦有事招架不過來的。那好，一個北京就得留幾千人，中國那麼大地方，從黑龍江到海南島，那得留多少人？恐怕沒有幾十萬，甚至上百萬的人是控制不了的。所以日本一邊前線打仗，一邊還要佔領那麼多地方，它應付不過來的。

二戰時，德國也面臨同樣的問題。它在歐洲征服了十四個國家，對付挪威、丹麥、比利時這些小國都是一掃而過，卻唯獨沒有打瑞士，為甚麼？其實瑞士就在它旁邊，又是個小國，要硬打的話無疑也能打得下來。可瑞士當時是四百萬人口，精兵二十萬，它的科技水平非常高，軍備也強，而且訓練有素。瑞士雖然是中立國家，可是如果有敵國入侵，瑞士一定會全力以赴。這一點它表示得非常鮮明，所以希特勒也得考慮。德國當時有八千萬人，如果按十分之一的比例來說，它的最大兵力是八百萬人。瑞士有精兵二十萬，那麼德國大概就得出兵四十萬。希特勒這邊打英國、打法國，那邊還得打蘇聯，如果費那麼大勁打一個瑞士，他得考慮到底犯不犯得上。當年日本大概也會這麼考慮，它得精打細算、衡量全局，所以總想對中國用政治手段來解決。比如它在東北成立偽滿洲國，北京成立華北臨時政府，南京是汪精衛的漢奸國民政府。有了這些傀儡政府，日本就不必付出太大的代價。但我覺得，這是一種暴力政策的失敗。中國自古就懂得，政治主要是靠人民的擁護，否則不能持久。日本侵略中國是明擺着的，百分之九十九以上的人都反對，怎麼可能成功？

1938、39年以後，形勢逐漸變成一種相持的狀態。雖然也打，但時戰時停，打得不厲害，不像開始那一兩年大打特打。國民黨在抗戰一開頭也是真打，犧牲也大，及至進入相持狀態後就開始腐化了。軍隊腐敗，政治腐敗，經濟腐敗，而且速度非常之快，這一點蔣介石後來也不得不承認。可問題是：政府是你領導的，你為甚麼坐視其腐敗？抗戰以前，左派、右派界限非常鮮明，抗戰爆發便團結起來一致對外。可是自從1939年以後，國內矛盾又逐漸上升了。

那年我剛入大學，學校裏有很多壁報，寫的文章大都帶有政治性，左、右兩派又開始爭起來，而且爭得很厲害。那時候，我們絕大部分人都同情左派，雖然不甚了解，但總以為左派是真正要求民主的。它的宣傳也是這樣，倒不提無產階級專政，那是解放後歷次運動的事了，像甚麼「字字是真理」、「句句是真理」，過去都沒這些提法。解放前倒是右派非常敏感，認為凡是主張自由民主的，就是反對國民黨，就是跟着共產黨跑。比如羅隆基、聞一多搞民主運動，國民黨特務給他們起外號叫「羅隆斯基」、「聞一多夫」，寫大字報動不動就「羅隆斯基如何如何」。可是我們大多數人並不這麼看。每個人都可以表達自己的意見，為甚麼就罵人家是共產黨，給扣一頂紅帽子？記得張奚若先生在課堂上不止一次地說：「當局一聽『自由』兩個字，無名火立刻就有三丈高。」真是入木三分。

1940年，法國也被德國佔領了，那是法西斯氣焰最高漲的時候。本來中國有青島、上海等等對外的出海口，可那時候都被日本人佔領了，只能靠從越南的海防進廣西或雲南。日本一看法國戰敗，立即出兵越南，結果這條路也斷了，只剩下昆明通緬甸那一條路。那時候英國自顧不暇，無力保護緬甸、印度等屬地，日本隨即封鎖了滇緬路。

我剛入學時，日本飛機只偶爾來一兩次。但因為昆明是主要的中轉站，所以從1940年夏天到1941年秋天，在這一年零一個季度的時間裏，日本幾乎天天來轟炸，而且很準時，早晨九、十點鐘肯定拉警報。據說在重慶，一拉警報大家就躲進山洞裏。可是昆明沒有山洞，幸虧聯大在城邊上，一拉警報我們就往郊外跑，十來分鐘能翻兩個山頭，跑到山溝裏就安全了。不過因為它是亂炸，到處丢炸彈，山溝裏也有不安全的時候。有一次，華羅庚先生和教我們西洋史的皮名舉先生躲在一起，不知怎麼，日本人在那兒(記得叫黃土坡)撂下兩顆炸彈，石頭土塊把他們埋了起來。過了一會兒皮先生爬出來，暈頭轉向地往外走，沒走幾步忽然想起華羅庚還在裏邊，趕緊又找人回去。那次華先生被埋得比較深，大家趕緊又把他拉了出來。在艱難危險的時刻，人的反應是不一樣的，有膽子大的同學根本就不跑，這也很奇怪。比如有個叫楊南生的，後來是火箭專家了，他就從來都不跑。有一次人家生把他拉走躲起來，到了空襲的時候，彈片正好落在他身旁，把一個茶碗給砸碎了。有人問他：「這回你該跑(警報)了吧？」他說：「這回就是跑壞了，不跑留在屋裏還炸不到。」過去我們總是習慣於用政治覺悟衡量人，可是在這種場合，有的人是真不怕，但不能說這個人就政治覺悟高。有的人倒是政治覺悟非常高，可每次警報一響跑得比誰都快。

日本飛機來轟炸都是排成「品」字形，三架排一個小「品」，然後九架排一個中「品」。有時候是二十七架排一個大「品」，有時候是三十六架，前面一個大「品」，後邊九架再組成一個中「品」，看得非常清楚。飛機來得挺有規律，每天差不多都是十點鐘拉警報。大概那時候它們就已經從越南起飛了，然後大家趕緊躲起來，等它們炸到十二點、一點鐘又走了。所以後來我們上課的時間都改了，早上七點到十點鐘上課，下午三點鐘再上，中間那段就是等它來轟炸的。昆明天氣非常好，陽光燦爛的，飛機飛過去的時候炸彈極其耀眼，就像一群水銀球掉下來，亮得晃人眼。就聽見「嗞嗞嗞嗞」的一陣響，那是炸彈跟空氣摩擦的聲音，然後「嘣——」的一聲，如果離得近，還有地動山搖的感覺。據報紙上說，日本當時有兩派爭持，一派主張從東北北進打蘇聯，一派主張南進，進攻南洋打英美，兩派爭得很厲害。1941年日本飛機天天轟炸的時候，有一次我在報紙上看見一篇文章，大概作者懂點軍事，說據他的觀察日本是要南進。因為炸的時候，有一部分是拿昆明做目標練飛機，練的都是俯衝轟炸，他說那是轟炸海軍軍艦的戰術，所以預言日本是要南進的。後來果然如此，日本發動了太平洋戰爭。

我們當時畢竟年輕，跑上十幾分鐘躲起來就沒事了，可我也看見一些悲慘的景象。有一次飛機大肆轟炸之後，我看見一堆亂墳後邊有位老人，他有氣無力地慢慢站起來，滿臉灰色的塵土，然後非常緩慢地長嘆一口氣，我看了以後心裏非常難過。聯大被炸過兩次，1940年秋天開學不久，那一次炸得很兇，宿舍、圖書館都被炸了。記得那天回來以後，校園裏到處都是灰塵，就看見蔣夢麟校長——平時他很少露面的，那天見他坐在圖書館門前的地上，一副無奈的樣子。不過總的來說，並沒有士氣不振，覺得「不行了、不行了」。當然也怕，可是一點兒失敗主義的氣氛都沒有，加上年輕，每天都覺得好玩兒似的。街上有一家牛肉麵館，被炸之後換了個招牌叫「不怕炸」，大家都覺得有趣。教師們為躲避轟炸，很多都搬到鄉下去住，沒有別的交通工具，所以住得近的、遠的都得走着來。只有周培源特殊，他買了一匹馬，每天就騎着馬來。

1941年冬天，美國空軍陳納德將軍的志願隊來了，不算正式參戰，所以是「志願」的，也叫「飛虎隊」。那天下午天氣依然清新如常，我想也許是高原上空氣稀薄的緣故，看得清楚極了，就見美國飛機在天上來回盤旋，速度非常之快，聲音也非常好聽。我們雖是外行了，不懂，可是一看就知道那是一種新型的飛機，非常先進。第二天又有警報，日本飛機又來了。可是那天很有意思，大概他們也知道美國的志願隊來了，所以不像以前那樣排着大隊伍，只是試探性地來了十架，而且也沒能到達昆明上空。第二天我們看報紙才知道，那十架飛機全軍覆沒，都給打下來了。* 自從那天起，以後就再沒空襲警報了。後來徵調聯大學生給美軍做翻譯官，我聽他們回來講，那種飛機叫P–40，是戰鬥機，頭上還畫一個鯊魚。P–40的每個翅膀上都有三架重機槍，子彈交叉打過去，火力非常猛。經過一年多天天挨炸之後，我們終於又恢復了正常的生活。

1941年底，世界形勢大變。日本偷襲珍珠港，美國正式宣佈參戰，「飛虎隊」也不叫「志願隊」了，改稱「美國空軍第十四航空隊」，屬正式編制。1942年春天，美國空軍中校Doolittle(杜立德)率領B–25中型轟炸機第一次轟炸東京。倒不是為了取得多少物質的

---

* 說法不一。有說擊落日機九架，有說擊落三架，另有幾架重傷，倉惶返航。

效果，主要還是心理上的，就是說：美國飛機現在也能打過來，日本本土也不安全了。當時日本陸軍跟海軍也鬧矛盾，陸軍推諉海軍防禦不力。因為當時的飛機還沒那麼先進，不可能從美國本土直接飛到日本，所以有一種判斷認為飛機是從航空母艦上飛來的，這就意味着日本海軍沒能把美國航母阻止在領海以外。可是日本海軍則說，美機是從陸地起飛的，那一定是陸軍有哪個島沒守住，被美國佔領了，建了飛機場飛過來。兩方面爭論不休，後來有一部電影叫《東京上空三十秒》，專門講這段故事。

「飛虎隊」來了以後，日本不再來轟炸，昆明就相對安全了。當時美軍若干總部設在昆明，不久我們就發現滿街都是美國兵。不過美國兵胡作非為的很少，關係處得還不錯。政府先後調了很多聯大的學生給美軍做翻譯官，掛上少尉的牌子就算是參軍了。如果是四年級的同學，去了就算畢業，而低年級的學生，學校還允許他們回來復學。梅貽琦校長的公子梅祖彥，他大概就是二年級的時候參軍去的。美國給軍人的待遇非常好，包括他們軍隊的服裝、吃、用等等供給都是美國運來的。比如到美軍做翻譯官，去了以後先發一身美軍的衣服、美軍的皮靴，而且每人發一塊手錶，那時候我們誰有手錶？如果所在部隊就在昆明附近的話，這些同學還時常回學校看一看，腰上挎一支手槍，頂神氣的。而且可以很快學會開車，沒事就弄輛吉普車，順便帶我們出去玩兒。歷史系有個叫董振球的做了翻譯官，我跟他一個宿舍挺熟的，週末常去看他，為甚麼呢？第一，可以在他那裏吃一頓，就在他們食堂，和美國兵吃的都一樣，有麵包，還可以抹黃油，那就非常了不起，感覺好極了。第二，可以在那兒洗個熱水澡，聯大沒有洗澡設備，可他們用的是淋浴。到了晚上，我就在招待所裏睡一覺，睡前翻翻他拿來的*Time*、*Life*之類的雜誌，第二天還可以託他買兩件美軍的衣服。當時美軍的軍服大量湧入市場，當然是沒有徽章的，質量又好還便宜，所以昆明城裏有好多人都穿美軍的衣服。

我沒有上過前線，所以真正怎麼打我不知道，聽一些做翻譯官的同學回來講，美國兵作戰的時候也挺勇敢的。以前我們以為美國人享受慣了，不能吃苦耐勞，其實也不是那樣。雲南西部的高黎貢山、野人山，那些地方根本沒有人，穿越的時候都是風棲露宿。晚上沒有地方睡，他們就窩在吉普車裏過夜，也是這麼過來的。有個叫譚申祿的，中學和我就是同學，身體很好，是個運動員，而且是機械系的，就到美軍做了copilot(副駕駛)。空軍死亡率非常之高，不過那時都覺得做飛行員頂神氣的，能飛到天上去，那是最高的榮譽了。譚申祿專飛印度的加爾各答，大概也發了點兒財——相對於我們來說。當時緬甸被日本人佔領了，所以不能直接從緬甸上空飛，都得繞西藏沿着所謂「駝峰」那條路，挺危險的。據説超過半數的飛機失事，一千五百多人遇難，現在還有人在找遺骸。譚申祿給我講了個故事，挺有意思的。有一次他們飛加爾各答，那都是運輸機，毫無作戰能力的。飛行途中，忽然發現前面有日本飛機，指揮官下令讓他們立刻準備。按照規定，第一信號給的時候應該把降落傘都穿好，第二個信號一出就得跳。後來果然給了第一個信號，大家馬上穿降落傘，結果有一個人非常害怕，當時就暈倒了。譚申祿說：「幸好沒給第二個信號，不然真的就跳下去了。」

當時中國主要對外的運輸就靠從昆明飛加爾各答這一條路，沒有別的選擇。而且那時候中國非常落後，沒有汽車、沒有汽油、沒有飛機，也沒有各種武器，所有物資都得靠外援，所以必須再有一條對外的交通線來支持，這也是美國參謀長史迪威拼命要打緬甸的主要原因。他們邊打邊修滇緬公路，美國海船可以一直開到仰光，把物資卸下來，然後通過滇緬公路不斷運送到內地。直到1944、45年，我們在昆明依然可以看到公路上運輸車隊不斷地往來，非常繁忙。有一個人叫梁敬錞，做過臺灣近代史所的所長，寫過一本《史迪威事件》。蔣介石在昆明成立了中國遠征軍司令部，把一些軍隊逐步換上美式的裝備，可是史迪威把這些當時中國最精銳的部隊都放在了中緬戰場。史蔣之間在戰略上有很大的矛盾，終於鬧翻了。蔣要求羅斯福一定要換人，否則的話，寧可回到抗日戰爭以前的狀態，不打了。所以後來，羅斯福就把史迪威調回了美國。

二戰的轉折點是1942年。在此以前，日本在中國佔據優勢，德國把法國打敗了，英國岌岌可危，蘇聯一直被打到莫斯科城下。所以，1941年是法西斯軸心幾個國家最盛的時期，整個太平洋西部都成了日本的內海。到了1942年，盟軍方面連打了三個大勝仗，戰局發生了根本性的轉變。歐洲戰場上，斯大林格勒打得最激烈，紅軍打敗了德軍，自此轉入反攻。北非戰場上，英國陸軍第八集團軍司令蒙哥馬利打敗了隆美爾的非洲軍團，在地中海轉入攻勢。東方戰場形勢的轉變是太平洋的中途島海戰。中途島正在太平洋的中間，所以叫Midway Island。本來那一戰日本的軍力比美國還強一些，航母數量也超過了美國，可是它的情報密碼被美國破獲了。再後來，總司令山本五十六坐的飛機也被美國打了下來，從此太平洋的局勢扭轉過來，日本節節敗退。山本五十六是太平洋戰爭的日本海軍司令，偷襲珍珠港就是他指揮的。其實他不贊成打美國，可是日本當局決定要打，他得服從命令，所以這個人也很有悲劇性。這就是1942年的轉局，之後，盟軍進入反攻階段，日本、德國從此一蹶不能復振而終於垮台了。

1945年8月，日本投降。記得那天傍晚王浩來找我，也不進屋，就站在外面大喊我的名字。我還挺奇怪的，仔細一聽才知道，他喊："The war is over!" (戰爭結束了)當晚，我們幾個人湊錢買了食物和酒一起慶祝，意想不到的是，當場就有兩個犯了神經病，大哭大笑、又吵又鬧。大概是多年戰爭引發的苦難和流亡生活的壓抑突然之間爆發了，不禁使我想起莫泊桑的一句結論："Mais, C'est si fragile, une vie humaine!"（人生是那麼脆弱）

抗戰勝利了，大家當然都很高興，不過也伴隨很大的憂慮：外敵不存在了，內部的矛盾更加上升。抗戰末期，民主運動已經再次高漲起來，主要目的就是爭民主、反內戰。尤其在昆明，跟國民黨政府鬧得非常厲害。1946年初，重慶召開了一個政治協商會議，請各方面的代表，包括國民黨的、共產黨的、其他黨派的、無黨無派的各方代表來協商，會議也做出了一些決議。文革期間還揭發，說劉少奇當時提出要準備迎接和平民主的新階段，共產黨準備把總部搬到淮陰，就在南京的北面，準備在中國也實行政黨政治，也搞競選。可是最後也沒實行，還是打了。

那時候我們都認為是國民黨一黨專政，挑起了內戰，後來一直到文革，才爆出一點新情況。文革時打倒劉少奇，後來的副統帥林彪號稱早在舊政協時就說劉少奇：「甚麼和平民主新階段，就一個字：打！」*以前國民黨老罵共產黨，共產黨也罵國民黨，都說對方是假和談。我們一直認為是國民黨沒有誠意，是國民黨想打內戰，結果讓林彪這麼一說，豈不洩了底？我的導師侯外廬先生是老馬克思主義者，又是史學大家，他說那個時候共產黨確是有誠意的，希望能夠與

* 此句疑為轉述。

國民黨和談成功，不要打內戰，「如果現在要那麼提的話(指林彪的話)，反而不合適」。我覺得有一定道理，當時共產黨是有誠意的，只不過沒有談成功。不過有些事情是說不清的，國民黨內也有不同的意見，包括張治中、邵力子這些重量級人物並不贊成繼續打。「槍桿子裏面出政權」是共產黨一貫的主張，究竟哪些人願意打，哪些人是真正希望和平的，恐怕永遠也說不清了。

「一二・一」運動

關於西南聯大的研究已有很多，也出版了不少書，但大多是資料集，就像註冊組的報告一樣。比如有一本《西南聯大校史》，北大出版社的，最後的修訂我也參與了，可那本書我也不大滿意。因為它都是資料數字，雖然也有用，但畢竟是死的，而真正的歷史是要把人的精神寫出來。「糟粕所傳非粹美，丹青難寫是精神」，把每根頭髮都畫得一絲不錯不一定就是最好，可是漫畫家三兩筆就能把一個人活靈活現地勾勒出來。比如豐子愷，他是老一輩的漫畫家了，我看過他寫的一篇小文非常有意思。有一次他去上海，在火車上遇到一個小商人，商人問他貴姓，他說姓豐。商人問是哪個「豐」，豐子愷說：「五穀豐登的『豐』。」五穀豐登是甚麼？商人不知道。豐子愷想了想，說：「咸豐皇帝的『豐』。」咸豐皇帝？商人還不知道，後來又說了好幾個，他都不知道。豐子愷突然想起來了，說：「哦，是滙豐銀行的『豐』。」於是那個小商人馬上驚呼：「噢——，滙豐銀行！滙豐銀行！」他就只知道滙豐銀行。短短幾句話就活畫出了上海灘小商人的面貌，這就是他的「精神」。我覺得，寫歷史最重要的也是要把「精神」寫出來，堆多少資料也堆不出活生生的人。

下面我要談一談我所經歷的事情，雖然不見得很正確，也不見得和別人的印象一樣，但它畢竟是一個「活人」的感受。比如我看到一些回憶西南聯大的文章，好多是寫歌詠隊、演劇隊的，可能這些人更活躍一點兒。但也可能給人一種感受，以為歌詠或者演戲在當時的校園生活裏佔了很大的比重，其實未必是這樣，並不是大多數的人都喜歡演戲。我就不演戲，他們演的我也不看，而且像我這樣的人不在少數，所以我們的感受就跟他們不完全一樣。

另外，在政治掛帥的日子裏，往往特別突出政治鬥爭的一面。大學不是獨立王國，不可能脱離政治，肯定也要加入到社會的政治鬥爭裏邊去，這是不成問題的。可大學畢竟不是政治團體，並不是把全部的或絕大部分的精力都放在政治鬥爭上，它最主要的任務還是在學術方面。所以我看有些回憶或者研究西南聯大的文章往往有兩個偏頗，一個是過分強調政治鬥爭，好像這成了大學裏最重要的內容。另一個就是盡量淡化政治鬥爭，既然大家都是校友，都是平等的，就不要強調政治，當初甚麼「你是反動的」、「我是革命的」都不要提。這就像黃埔同學會一樣，不管是共產黨還是國民黨的軍官，好像都親如一家，這也不符合實際。從五四運動，到「一二·九」，到「一二·一」，從來都是兩派間的政治鬥爭，如果完全不提也不適宜。再比如北大百年校慶，紀念文字中絕口不提歷次「運動」，竟彷彿幾十年來從沒發生過，這恐怕也有悖於科學精神。所以我覺得還是應該實事求是，既不誇大政治，也不要過分淡化，兩個偏向都不好。

1. 「打倒孔祥熙！」

民主運動在中國有着悠久的歷史和深刻的基礎，可以從五四運動算起。五四針對的是北洋軍閥，後來國民黨來了，主張「一個黨，一個主義，一個領袖」，告誡民眾：「錯綜複雜之思想必須糾正。」所謂「錯綜複雜之思想」就包括民主主義、自由主義和馬克思主義，他們要「糾正」這些思想，然後把人們都納入到一個主義，即三民主義之中。國民黨要對學生進行黨化教育，學生就繼承五四傳統，爭取民主，反對國民黨的一黨專政。當然，民主陣營裏邊也有左、右之分。包括胡適，他應該算是自由主義的右派，也不完全和國民黨合作。即使後來在臺灣，胡適都一直給蔣介石提意見，請他下台，當然這是不可能的事情。

抗戰以前，學生運動的中心既不在國都南京，也不在最大的城市上海，而在北京，為甚麼？我的理解，一個是北京有傳統，像五四運動，甚至於再早的公車上書、維新運動，這些新的思潮都是從北京發起的。第二，北京的地理位置比較特殊，日本人壓下來，國民黨不可能氣焰太高。後來國民黨撤退了，北京變為地方勢力的控制，而地方勢力並不忠實地執行國民黨的意圖，何況保護反蔣的勢力對他們還有利。到了抗戰時候，首都從南京搬到重慶，可是學生運動的中心卻在昆明而不在重慶，也是這兩個原因。一個是傳統，幾個北方的大學都到了昆明，有搞運動的傳統。另外一個也是因為有地方的特殊勢力，國民黨的直接統治不那麼有力，所以昆明變成了學生運動的中心。而且後來的學運規模變得非常之大，成了席捲全國的運動。

民主運動始終沒有停止過。國民黨只有在1937至38年，就是抗戰的前一兩年有點振作的樣子，比如在上海打，一直到台兒莊、徐州、武漢，確實都是大規模的戰役。可是進入相持階段以後，戰事不那麼緊迫了，戰時統治有利於其專制，國民黨就開始腐化了，而且速度非常之快，像癌細胞的擴散一樣，簡直沒有辦法。尤其是在戰爭的困難期間，物資極度缺乏，貪污腐化更容易，只要你有那個本事，倒騰一點兒就能發財。於是有的人就開始大發「國難財」，而且往往首先是那些有官方背景的，結果貧富差距越來越大，社會矛盾越來越尖銳。從1939年開始，民主運動又從低潮轉向高潮。校園裏的一些民主教授，比如張奚若、聞一多，本來多少還是擁護國民黨政權的，態度也開始大幅度轉變。

1942年1月的「倒孔運動」是由孔二小姐的洋狗引起的，那只不過是個導火線，是個誘因，而真正的原因是對國民黨政府的激烈不滿。1941年12月7日，日本偷襲珍珠港，接着就打下了新加坡、香港、菲律賓、印尼，不到一個月的時間橫掃西太平洋，真是大出人們意料。國民黨一點兒準備都沒有，給打了個措手不及，趕緊派飛機到香港，把一些重要的人運回來。那天飛機飛回重慶，孔二小姐帶着她的洋狗走下來，被報紙曝了光。因為那時候很多在香港的中國人都沒有出來，包括陳寅恪，那可以算是國寶級的大師了，人你都不救，倒先帶條狗？消息一傳出去，大家都義憤填膺，再加上平日積累的不滿，結果一哄而起。

記得那天上午就貼出了大字報，中午我和同學正在宿舍裏聊天，忽然聽見有人在校園裏喊：「上街去打倒孔祥熙！」我們就都出來看，呵，果然聚積了很多人。大家馬上拿紙寫字，然後找個棍子綁上，舉着就上街了。後來雲南大學的人也出來了，昆明的中學生也出來了，浩浩蕩蕩的，規模很大，一路上喊：「打倒孔祥熙！」「打倒孔祥熙！」其實就是針對蔣政權的。因為孔是蔣的人，當時是行政院院長，相當於現在的國務院總理了。遊行回來後，大家都挺累的，我還記得一個同學説：「啊呀，今天真痛快！今天真痛快！」好像出了一口怨氣一樣。社會不公正，國難期間民不聊生、非常痛苦，可還有人借機發財？這是壓在大家心裏多年的一口怨氣。

回來以後，學校召集了一個臨時大會，兩位校長都來了。梅貽琦校長主持，説：「昨天，我和蔣先生一直都跟着你們，唯恐你們出事。……幸虧沒有出甚麼事，你們不知道，這個事情弄得很嚴重。現在是戰爭時期，你們不能老是這樣。」當然他心裏也很緊張，真出了事，他作為校長很麻煩，抓走學生麻煩，真要死了更麻煩。講了好一陣，説：「現在，請蔣先生給你們講話。」蔣夢麟校長站出來，説：「形勢是很嚴重的，你們就到此為止吧，不能再鬧了。……你們要再這樣鬧下去，學校就得關門！那還不如我現在就關門，自己把學校牌子給摘了。」蔣夢麟校長講完，梅貽琦校長又出來，説：「好，剛才蔣先生説的你們都聽到了，這就是最後的話，你們不能再鬧了。否則真出了事，我們學校就不存在了。」所以那次就沒再鬧下去，但那只是隨後幾年更大規模民運的序幕。

2. 一多先生被刺

到了抗戰的後期，1944至45年，國民黨已經不能控制輿論了。雖然那時候民眾並不了解馬列主義，我們在學校都不曾聽説有「毛澤東思想」一詞，但青年學生普遍反對國民黨，要求民主，而且呼聲越來越大。所以後來國民黨也有個提法，叫作「清明政治」，搞了些民主選舉之類。我記得街道上貼了個榜，寫在上面的都是選民，包括馮友蘭等等這些名人都榜上有名，讓大家去選舉，也算是做出了民主的姿態。不過那東西真是民主嗎？我就不相信，我想大家也不相信。

民主運動在昆明搞得挺熱鬧，這和雲南地方勢力的保護也有關係。當時的雲南省政府主席龍雲是地方軍閥，不屬中央系統，雙方總有利害矛盾。凡是反蔣的勢力，龍雲都多少採取保護的態度。凡是反蔣的運動，他雖然不公開鼓勵，但也不怎麼過問，無形中給民主運動造成了一個很好的條件。所以，聯大在雲南的頭七年中始終沒發生過「慘案」，沒打死過人，也沒怎麼鎮壓，這在蔣統區中很少見。當然這也和龍雲自己的利益有關，所以抗戰剛一勝利，蔣馬上就把龍雲給「解決」了。1945年，國民黨派軍隊接收日本佔領區，龍雲的滇軍被調到北越受降，結果昆明的駐軍就留下杜聿明的第五軍。一天早晨突然搞了個戒嚴，把省政府給包圍了，掐斷所有電話線，然後請他到重慶去做官。第五軍和雲南地方軍隊有過一陣小規模的武裝衝突，打了兩三天，最後還是派何應欽和宋子文來調解，弄架飛機把龍雲送到了重慶。名義上是去做軍事參議院的院長，其實就是把他給綁架了，掛個很高的空名，等於被軟禁了。後來杜聿明被調到東北，換了關麟征做雲南警備司令，那也是蔣的嫡系。國民黨奪權以後，雲南由蔣直接控制，他是要鎮壓民主運動的。可是昆明的民主運動並沒有停止，還在繼續鬧，所以緊接着就發生了「一二・一」慘案。

抗戰勝利以後，最重要的問題就是內戰危機。可是蔣介石處心積慮要打，想把共產黨消滅了，甚至於把龍雲這樣不是嫡系的力量也都消滅了。日本是8月15日投降的，此後的幾個月裏，中國的政治空氣非常緊張。民主運動在重慶、昆明都鬧得很厲害，後來上海、南京以及北方也都在鬧。1945年11月25日晚上，在西南聯大草坪上舉行一個會議，反內戰、爭民主，還請了四位先生講話，其中有費孝通、錢端升。當時我在宿舍裏，離得不遠，突然聽見重機槍聲音大作，「咔咔咔咔」打得非常厲害，彷彿就在耳邊上。記得我的同學說：「不好，要出事。」大會當然沒法開了。第二天早晨，據官方宣佈，說是發現了匪情，他們在剿匪。其實大家都知道不是這樣，甚麼土匪，他們就是針對這個大會的，這種藉口實在惡拙之極。同學們十分激憤，把上課的鐘給卸了下來，開始罷課，這就是「一二・一」運動的開始。

這次罷課是最久的，大概持續了兩三個月，學校等於處在停頓狀態。12月1日那天跟軍警(其實是穿着便衣的特務)對峙的時候，打死了四個人，其中三個是學生，還有一個中學教師。屍體放在大圖書館裏，昆明各界人士都來悼念，我和幾個同學也去送了花圈、輓聯。那時學校的主要領導都不在，梅貽琦飛回北京準備復員，蔣夢麟已辭去北大校長的職務，到重慶做了行政院秘書長。胡適當時是北大校長，但他人在美國，就由傅斯年代理。傅斯年剛到昆明的時候，同學很歡迎他，學生代表去見，他也慷慨激昂的，說：「你們都是我的子女，打死我的學生，就是打死我的子女，不能和他們善罷甘休！」態度也挺好的。可是後來，傅斯年基本上站在國民黨一邊，希望把這個事情從速了結，並沒有可能真正解決問題。不過民主鬥爭是這樣的，有理、有利、有節。1946年3月17日出殯那天有個大規模的遊行，全市的學生幾乎都參加了，而且社會各界都非常同情。我們轉遍了昆明主要的街道，也算是勝利。後來傅斯年回重慶，也向蔣介石做了彙報，終於把警備司令關麟征給換了下去。更重要的是，「一二．一」運動正式揭開了此後三年席捲全國的學運，即毛澤東所謂開闢了「第二戰場」。* 國民黨政府受到強大的內外夾攻，終於垮台。

刺殺聞一多是1946年夏天的事。李公僕先被刺，聞先生參加追悼會，上去罵了一頓特務，回家路上就被刺死了。當時聯大師生陸續北返，大概已經走了一半的樣子，我是8月才離開，算走得比較晚的。那天中午正在屋裏和同學聊天，一兩點鐘的時候，聽見外面兩聲槍響。因為那幾天氣氛緊張，感覺一定出了甚麼

* 1947年，在毛澤東為新華社寫的一篇評論中，將「偉大的正義的學生運動」比做國內「第二條戰線」。參見《毛澤東選集》(北京：人民出版社，1990)，第四卷，頁1168–1169。

問題，趕緊出去看。只見有人用擔架抬着一個人匆匆忙忙走了過去，身上帶着血。後來聽人講，説是聞一多被刺，送到雲南大學醫院去了。等我們趕到醫院，人已經死了，屍體擺在院子裏，周圍有七八個人，神態嚴重。後來陸陸續續又來了一些人，雲南大學的尚鉞先生也來了，哭得很傷心，邊哭邊説：「一多，一多，何必呢？」不知他是指「你何必從事民主運動」呢，還是「你何必把生命都付出來」，我不太清楚，不過給我的印象很深。

3. 一個人的政治底線

過去的學生運動，凡遊行我都參加，因為像「打倒日本帝國主義」的主張我們當然擁護。但除此以外，別的活動我都不參加，從中學到大學都是如此。第一，自己不是那塊材料，既不會唱、不會講演，也不會寫文章做宣傳。第二，從小我就有一個印象，政治是非常之黑暗、複雜、骯髒的東西，一定要遠離政治，父親也是這樣告誡我的。所以實際上，我就給自己劃了條底線：愛國是大家的義務，反對侵略者是國民的天職，遊行我參加，回來也是挺興奮的，宣言裏也簽名表態，但是實際的政治活動我不參加。

我的二姐何兆男(後改名何愷青)在北大讀經濟系。那時國民黨還控制着北京，憲兵第三團團長蔣孝先是蔣介石的侄子*，時常到學校裏抓人，兇極了，

* 此係誤傳，蔣孝先實為蔣介石族孫。

我二姐就被關了一年。所以她本來應該1936年畢業，結果1938年才畢業。三姐何兆儀讀北大化學系，她是地下黨，「一二·九」的積極分子。那時候蔣的所謂中央勢力撤退了，憲兵第三團也走了，情況好一些。1936年抬棺遊行，她被宋哲元的29軍抓起關了十多天，蔣夢麟校長把他們保了出來。可是文革的時候，又說我三姐是美帝特務、蘇修特務，弄得她得了神經病，不久就去世了。我曾想，假如當初她只唸她的化學，解放後也一直搞她的專業，雖然不見得一定能有甚麼成績，但無論如何最多只是個走白專道路的帽子，不會有那麼沉重的精神負擔。我的妹妹1942年入學，聯大中文系，也是「一二·一」的積極分子。她和愛人肖前1946年底去了解放區，改叫柯炳生，算是投向革命陣營的，不過下場也都不好。解放以後，我的妹妹曾是人民大學語文教研室的黨支部書記，拔白旗的時候受命去組織批兩位老先生。1959年毛退居二線，劉少奇到了第一線，定了許多新的辦法，加之「自然災害」和三年饑饉，政治上緩和了很多。白旗不拔了，又讓她向遭批判的老先生道歉。她想不通，自殺了。或許這樣也好，不然你連這麼一點小事都承受不了，文革時候多厲害？那早晚也逃不過去的。

我姐姐熟識的那些同學裏，如果繼續革命的話，好多都是名人了，但也多是坎坷一生。關士聰先生和我姐姐很熟，地質系的，後來是中科院院士。西南聯大五十週年紀念的時候，我在昆明見到他，談到我姐姐時，我說：「一個人貴有自知之明。不是搞政治的材料就別去搞，結果把自己弄成那個樣子，有甚麼好？」他不同意，說：「不能那麼說，當時都是愛國。」這一點我也承認，當時都是愛國。可你應該適可而止，自己是不是幹政治的材料，得有個判斷。你要把政治作為職業的話，就得有長遠的眼光，不能僅憑當時的一陣熱情。畢竟愛國之後還有很多其他的事情，都是想不到的。

42級物理系裏有個同學叫李振穆，也是我的中學同學，比我高兩班，上大學的時候比我高一班。李振穆學習很不錯，而且是非常進步的，後來我才知道他是地下黨。1941年皖南事變的時候，傳聞要抓共產黨，學校裏有一批進步的學生就都跑了。他也跑了，只唸到三年級。我幾十年沒見過他，他大概也不認得我了。文革開頭的時候，有一次在黨校開鬥爭大會，讓我們單位的人都去參加，我也跟着去了。台上揪了六個人，這邊三個是「三家村」，吳晗、鄧拓、廖沫沙。那邊三個不大認得，可最後一個是李振穆，我一眼就認出來了，幾十年沒見，還是老樣子。我不知道他是哪一路的英雄，旁邊的人告訴我，說：「這個人是北京市委高教局局長，叫李晨。」這時候我才知道他改了名字。

文革一開頭，凡教育界、文藝界崗位的負責人幾乎都被說是劉少奇資產階級司令部的人，沒有不挨鬥的，所以那時候我倒沒覺得意外。可是後來又過了幾年，一些美籍華人紛紛回國，包括Y，我才覺得李振穆有點兒冤。當年李振穆一直是進步的，學習也挺好，怎麼就成了黑幫？挨批挨鬥、吵架、關牛棚，給整得挺慘。可是在我的印象中，Y以前一直比較右，還參加過三青團的夏令營。所謂夏令營，就是放暑假的時候把學生組織起來，學習、鍛煉、軍訓，大概也有點政治課。那是國民黨的特務頭子康澤主持的，和戴笠等等一些人被稱作蔣介石的「十三太保」。當然，參加的學生也不一定就是三青團，不過那個組織的性質總是國民黨官方的。再者，解放後強調的思想改造，首先就要明確為誰服務的問題。Y後來一直在美國，還入了美籍，無論怎麼説都是「為美帝服務」的，還入了美籍，結果回來卻成了座上客？

所以，一個人的一生有幸、有不幸，看你選擇哪條路了。如果李振穆當年不參加革命，就學他的習，只唸他的物理、走白專道路，唸完了書出國，也不回來，我想他也會是知名的科學家了。而且應該混得不錯，假如又是美籍學者，回來也被待如上賓，這樣倒挺好。可是他選擇了革命的道路，結果淪為階下囚，成了黑幫上去挨鬥，……人間似乎有點太不公平了。

五柳讀書記

我也喜歡讀書，但是雜亂無章、漫無目的，沒有一個中心方向。這是我的大毛病，大概也取決於我的人生觀，或者思想作風。前些年我回湖南老家，和幾個老同學聚會了一次，有個老同學就開另一個老同學的玩笑，說：「你當年費那麼大勁追求某某女同學，結果也沒有成功。現在想起來，簡直是浪費青春。」我倒表示了不同的意見。這件事情本身自有它感情上的價值，而不在成功與否，不能說成功了才有價值，不成功就是浪費時間。我以為，讀書也是這樣。讀書不一定非要有個目的，而且最好沒有任何目的，讀書本身就是目的。讀書帶來內心的滿足，好比一次精神上的漫遊。在別人看來，遊山玩水跑了一天，甚麼價值都沒有，但對我來說，過程本身就是最大的價值，那是不能用功利標準來衡量的。

至少有兩個很熟的同學好友批評過我，說我這種純欣賞式的讀書不行，做不出成績的。的確如他們所說，我一生沒做出任何成績，可是我總覺得，人各有志。陶淵明寫過一篇文叫〈五柳先生傳〉，說這位先生「好讀書，不求甚解，每有會意，便欣然忘食」，我認同這樣的五柳先生。學術不是宗教信仰，不能說某某書字字是真理，每個字我都要同意。只要它給了我啟發，它的講法讓我值得去讀，我就很滿意了。這本書這麼講，我很欣賞，另一本書那麼講，我又非常欣賞，甚至我的理解未必是作者的原意，可是心裏非常高興。這就好像聽音樂一樣，聽的時候也挺入神的，非常着迷。其實我不懂音樂，也不知道它要表達甚麼，可是自得其樂，這就是我最大的滿足。

古人說：「為學當先立宗旨。」我一生閱讀，從未立過任何宗旨，不過是隨自己興之所至，在琳琅滿目的書海裏信步漫遊而已。偶然邂逅了某些格外令我深受感觸的書，甚至於終生隱然或顯然地在影響着我，並非是我徑直接受了作者的意見，甚至未必認同他的觀點，但他的思想啟發了我，而且啟蒙得很深。

外文系圖書館是我們常去的地方，一次我看到一本書，題為 *The Tragic Sense of Life*（《人生的悲劇意義》），一時好奇就借回去讀。當時我也和許多青年人一樣，常常想到人生的意義。人生一世，追求的到底是甚麼？本書作者 Unamuno(烏納穆諾)是二十世紀初著名的學者、文學家和哲學家，曾任 Salamanca 大學校長，那是西班牙最古老的大學。他是一個自由主義者，公開反對佛朗哥的軍事獨裁，被軟禁後不久就死掉了，挺可惜的。大概受到唐吉訶德的影響吧，烏納穆諾認為人生一世所追求的乃是光榮。我問過很多同學和老師，他們都不同意這個觀點，唯有王浩認為是這樣。後來我把此書給湯用彤先生看，並且問他的意見，湯先生的回答是：文字寫得漂亮極了，不過不能同意他的觀點。湯先生說，人生追求的不是光榮，而是 peace of mind (心靈的平靜，心安理得)。我又把湯先生的話轉述給王浩，他想了想，說：「也可以這麼理解，但 peace of mind 一定要 through glory 才能得到。」我想，一位老先生飽經滄桑，所以追求的是 peace of mind。而王浩當時年輕氣盛，且又才高八斗，所以一定要通過「光榮」才能使他心靈恬靜。在這一點上，我和他有很大的不同，歸根結底或許是一種心靈狀態，我想這也和個人的條件有關。王浩非常有才氣，他有資格去爭，我知道自己沒那個水平，所以想也不想了。

及至後來我又讀到烏納穆諾一些作品，才發現他並不如《人生的悲劇意義》一書中所給我的印象。實際上，他是在追求那種不可捉摸、難於把握而又無法言喻的人生的本質。這裏不可能有邏輯的答案，所以他就寄託於文學的寓言。我的興趣是要猜一個謎語，但那並沒有謎底，烏納穆諾似乎在暗示我：人生不可測度，不可立語言文字，所以人生的意義是無法傳達的。我彷彿得了一種覺悟，之後就想給《紅樓夢》做一番解讀。《紅樓夢》一書的大旨不應解說是一部政治作品(索隱派)，也不是一部自傳(考據派)，它的主題是一部愛情故事。它可以從諸多方面展現，但中心的線索則是寶黛的愛情。人生，尤其人生中最難以捉摸的愛情是不可言喻，甚至是不可傳達的，所以只能借某些外在的跡象去猜測、去摸索。兩個人一直在追求、摸索，心靈渴求而又無從把握，此其所以成為藝術的絕唱。

1940年夏，也是出於偶然的機緣，我讀到了傅雷先生譯A. Maurois(莫羅阿)的*Meipe*，中譯名為《戀愛與犧牲》。傅先生的譯筆極佳，簡直是我們翻譯的典範。比如他把Donne(鄧恩)的詩句"I'll undo the world by dying"譯作「我願一死了卻塵緣」，把"violon plaintif"

譯作「如泣如訴的小提琴」，使我嘆服不已。莫羅阿是二十世紀上半葉新興的傳記文學作家，與英國的Strachey(斯特雷奇)、德國的Ludwig(路德維希)齊名，但我覺得都不如莫羅阿那麼靈心善感。

《戀愛與犧牲》是我讀到莫羅阿的第一本書，傅雷選了他四篇傳記小說，書名也是後起的。這本書我非常之欣賞，因為它改變了我們通常對人生的看法，彷彿為我開闢了一個新世界。中國的文化傳統是道德本位、倫理掛帥的人生觀，政治是倫理道德的核心，倫理道德是政治的擴大。所謂「善善惡惡，賢賢賤不肖」，就是從善惡分明、忠奸立判的眼光評判人。如果一個人是好人，就好得不得了，拼命美化他，要是壞人就臭得不得了，使勁罵他。這是非常簡單的二分法，太狹隘了。但莫羅阿幾乎同情每一個人，甚至一切人都是可愛的，一切不幸都是必然。當我們對一切人和事都以寬厚同情的眼光來看待，整個世界便以另一種面貌出現在我們面前，一個溫情脈脈、處處值得我們憐憫和同情的世界。這給了我很大的啟發：真實的人生是多元的，遠非我們想像的那樣臉譜化。後來，我又找到莫羅阿的成名作*Ariel*，即《雪萊傳》。雪萊一生都在挨罵，學校以宣傳無神論的罪名開除了他，又因為戀愛的事情私奔，名聲掃地，二十九歲就早早故去。可是莫羅阿用他一貫的溫情，把雪萊比作莎翁《暴風雨》中的天使 Ariel。這本書我反覆讀過好幾遍，並介紹給許多同學，化學系的章錡驚嘆道：

「Maurois真是個輕愁的天才！」友人物理系的王景鶴在解放後的「思想改造」中，還把受莫羅阿的影響寫進了自我批判。

不久，我又邂逅了白俄D. S. Mereschkowski(梅勒什可夫斯基)的作品，更加引我入勝，再次為我開闢了一片意想不到的天地。我讀他的第一部作品《諸神復活》，也是無意之中看到的，是他最有名的三部曲《基督和敵基督者》中的第二部，書名亦作《達・芬奇傳》。譯者鄭超麟先生是位元老級的托派，解放前關在國民黨監獄裏，解放後關在共產黨的監獄裏，前後數十年始終不肯低頭懺悔。他的學識豐富，譯筆亦佳，唯獨遇意大利人名最後一個音節"-tti"時，總譯作「啻」(音chi)而不作「蒂」，令人感到有點彆扭。我喜歡遐想，喜歡對歷史做一些可能的假設，追索微言大義之所在。梅氏此書雖係為畫聖達・芬奇立傳，但似乎有意在預示一個第三帝國的誕生。歷史上第一帝國是羅馬帝國，那是一個劍的帝國，它以劍征服了世界。繼之而來的是基督教帝國(Christendom)，以十字架征服了世界。文藝復興以來，古代的異教諸神又復活了，但它以光榮與驕傲背叛了基督教，終於也會引致滅亡。於是，繼之而來的也許是一個第三帝國，把劍和十字架結合為一。然則這個帝國又是誰呢？當時我以為，最能夠擔當此任的非蘇聯莫屬，而走在前列的歐美列強已經被物欲腐化了，不足擔此重任。但在不到半個世紀的時間裏，隨着庸俗唯物論和金錢拜物主義的衝擊，這種半預言、半神話的期待便兵不血刃地破產了。

理想和金錢的角逐究竟誰勝誰負很難預言，而對歷史做任何預言大概都是危險的。因為「歷史是自由人的自由事業」(康德)，沒有說先天注定了非如此不可，所以就不完全是「不以人的意志為轉移」的。而且，僅就「不以人的意志為轉移」這句話本身而言，怕也是「不以人的意志為轉移」的。

我們年輕的時候非常幼稚，看了甚麼就覺着甚麼好。不過幼稚也有幼稚的好處，把甚麼都絕對化、純粹化總是很危險的。學術思想上的門戶和政治上的派別不一樣，政治上的派是有組織、有紀律的，宣誓加入以後就得絕對服從，但學術思想並不是這樣。比如我欣賞某個哲學家，並不意味着字字句句都得他的，而且只聽他一個人的。我想，任何一種學術如果真能成立，而且能有影響的話，裏邊一定有某些合理的成分。杜甫詩云「轉益多師是吾師」*，就是說，我的老師並不限定是這一個或者那一個，而應該請教很多的老師。人類的文化也應該是這樣，不能獨尊一家，其餘的都一棍子打死，那就太簡單化了。好比我們吃東西，不能說牛奶有營養就光吃牛奶。你得雜食，各種東西的營養都吸收才行。

* 原句：「別裁偽體親風雅，轉益多師是汝師。」引自杜甫〈戲為六絕句〉之六。

很多作家都喜歡寫神秘的作品，同樣也很吸引我。比如烏納穆諾有一篇小說《沉默的谷》，說有個地方非常奇怪，很多人進去看，但是沒有一個人出來。再比如愛倫·坡，還有一個人更奇怪了，就是俄羅斯的屠格涅夫。他是個非常理性的人，像《父與子》、《羅亭》、《前夜》，可也寫過許多篇神秘的小說，如*Clara Militch*(《克拉拉·米利奇》)。我想，生命中的確有一些不是用說理、邏輯能夠表達的，可是你能感受到。比如宗教，對於相信它的人來說，那就是真實，比甚麼都重要，可是對不信的人來說，可能就是胡說八道。過去人想得很簡單，以為憑我們的理性就可以理解世界、理解宇宙，乃至人生的大道理。但是康德說，首先應該批判的就是你自己的這個認識能力。宗教相信上帝存在、靈魂不滅，那麼到底上帝存不存在？這不是我們的理性能夠判斷的。有人簡單推論說：「誰看見過上帝？誰摸過上帝？誰也沒見過、沒摸過，所以上帝就不存在。」但問題是：這種推理方式成立嗎？是不是看不見、摸不着的就不存在？我們看不見空氣，可是空氣存在。我們看得見彩虹，可是它不存在。有神論者可以說：「上帝就是看不見的。」因為上帝everywhere and nowhere(無所不在，卻又蹤跡全無)，不是人所能理解的那種存在。Spinoza(斯賓諾莎)也講上帝的存在，而他的「上帝」就是大自然。有人問愛因斯坦是否相信上帝，愛因斯坦回答說：我相信上帝，但我的「上帝」是斯賓諾莎的「上帝」。所以，這就看你如何理解了。如果說上帝是個白鬍子老頭兒，手裏拿着根棍子，當然也可以這麼理解，但這種上帝大概是不存在的。如果認為上帝就是大自然的奧秘，那完全有可能存在。

在這一點上，我欣賞《王子復仇記》裏哈姆雷特對好友Horatio說的一句話：「這個廣大的世界，許多東西不是你那可憐的哲學所能想像得到的。」我也有同感。其實這個世界沒那麼簡單，我們的理性只能理解那麼一點點。許多東西無從用常識表示，只有你在觀念上達到更高的層次才能感受到它的存在。如果我們勉強用通常的語言表達，那就把它非常之簡單化了。

當時有幾本西方思想史方面的著作給我印象挺深的。包括馬克思的《共產黨宣言》我也很欣賞，從圖書館借來英文本，還手抄了一遍，沒事就拿出來看看。不過那時候是把它作為一種文學作品來讀，尤其最後的那些話，「無產階級甚麼都沒有喪失，除了他們的枷鎖，可是他們要獲得整個世界。」真正的精義我不懂，到現在都不懂，但是覺得它裏面的話非常鼓舞人心。還有盧梭的《社會契約論》，那是張奚若先生指定的必讀書，其實早就有中譯本了，不過我們看的都是英譯本。最早介紹這本書的大概是梁啟超，清朝末年中國留日的學生也有過翻譯，後來國民黨右派元老馬君武也譯過，不過用的是文言。

《社會契約論》裏開篇第一句話「人是生而自由

的」，美國《獨立宣言》、法國《人權宣言》和《聯合國憲章》裏都是這樣講。但同樣又可以説：從來就沒有甚麼自由平等，不是這個階級壓迫那個階級，就是那個階級壓迫這個階級。聽起來好像很矛盾，不過我想這兩種説法都對，因為它們是在兩個不同的層面上談自由。一個是從「當然」或「法理」的層面講，人當然應該是自由的，但是從「實然」或者「事實」的層面上講，人確實從來沒有自由過。比如法律規定，婚姻要以雙方的感情為基礎，不問年齡、財產、社會地位等等，這是從法理上講。但事實上沒有人不考慮條件的，如果一個年老的人娶了一個非常年輕的，或者一個沒錢的嫁給了一個大款，總有所考慮，這是兩個不同的層次。十八世紀天賦人權的「天賦」(natural)本來是「天然」的意思，人天生、天然就是自由的。可是我們把它翻作"by heaven"，變成「天所賜予的」，有點類似「天子受命於天」、「神授皇權」，正好背離了這個詞原意。後來十九世紀的歷史學派譏諷天賦人權派：甚麼天賦人權，從來就沒有過。如果從史實上考據，當然從來就沒有過人的自由和平等，這是事實。但問題是：事實上的不存在，能不能用來否定它的合法性與合理性？正像人的婚姻一樣，事實上都是講條件的，但法理上卻要規定人的婚姻自由。科學也一樣，比如幾何學定義中的「點」是不佔據空間的，可是物質世界中任何一個東西都要佔據空間，就是原子也一樣，但不能因為在現實中找不到原型就否定了「點」的存在。如果這樣的話，不但「點」不存在，「直線」和「平面」也是不存在的，那就都甭研究了，幾何學也不必存在了。所以說，法理的「自由」和事實上的「自由」屬兩個不同的層次，可以並行不悖。不能甚麼都混為一談，否則就算吵翻了天，也是公說公的、婆說婆的，誰也說不服誰。

人類總有一些價值是永恆的、普世的，我們不能總是強調自己的特色，而抹殺普遍的價值。中國有沒有特色？有特色，但是這特色你不必強調。解放前搞民主運動，國民黨老是干涉，它也有個藉口：民主不適合中國的國情。於是《大公報》上有一篇社論〈貴適潮流，不貴適國情〉，提出應該順應歷史潮流，而不是強調我們國情的特色，以之對抗歷史潮流。真理放之四海而皆準，比如自由、平等，應該對任何時代、任何民族都適用，不能說中國就是男女不平等，婦女就得把腳給纏殘廢了。你也可以說，纏足是我們的特色，但這種特色要不要保留？我看這種特色不必保留，畢竟我們首先是要接受男女平等的普世價值。當然，每人有每人的個性，每一個集團、每一個民族也有它自己的個性。我們不會都一樣高、一樣胖瘦，你可能喜歡吃鹹的，我可能喜歡吃甜的，肯定有不同。可是在這之上，畢竟有個共同的標準尺度，而普世標準才是第一位的，個性、特色屬第二位，不能以特色來否定普世價值。比如每個人都得穿衣服，不然凍死了，這是普遍的。但至於穿甚麼、怎麼穿，這可以有特色。

「一二·一」民主運動的那天晚上，國民黨開了槍。後來招待記者，學生說：「我們有言論自由！」警備司令關麟征說：「你們有言論的自由，我就有開槍的自由！」這話說的有問題。言論自由是普世的價值，是第一位的，開槍的自由可不是普世價值，哪能願意開槍就開槍？自由總有一個普遍的標準，不能說你有你的自由、我有我的自由。民主也一樣，不能說各有各的民主，我按我的標準、你按你的標準，豈不亂套了？

解放後我們也講民主，但有新的理解了，是無產階級專政下的、黨所領導的人民民主，跟從前的那個民主觀念不一樣了。從前是資產階級民主，主要還是十八世紀啟蒙運動「天賦人權」意義上的理想。從前講的「自由」，主要內涵包括：第一，思想、言論、出版的自由，第二，集會、結社的自由。這是大家熟悉的，過去關於自由的定義都是基於這兩方面。二戰期間，羅斯福提出了他有名的「四大自由」，即在此外又增添「免於缺匱的自由」和「免於恐怖的自由」。* 確實，在極度窮困的情況下，飯都沒的吃，還談甚麼自由？在法西斯的恐怖統治之下，可以隨意

* 1941年1月6日，羅斯福發表國情諮文演講，提出「四大自由」，即言論自由、信仰自由、免於缺匱的自由，及免於恐怖的自由。

抄家、抓人，還有甚麼自由可言？羅斯福提的這兩個自由我非常欣賞，我相信很多人也都非常欣賞。當然，那時候的想法很天真，以為只要理想好就一定能實現。後來年紀大了，想法也在慢慢變化。古今中外的任何時代，理論與實踐，或者理想與現實之間總會有差距，而且往往是巨大的差距。過去我們想得很簡單，現在想來，不但目前實現不了，恐怕千秋萬世之後也難以實現，就是最偉大的實踐主義者也做不到。林彪出事以後，大家都學習一篇文章，那是毛給江青的一封家信，信裏說：「我的朋友(指林彪)講的那些話，我都不太能同意，不過有甚麼辦法呢？只好違心地同意。違心地同意別人的意見，在我還是頭一次。」* 要這麼說，豈不是心口不一，成了兩面派嗎？可見無論多麼偉大的人物，都不可能真正做到思想與實踐的一致，這是不可避免的。

嚴格地說，絕對的平等、絕對的自由、絕對的民主都不存在，百分之百實現是不可能的。問題在於：理想與現實、理論與實踐之間的差距是大是小？是朝着那個方向走，能有幾分做到，還是根本就是騙人

* 1972年，中央廣泛傳達了毛澤東寫給江青的一封信(1966年7月8日)，其中幾句寫道：「我的朋友的講話，中央催着要發，我準備同意發下去，他是專講政變問題的。這個問題，像他這樣講法過去還沒有過。他的一些提法，我總感覺不安。我歷來不相信，我那幾本小書，有那樣大的神通。現在經他一吹，全黨全國都吹起來了，真是王婆賣瓜，自賣自誇。我是被他們逼上梁山的，看來不同意他們不行了。在重大問題上，違心地同意別人，在我一生還是第一次，叫做不以人的意志為轉移吧。」原件已銷毀，也有認為此信係偽作。

的？我們不能因為理想的不可實現就把它一筆勾銷，畢竟還要朝着這個目標前進，否則就沒有希望了。這就好比人的健康，你要找一個完全健康的人，恐怕全世界也找不到。一個人可以達到百分之八十、九十，甚至百分之九十九的健康，但仔細檢查的話，總能找出點兒毛病來。絕對健康是沒有的，但健康總比不健康好，百分之九十的健康總比百分之十的健康好。大家還要盡量朝着這個方向努力，不能因為實現不了就把健康的目標取消了。所以，理論和理想還是有價值的，也許人類的進步正是在理想與現實的矛盾中慢慢逐步前進。只是不要太天真，像我們年輕時那樣，理所當然地認為理想總是能實現的，或者一種理論是正確的，就可以完全地付諸實踐。那就想得太簡單了，在現實面前就要碰得頭破血流。

我在西南聯大的時候，教科書幾乎全是美國的。理科的不用說，文科也多是西方教本，比如政治學是Garner的《政治科學與政府》，經濟學用Fairchild的《經濟學概論》。到了專業課的時候，除非學古文的，其餘都是美國教本。

有幾本教科書我是從頭到尾讀完，而且寫了筆記，所以印象非常深。比如二年級學西洋通史，用的是Hayes、Moon兩個人寫的《古代史》、《中古史》和《近代史》三大本，摞起來也挺厚的，可是寫得深入淺出，非常容易懂。那時候已經有翻譯本了，不過我想試着看原文，結果第一次就非常滿意。圖書館裏有個鐘，我發現自己一個小時能看二十頁，好像並沒有原先想像的那麼難。這樣算來，十個小時看二百頁，它那一本有五百頁的樣子，要整天看的話，十天八天就能看完。而且讀原文有個特殊的方便，它的地名、人名、專名詞都非常好記，比看中文好記得多，所以看英文本反而更容易。三年級的時候上皮名舉先生的西洋近代史，那是歷史系的必修課，用的是Hayes的《歐洲近代政治文化史》。近代史是從維也納會議(1814)講到巴黎和會(1919)，大約一百年，上、下兩卷都挺厚的，可是文字依然非常淺顯流利，我也把它讀完了。Hayes是美國哥倫比亞大學的歷史學教授，是皮先生的老師，二戰時曾任美國駐西班牙大使。當時美國想拉攏西班牙，西班牙雖然是中立的，但傾向於希特勒，所以戰略地位很重要。

上陳福田先生的西洋小說史要讀Jameson的《歐洲文學史》和吳可讀(Pollard-Urquhart)的《西洋小說史》。《歐洲文學史》是三十年代初期Jameson在清華教歐洲文學史時的講稿，錢鍾書、季羨林都上過他的課，後來吳宓先生教這門課的時候也推薦這本書。不過季羨林有一篇回憶文章，挺瞧不起這本書的，說它根本談不上學術。這一點雖然我也承認，不過我認為，不能以純學術的眼光要求每一本書。Jameson的這本書寫得非常之系統，而且簡單扼要，不但容易看、也容易記，對歐洲文學很快就有了一個比較全面的印象，對於我們初學的外行人非常有用。這本書我很喜歡，是在昆明花幾塊錢買的，相當於抗戰前的兩三毛錢了。可是又非常珍貴它，跟了我好幾十年，現在還捨不得扔。

我的法語、德語都是在本科時候唸的。這些國家在歷史上都很重要，其語言作為專業工具，一點兒不認得也不行，所以就學了一點，不過都沒唸好。那時候有一種心態，現在看來要不得，總覺得自己年紀大了——其實也不大，也就二十歲剛出頭，可是總覺得自己大了，不願意去背那些文法。比如法語有陰、陽性，桌子是陽性、椅子是陰性，毫無道理可言。德文更多，還有個第三性，書就是中性的，誰去死記硬背那些玩意兒？會查字典、拿來能讀就行了，知道這是桌子、那是椅子，管它陰性陽性？還有法文的那些動詞變化，繁複之極，我們都懶得背。可是現在想起來，學習語言沒有基本的文法訓練是不行的，可惜當年沒有學好。

希臘文我沒有學過，太麻煩了。第一沒材料，第二，除非你是想幹這個專業，否則費那麼大勁學了又沒有用，不值得。我有一個同學是蒙古人(現在臺灣)，三年級暑假的時候，因為大家都回不了家，無事可做，我就跟他學了兩個月的蒙古文。蒙古文非常有意思，輔音和母音是連在一起的。那時候只是覺着好玩，就跟着他唸，完全沒想過學了它有甚麼用。其實學蒙古文一點兒用都沒有，除非你將來做駐蒙古大使、參贊，或者是研究蒙古的專家，否則一點兒用處都沒有。比如你是搞數學的，學蒙古文幹甚麼？除非你要研究蒙古的數學史，不過大概也沒人去研究。希臘文也一樣，那是一門很古老的文字，除非你立志將來就幹這一行，比如搞古希臘哲學，那也是做學問的一條路。不過我想，做學問可以有各種不同的路徑，並不是規定死了一定要這樣或者那樣走。何況我從來不打算做學者或專家，只想能旁觀世界和人生就滿足了。

憶同窗

1. 「科裏紅」何佶(呂熒)

抗戰一開始，很多青年就滿懷熱情直接去參戰了。北大、清華、南開三個學校在長沙組成臨時大學，按説三個學校滿員的話差不多應該兩千人左右，可是到長沙報到的只有八百，連原來的一半都不到。我想那多一半裏有一部分是回老家了，但大部分人是參戰去了。其中我想到一個人，何佶，抗戰爆發時讀北大歷史系二年級，他直接參加了抗日戰爭。幾年後到了抗戰中期，整個國家的氣氛和剛開始不一樣了，一來仗也打疲沓了，二來戰局發生了變化。國民黨主要靠美國訓練的現代化軍隊，不需要「前現代化」小米加步槍的那種作戰方式，不再需要那麼多人了，他們就回來復學。1942年，我見到了何佶，這回他只比我高一班。

何佶非常有才華，又喜歡文藝，經常寫文章，發表在胡風主編的《七月》上，筆名「呂熒」。《七月》當時是很有權威的文藝雜誌，胡風喜歡提拔青年人。過去有這個風氣，一個人成名了以後總要帶一批青年，胡風就是魯迅帶出來的，他和馮雪峰都是魯迅的入室弟子，魯迅非常欣賞他們。後來胡風辦《七月》，也提拔了一大批很有才華的青年作家，何佶就是其中之一，是左派積極分子。比如我們選修第二、第三外語，文科的一般都學德文，或者法文，唯獨何佶不是這樣，他學了俄文。那時候學俄文就帶點政治色彩了，表示自己的革命傾向。我曾聽到姚從吾先生(北大歷史系主任)稱讚何佶的俄文好，他翻譯了普希金的長詩《歐根．奧涅金》，所以還沒畢業就很有名氣了，相當於京戲行裏的「科裏紅」。

雖然何佶只比我高一班，不過我從沒和他接觸過。他們那批同學抗戰前就入學了，學號和我們的都不一樣，是P字號(北大)、T字號(清華)或者N字號(南開)，而我們則是A字號(聯大)。所以我們叫他們「老北大」、「老清華」，雖然在一起上學，但年齡上差了好幾歲，社會經驗比我們豐富，知識也比我們多。他們自視高一等，我們也自視低一等，相互之間交流很少。何況何佶又是有名的才子了，我覺得自己差得太多，自慚形穢，不敢高攀。所以我雖認得他，但他不認得我。

五十年代初期，有一次我在山東大學的學報上看到關於他的事情。那時何佶是山東大學中文系主任，思想改造的時候批判過他，他不服氣，捲鋪蓋就走了。這在舊社會是常有的事，但新社會不行。新社會裏人是屬組織的，組織讓你走才能走，否則等於潛逃。我看那篇批何佶的文章語氣非常嚴重，說：如果你是反革命，我們就追到天涯海角；如果你不是反革命，希望你不要做革命隊伍的逃兵！由此可見，何佶為人的獨立性非常強。我有一個外文系的同學叫王仲英，在人民文學出版社工作。他跟我講，何佶後來就在他們那裏，但不是正式編制，屬編外人員，每個月給一定的生活費，隨便他也寫點甚麼東西。

1955年，全國性批判胡風。5月25日，中國文聯、中國作協主席團在北京召開七百人批判大會，由郭沫若主持。我在《人民日報》上看到報道，說：「會上，胡風分子呂熒企圖為胡風辯護，受到了與會者的一致駁斥。」* 在那種場合，他居然敢於批逆鱗，一個人站出來為胡風辯護，其人風格可以想見。所以當時把他定為「胡風分子」，成了反革命。兩年之後，我在《人民日報》上又看到一篇他寫的文藝理論的文

---

* 1955年5月26日，《人民日報》頭版刊登一篇新華社通訊，公佈了中國文聯主席團、作家協會主席團聯席擴大會議的決議，開除胡風會籍，並撤銷他在文藝界的一切職務。其中一段寫道：「會上，胡風分子呂熒在發言中為胡風集團辯護，遭到會議一致的駁斥。」同時，第三版刊登了郭沫若、巴金、周立波等七人的文章，對胡風進行輪番轟炸式的批判，不但要徹底打垮，要法辦、肅清，甚至樹其為「人民公敵」。這場早已定性的政治運動來勢洶洶，有如排山倒海，人人自危。呂熒卻要挺身而出，為胡風鳴不平，未及講完，便被人推搡下台，轟出了會場。

章，幾乎是整版刊登，前邊還有一個編者按*，歡迎加入學術討論，這就表示對他已經平反了。可是後來到了文革又翻舊賬，我猜想他的境況不會很好，周作人不就死於文革時候麼？胡風分子能躲過此劫？後來聽說，他也是妻離子散，「劃清了界線」。† 凡定了反革命或者右派的，往往都要離婚，而且一般都批准。據我所知只有一個例外，名演員新鳳霞。她的先生吳祖光是右派，文化部的一個副部長出面勸她離婚，但新鳳霞硬是不肯，簡直了不起。這是我所知道的唯一例外。

何佶非常有才，這樣的人竟然中道夭折，而我們這些不成器的卻苟全性命於世上。每當想到這些，就不禁想起詩人彌爾頓的名句：「我要證明上帝之道是公正的，並且是向人們可以證實的。」(Just are the ways of God, and justifiable to men.)我真想同時也補充說：「我要證明人世之道是不公正的，並且也是向人們可以證實的。」

---

* 1957年12月3日，《人民日報》第七版刊登呂熒的學術論文〈美是甚麼〉，編者按：「……後來查明，作者和胡風反革命集團並無政治上的聯繫。他對自己過去歷史上和思想上的錯誤，已經有所認識。我們歡迎他參加關於美學問題的討論。」據說，「編者按」由胡喬木執筆，毛澤東親自審定。

† 此處有誤。呂熒夫婦長期不合，早在1953年便離婚了。參見吳騰凰、楊連成：《美的殉道者——呂熒》(北京：燕山出版社，1989)，頁78–83。該書摘引呂妻潘俊德的日記片段，記錄了一個耿直不阿的天才自私、冷酷的另一面。

2. 滔滔不絕的殷福生(海光)

人的一生很難説，出乎意料的事情太多了。有個比我高一班的同學叫殷福生，哲學系的，當年在學校裏是個大右派，整天罵共產黨，而且好幾次時事討論會上都站起來公開地罵。那時候，國民黨總罵共產黨「游而不擊」，殷福生也罵共產黨「躲在延安，擺出一副超然的姿態」等等，和國民黨的論調完全一樣。這在當時校園內是非常之罕見的，至少我所見到的只有他一個。同學中左派比較多，自由主義就更多了，大多數人對共產黨都有好感。雖然沒有具體的認識和感受，並不十分理解，而且真正擁護的人也不多，但大多是同情，認為共產黨為國為民，是真正要求民主的。即使三青團的骨幹分子也很少像殷福生那樣赤裸裸地反共，所以我們都討厭他，認為他就是法西斯。

殷福生是個很怪的人。當時上哲學課的很少，只有寥寥六七個學生，比如馮友蘭先生講中國哲學史研究，那是給高年級開的課，馮先生先引個開頭，接下來讓大家發言討論。我們大多覺得自己沒有知識，所以一言不發。但每次只要一讓發言，殷福生就滔滔不絕，而且話裏面夾着好多德文，“-keit”、“-heit”一大堆。德語裏，凡字尾加“-keit”或者“-heit”就是指甚麼甚麼「性」，比如主觀性、客觀性。我們都不懂，就聽他一個人在那兒慷慨陳詞，用北京話來講，還挺「唬人」的。而且他講完了之後還罵人，記得有一次罵胡適，説：「胡適這個人，一點兒哲學都不懂！」當時我想，這人怎麼如此之狂妄，年紀輕輕的連學術界的泰斗、文學院院長也敢罵？簡直是目空一切。有一次在路上，他衝我惡意嘲笑的樣子，令我大為光火，便當面怒聲質問：「你笑甚麼?!」他聳聳肩，說：「啊，沒甚麼，friendship。」然後悄悄走開了，像是韓信受了胯下之辱。當年氣盛，少不更事，現在回想起來不免歉然。

抗戰末期，殷福生參加了青年軍。那時候蔣介石覺得他的那些舊軍隊沒文化，打現代化戰爭不行的，於是招了一批中學生、大學生組成青年軍，要建立一支新式的現代化軍隊。殷福生研究生沒唸完就從軍了。戰後我聽說，他接了陶希聖的手，任《中央日報》主筆或代總主筆。那就相當於我們《人民日報》的總編了，不但是筆桿子，還是理論家。可出人意料的是，殷福生到了臺灣以後改名叫「殷海光」，走的卻是胡適那條路，反對國民黨，成了自由主義的一面旗幟，是臺灣青年知識分子的精神導師。王浩對我說，殷海光在臺灣和他通過信，「其實殷海光學不懂哲學，不過他很有口才，而且是個政治宣傳家。」所以他在臺灣專門宣傳政治自由主義，而國民黨要搞一黨專政，和自由主義格格不入。到他晚年的時候，國民黨等於把他軟禁起來，不到五十歲就得癌症死去了。

臺灣五六十年代的青年學者中，有許多人都是跟着殷海光走的，對他的評價非常之高。而且殷海光的學生也多，比如陳鼓應，頂崇拜他的，這和我們當年的印象非常之不同了。真是知人論事，談何容易。

3. 大才子王浩

1995年王浩在紐約去世，當時曾有兩個雜誌的編輯約我寫紀念文章，大概知道他和我是老友的緣故，但我都推辭了。因為他是數理邏輯學家，又是哲學家，我對數理邏輯和他的哲學一竅不通，無從下筆。隨後我在《西南聯大校友通訊》上寫了一篇短文悼念他，但覺得意有未足。儘管我們的人生道路迴然不同，王浩畢竟是對我思想影響最大的一個人。記得當年有一次聊天，談到未來自己想做甚麼，我說：「將來我就做你的Boswell(即《約翰遜傳》的作者)。」但是現在看來，我沒有能力做到這一點。

王浩和我是中學同學，他的父親王祝晨是山東教育界的元老，在一所很有名的中學做校長。王浩在山東唸完了初中，因為哥哥在南京中央大學，所以就到南京考入中央大學附中讀高中。抗戰期間，中央大學附中搬到長沙，當時我從北京逃難回老家，也考入這個學校。王浩高我一班，不過那時候已經頭角崢嶸了，在校內非常有名氣，所以我也認得他。1938年暑假，王浩讀高二，以同等學力考大學。數學考試中有個題目非常難，是中學沒學過的，只有他一個人做出來了，大家都覺得他了不起。那年他考上西南聯大的經濟系，而且是第一名，可是不知道甚麼原因，他卻去了西安漢中的城固縣。北師大那時候在漢中，它的附中也在那裏，王浩就在師大附中又上了一年高三。北師大附中原是我的母校，後來他開玩笑說，他和我是球場裏的"change side"(交換場地)。第二年，我以同等學力考上西南聯大，他也考了，這回考的是數學系，而且又是第一名。所以還沒入學，王浩就有了名了，大家都知道他是大才子，連續兩年考了第一名。

1939年秋天大一剛入學不久，有一次我在圖書館讀書，見他坐在那裏看一本大書。我走過去一看，一個字都不認識，連是哪國文都不知道。我問是甚麼書，他說是德文本，指着封面用英文說：*"The Logical Structure of the World"*(《世界的邏輯結構》)後來我知道這是一本經典名著。還有件事情，一年級的時候我上的是工學院，一次去工廠實習，他託我買一本別人出讓的《數理統計學》。這都是我們初入大學的新生望塵莫及的高級學術，而他已經高出了我們一大截。

聯大的生活圈子非常小，我們又是中學同學，所以很快就熟識了。王浩喜歡談哲學，他的想法往往和平常人不一樣。比如按照我們的想法，說某個人是壞人，這是結論，然後再去找理由，把這個人罵得一錢不值，這是非常實用主義的。可是王浩考慮事情從來不先下結論，這是最啟發我的地方。一次大家談論某某人寫的字，那人是國民黨的大官僚，大家都挺反感。而且按中國的傳統，評價一個人首先是論

「德」，既然此人是個大壞蛋，肯定一無是處，他的字能好得了？可是王浩不這麼想，説：「人品好不好和他的字是兩回事，那有甚麼關係？」還有一次，我和他談論捨己為人的話題，我説：「這是不言而喻的，當然是最崇高的德行。」他説：「為甚麼一個人一定要為了別人犧牲自己呢？」於是我們辯了很久，也挺激烈的，可是事後回想，其實他説的也有道理。我們一般都是固執己見了，明明別人有理，還要堅持自己。可是王浩的優點就在於不先在頭腦裏預設結論，或者説沒有成見，而是通過思考、辯論，如果別人能説出道理來，他也同意。我覺得，這才是一個真正的哲學家的態度。

年輕的時候，王浩就對一些哲學問題有自己獨到而且非常敏鋭的理解。一次他談到哲學家需要具備三個條件，一是intellectual skepticism(智識上的懷疑主義)，否則無以成其深。二是spiritual affirmation(精神上的肯定)，否則無以成其高。三是要有一句格言，也就是信條。比如蘇格拉底的格言是“Knowledge is virtue.”(知識即美德)，而培根則是“Knowledge is power.”(知識就是力量)。各人可以不同，但足以反映自己的特色與風格。王浩的這一想法給我的印象非常深，所以至今還記得。一次，我讀到T. S. Eliot (艾略特)三十年代的一段話：二十世紀知識分子面臨的思想選擇只有兩條路，要麼做一個布爾什維克，要麼做一個虔誠的天主教徒。看過這段話以後，我問王浩有甚麼感想。他嘆了口氣，說：「唉，其實我早就這麼想了，只是不敢說。沒想到他居然敢這麼說。」

記得一天晚飯後，我們照常去翠湖散步。那天天氣不好，眼看就要下雨，不過我們還是去了。聊到興起時果然下起了雨，那就任它下吧，結果足足聊了兩個鐘頭，倆人渾身都澆濕了，跟落湯雞一樣，我說：「這次咱們也過了一回哲學家的生活。」那晚我們談了很多，其中有一個很哲學的問題：如果上帝答應你一個要求，你會選擇甚麼？金錢，愛情，事業，名譽，或者其他？那時候我正在看寫歌德的一本書，歌德說他會選擇「知道一切」，因為他的好奇心太強了(trop de curiosité)。王浩認同歌德的觀點，可是他接下來又說：「知道一切，也就一點趣味都沒有了。」《浮士德》裏有個魔鬼，它的原型是歌德的朋友Merck。Merck非常之聰明，可是一個人太聰明了，以至把一切都看透了，也就做甚麼都沒趣味了。我覺得王浩說的很有道理，這個世界正因為你看不透，所以才吸引你。要是你知道一切、把一切都看透了，人的一生無所追求，那就太沒意思了。

人是為幸福而生的，而不是為不幸而生。王浩喜歡談人生，就「甚麼是幸福」的話題我們討論過多次，我也樂得與他交流，乃至成為彼此交流中的一種癖好。他幾次談到，幸福不應該僅僅是pleasure，而應該是happiness。前者指官能的或物質的享受，而幸福歸根到底還包括精神上的，或思想意識上的一種狀態。

我說，幸福應該是blessedness(賜福)。《聖經》上有云：「饑渴慕義的人有福了。」* 可見「福」的內涵是一種道義的，而非物質性的東西。他說，那麼宗教的虔誠應該是一種幸福了。我說，簡單的信仰也不能等同於幸福，因為它沒有經歷批判的洗練，不免流入一種盲目或自欺，只能是淪為愚夫愚婦的說法。一切必須從懷疑入手，於是我引了不久前看到的T. S. Eliot的一段話："There is a higher level of doubt, it is a daily battle. The only end to it, if we live to the end, is holiness. The only escape is stupidity."(有一種更高層次的懷疑，它每天都在不斷地〔與自我〕戰鬥。如果我們能活到有結果的那一天，它唯一的歸宿就是聖潔，唯一的逃脫辦法就是愚蠢。)他聽了非常欣賞。幸福是聖潔，是日高日遠的覺悟，是不斷地拷問與揚棄，是一種"durch Leiden, Freude"(通過苦惱的歡欣)，而不是簡單的信仰。每次談論總是他說服我，這一次我說服了他，不禁心裏一陣快慰。

王浩是數學家，後來真正使他成名的是人工智能，弄出了好幾個定理，大概非常有價值，1983年得了全世界第一個人工智能的大獎。† 可惜我不懂，無從讚一詞，但我知道，他的興趣並不在那方面。記得

---

* 原文：「饑渴慕義的人有福了，因為他們必得飽足。」參見《馬太福音》5：6。

† 人工智能國際聯合會與美國數學學會聯合頒發的第一屆「數學定理機械證明獎」(Automatic Theorem Proving Prizes)之「里程碑獎」(Milestone Prize)。

畢業答辯的時候，金岳霖先生問他為甚麼要學哲學，王浩答道：「我想解決人生問題。」金先生接下去又問：「那麼你解決了沒有？」他說：「還沒有。」王浩一輩子都想解決人生問題，可是一輩子都沒有解決。大概這是一個永恆的問題，永遠也解決不了，但並不妨礙人們永遠想要去解決它。多年以後，我去清華遇到當年哲學系的女同學顧越先，我問她：「女同學學哲學的很少，你為甚麼上了哲學系？」她說，她從年輕時就想知道人生的意義是甚麼。當然，這個問題也是沒有最後答案的。

表面上看，王浩的一生似乎很順利。1946年得到清華保送，入哈佛大學，師從當代名家Quine(蒯因)，僅用一年零八個月就拿到了哲學博士。我很奇怪，問他為甚麼唸得這麼快，他說：「到哈佛唸的那些東西在國內都唸過了，很容易。」當時清華的體制完全和美國接軌，而且我覺得，他搞那些東西一點都不費勁，完全就像鬧着玩兒一樣就弄出來了。也許正因為太容易得到，所以他才不在意，反而是人生問題困擾了他一生。雖然後來成為世界級的學者，光榮也有了*，可是並沒給他帶來他所期待的幸福。王浩一生三次結婚，前兩次都很不順利。他非常之愛國，第一次回國還寫了許多讚揚文革的文章，可是不久文革又被全盤否定，讓他這個左派非常失落。可以說，王浩一

* 年輕時，王浩認同烏納穆諾的觀點，認為人生一世所追求的是光榮，參見頁211。

生都着意追求幸福，可是始終也沒有追求到。他最不着力的方面讓他輕鬆地就得到了，給他帶來了榮譽，可那並不等於幸福。晚年的時候，王浩曾對我說要寫三本書，分別回答「人能夠知道甚麼」、「人能夠做到甚麼」、「人追求的是甚麼」這三個人生最根本的問題，但只寫了第一本*Beyond Analytic Philosophy*（《超越分析哲學》）就去世了。

1948年哈佛畢業以後，王浩先到瑞士做了一年訪問學者，然後回哈佛大學做助理教授，1954至61年在英國牛津大學，曾任約翰．洛克講座教授。1958年，中國有個赴歐洲的學術訪問團，包括作家謝冰心、哲學家金岳霖、經濟學家許滌新等等幾個人，在牛津的時候就是王浩接待的。我聽美籍學人余英時說，那次王浩和許滌新吵了一架，本來他想回國搞計算機，自此變了主意。後來我向王浩問起此事，他說並沒有吵架，只是有點不愉快。因為許滌新說：「聽金先生說你唸得很好，你回來找我，我給你介紹個工作。」王浩少年才子，也有非常自負的一面，所以這句話讓他很生氣，跟我說：「難道我還等他賞我一碗飯吃？」當然，一個人成名之後容易爭強好勝，這種心情可能我們資質平平的人不會在意，不過我想應該還有別的原因。畢竟國外也有吸引力，在那裏更能做出成績來，所以又拖了幾年。接着是文革，就回不來了。

王浩從牛津出來後，又回到哈佛做教授，1967年轉到紐約的洛克菲勒大學主持邏輯研究中心，後來被選為哥德爾學會的首任會長。1972年中美之間開始有人員往來，他參加了第一批中國訪問團回國，包括清華老學長任之恭、林家翹等人也在其中，周恩來在北京接見了他們。當時我們剛從信陽幹校回來，沒過兩天我接到一封信，信封上的字跡我一看就知道是他的。信的內容很簡單，告訴我他到北京了，住在北京飯店，這次行程安排得很緊，希望我跟他聯繫，見上一面。可文革時候拘束得很厲害，哪能隨隨便便去見一個美國人？於是我把信交給了工宣隊。按理說，當時毛澤東也希望打開美國的局面，凡是這種機會應該安排會見。可是工宣隊一直不回答我，我也不想問，結果這次機會錯過了。在這一點上，工宣隊大概是違背毛澤東思想的。

王浩在國外是左派，擁護新中國，所以他從來不去臺灣，而且有一陣改學馬克思主義，想知道到底是怎麼說的，學得很起勁。大陸和臺灣關係有所緩和後，吳大猷(臺灣中央研究院院長)邀請王浩到臺灣講學，他也去了。不過他對臺灣沒甚麼好感，被人哄了一陣，許多人罵他。後來我問王浩是怎麼回事，他說他對臺灣的學術不欣賞，說了些「在臺灣成名也容易」之類揭短的話，弄得臺灣學術界對他大有意見。

後來王浩又幾次回國，1977年，鄧小平接見了他。那時候文革剛結束，我們已不必上班了，整天待在家裏。一天傳達室呼我說有電話，趕忙跑去接，一聽正是王浩。我説：「我在報上看到你的消息，知道你來了。」他説：「你家住在哪裏？離北京飯店遠不遠？」我説不遠，走路半個小時就到了，坐車只要三五分鐘(當時路況還不擁擠，沒有堵車現象)。他説：「好，你等着，我就來看你。」這回倒好，給了我個措手不及，沒法像過去那樣事先請示領導了，只好説：「你來吧，我等着你。」掛上電話，我趕緊又給歷史所打電話。那時候這種事所裏也做不了主，得請示社科院。還好，院裏同意了，鬧了個敬酒不吃，吃罰酒。那天還鬧了個笑話，王浩和一位年輕的女士一起來，我也不知道她是誰。那時候我們都五十多歲了，可是她才二十來歲的樣子，我以為是他的女兒，聊着聊着，我忽然發現那是他新婚的夫人。王浩這一生，婚姻是很不幸的。1948年第一次結婚，不知甚麼原因兩個人鬧翻了，不過據別的同學説，他的第一任夫人很賢惠。第二任夫人比他年輕得多，而且性格剛烈，脾氣非常不好，所以又搞不到一起去。第三次，他娶了一個德裔美國人。離婚對他打擊很大，沈克琦兄就認為這影響到了他的健康和病情。

1993年底，我在德國馬堡大學任客座教授的時候，他和他的新夫人回德國探親，我們相約在柏林的一個旅館裏見面。王浩租了一輛新汽車，我們足足跑了一個星期，去了很多地方。那時候他的身體還非常好，我在車裏打瞌睡，可是他整天開車，一點兒倦容都沒有。有一次遊海德堡，我告訴他對面山坡上有一條小徑叫「哲學家之路」，當年黑格爾和許多哲學名家在那裏散步。於是我和他的夫人Hanne Tierney在休憩處小坐，他一個人走上了那條哲學家之路。回來後，我問他怎麼樣，他說："From nothing to nothing."(一無所獲)王浩一生走的是一條哲學家的路，是不是終於在晚年也有這樣的一絲遺憾呢？

從德國回來以後，他經常打電話給我，說打電話比寫信省事。可是我從來不給他打，因為我知道給美國打電話太貴，他就每隔十天半個月給我打一次。一年以後，他告訴我得了癌症，但自我感覺良好，正在進行化療，口氣也信心十足。忽然他連續兩個月都沒給我打電話，我疑心出了事。果然，他得的是淋巴癌，不久便去世了。

王浩在世界上非常有名，不過國內對他介紹的不多。有家出版社正準備出他的作品集，大約不久可以問世。但也只有專著，而他大量的文章，尤其是論魯迅、論時事、論中國的生活與學術的文章都未能收入，令人遺憾。前兩年，他的家鄉出版了他的紀念冊，囑我題詞，我寫了如下幾句話：「畢生追求真理，折衷人文關懷，毫無先入成見，永遠從善如流。憶昔朱顏締交，縱論海闊天空，追憶微言大義，負荷千古閒愁。」

4. 因言獲罪的陳良璧

還想提一下陳良璧。1936年，我在北師大附中上高中一年級。班上大概有三十個人，因為我年輕、個子小，坐在前排，那些外地來的年紀稍大一點兒的同學身材高，坐在後邊。他們好像要比我們成熟些，經常圍在一起談時事之類的大事情。我們年紀小的也在一旁聽，覺得挺開竅的。其中一個叫陳良璧，來自綏遠(今內蒙中部)，比我大兩歲，個子挺高，一口濃重的西北口音。下課聊天時，常見他瞪着兩個眼睛大談馬克思如何如何，滔滔不絕，一副很有權威的樣子。那時候很少聽到有人講這些，我們都不大懂，當然更沒有人去打報告說他是危險分子。

我在北京和陳良璧同了一年學，打仗後，我回了老家。不久，北師大搬到西安，和別的大學組成西北聯大，它的附中也搬到西安，後來又搬到漢中。陳良璧一直都在那個學校，畢業後也上了西南聯大。1939年一個秋天的晚上，我和兩個同學在昆明大西門外散步，看見對面有一個人坐着人力車，還帶着行李。那時候很少有人坐人力車，我們都覺得新鮮。沒想到那個人叫車停下，一邊走過來跟我握手一邊喊：「啊呀，老同學，老同學！」一看是陳良璧，兩年不見還是老樣子，胸前還掛着師大附中的校徽。那天他是來報到的，讀經濟系。

總的來講，陳良璧這個人還是很激進的，雖說沒真正參加甚麼組織。有一次中午吃完飯，幾個人躺在草地上曬太陽，只聽見他跟另外一個人高談闊論，說：「將來的中國就是一分為二，革命的青年都到這一邊來，跟着國民黨的右派青年到那一邊去……」一面說一面做出手勢，像是一刀劈為兩半的樣子，在那裏做局勢分析和論斷，挺進步的。可是有時候，他給我的感覺又很奇怪。比如有一陣子天天跑空襲警報，大家跑到山溝裏躲起來，一次我們遇見了，他一路搖頭嘆氣，說：「天天這麼跑警報，怎麼唸書啊？還不如回北平上燕京呢。」燕京大學是美國人辦的，那時候還在北京上課。聽了他的話，我覺得很奇怪：我們沒學過馬克思，但我寧可在昆明也不會想回北平，那種做亡國奴的感覺多不舒服。按理說，他是個左派，怎麼說出這樣的話呢？

大概也是因為他老這麼口無遮攔，後來被人家告了密。三年級暑假坐飛機回老家，結果在西安一下飛機就被抓走了，坐了一年監獄。大概他家裏的確非常有背景，設法把他保了出來。第二年，他回昆明上學，我又見到了他，笑說：「老陳，聽說你到個甚麼好地方去了？」他就搖頭嘆氣，罵那些三青團的人，說：「嗨，都是他們這些傢伙！都是他們這些傢伙！」然後問我：「你知道戴笠是誰？」這是我第一次聽「戴笠」這個名字，我說我不知道。他說：「戴笠就是中國的Himmler！」Himmler是希特勒秘密警察的頭子，我這時候才知道，哦，原來有這麼一個人叫戴笠。

畢業後，陳良璧去了重慶，後來又自費到英國劍橋大學留學，大概他家裏非常有錢。他在英國讀研究生，研究蘇聯的社會主義經濟，導師是英國有名的馬克思主義者M. Dobb。五十年代初，陳良璧回國。不久趕上院系調整，尤其是經濟系、法律系、政治系，那些舊的法律、舊的政治、舊的經濟都不能要了，必須代之以一套新的理論。可是原來那些老先生們對新觀念、新理論都不了解，系裏變成真空，沒人領導了。所以陳良璧回來後，在北大經濟系做了教師，學校還讓他代理過系主任。沒過幾天開始評定職稱，結果只給他評了個講師，他很不高興。他想自己是一貫講馬克思主義的，又是劍橋大學的博士，回來又在北大代理系主任，怎麼就只給個講師？這下資產階級的老毛病又犯了，準備捲鋪蓋辭職，不幹了。可是萬萬沒有想到，北大馬上就同意了。這回可好，他得馬上搬走，連房子住處都沒有了，弄得非常狼狽。

最後他還是回綏遠了，在內蒙古師大教課。據他說跟大學的一位領導關係很好，還請他講近代經濟學的知識，只是那個領導不會英文，學起新東西來很費勁。文革不久，有一次他到北京，我碰到他，問最近怎麼樣。他說也惹了麻煩，那位領導被定了走資派，結果也沾上了他。大約1973年，一天我在西單的飯館吃飯，正好碰見陳良璧走出來，他有點兒神秘地悄悄問我：「哎，王浩回來，你見了嗎？」我說沒有見。他說：「可不能見、不能見，見着就麻煩了。」那時候，中國和美國的接觸才剛剛開始，大家還心有餘悸。後來他又和我談過一次，說了很多，別的我都不大記得了，只記得他還那樣高談闊論馬克思。他說：「馬克思講無產階級貧困化，這個『貧困化』應該怎麼理解？是絕對的貧困，還是相對的貧困？要是絕對貧困化，就是一天不如一天了。……絕對貧困化是說不過去的，不然無產階級早就絕滅了，不存在了。」

陳良璧是舊時代知識分子的又一種典型，喜歡張揚、炫耀，又自以為是。當然也經歷了挫折，舊社會被關在監獄裏，新社會又受了衝擊。後來他的兒子跟別人吵架，被人一刀捅死了，非常之不幸。多年以後，我在一次學術會議上遇到一位內蒙古師大的人，我問他：「你們大學有個叫陳良璧的，你認得嗎？」他說認得，說陳良璧現在還不錯，當上了政協委員。內蒙古沒有幾個老知識分子，陳良璧應該算是其中之一，又是劍橋大學的博士，就給了他一個政協委員。現在陳良璧已經去世了，至於是哪一年去世的，我已不記得了。

5. 老友鄭林生

林生和我在北師大附中同級而不同班，我是甲班，他是乙班。日本佔領北平之後兩年，他們中學畢業，由北京到天津，再到上海、到香港，再到越南海防，到河口、老街，轉乘滇越窄軌小火車，而且夜間停開，白天可以隨時隨地停車上下人。就這樣，萬里迢迢歷盡艱辛，歷時三個月才到達昆明。除此之外，我知道有些人是走陸路，由徐州西行，通過封鎖線到洛陽、西安再入四川。我認得一個三十年代的老清華叫朱家源，他的弟弟是著名的文物專家朱家溍，他們家在北京住的是僧格林沁的王府。1939年朱家源離開北京，走的就是這條路，結果走了半年。還有一種方法，《圍城》裏寫的大概就是這條路，從上海至浙江入江西，下廣西到貴州或四川、雲南，一路走走停停，兼打零工維持生活，這樣走總需一年時間。

當然，他們從日本統治區輾轉逃到後方，等待他們的會是最艱苦的生活，且又背井離鄉，不知歸來何日。可是他們卻九死如飴，不顧一切危艱險阻逃出來，那種精神實在令人感動。這樣逃到大後方的不在少數，而是大量大批的各行各業各色人等。說它是中國歷史上最大的移民潮，恐怕不過分。

1939秋，我在昆明又與十多位北京的同學重逢，激動之情難以言喻。次年，我和林生在同一個宿舍裏住上下鋪，自然成了好友，加之日本飛機轟炸天天跑警報，又為我們的友誼增添了生死與共的色彩。後來我在昆明的求實中學兼職教英文，他也在那裏，教物理和數學。1946年復員，他北上去南開大學物理系做助教。1948年去美國留學讀博士，以全優成績獲Ohio(俄亥俄)大學博士學位，留在美國任教。1956年林生回國，在中科院高能物理研究所工作。時隔十年再相聚，自然非常歡喜。不過因為大家都忙——忙着不務正業，而且我在城內，他在西郊，所以每年只能見上兩三面，直到文革。文革開始後，正常秩序已蕩然無存，互相不通信息，想來都不會好過。有一次在路上碰見他，我說老想去看你，但是不敢去，怕彼此惹麻煩。他說：「就這樣見了面，不也很好嗎？」一直到文革結束，幾個老同學才恢復了正常的聯繫。然而時間不能倒流，老同學已半為鬼錄，即使在世也老病相尋。林生住中關村，我住清華，雖相距不遠，但一年也只見面兩三次。近年他患重聽，交流困難，青年時的那種恣意交流的樂趣大概是永遠不可得而再了。

林生原本上的是化學系，讀完二年級後決心轉入物理系，但是由於須補讀物理系二年級課程，他又多讀了一年。在我的印象中，他被當代物理科學的神奇所吸引，所以情願多讀一年。林生極其用功，每天都在圖書館一直讀到閉館。而且一直到現在，他寫字從來都是一筆不苟極其工整，那種科學家的嚴謹精神可謂「躍然紙上」。我的字則潦草不堪，往往連自己都認辨不出。林生當年曾多次對我講，不懂物理學，特別是缺乏近代物理的知識，就是一個科學盲，對於世界的認識乃是重大的缺欠。但是當時我沒有勇氣，因為要讀物理，還要首先補讀高等數學，這對我簡直是難以企及的事。我以為，他一定是被近代物理學的神奇所震撼，滿懷驚奇與敬畏，一直到老年，我還從他那裏得到許多思想上的啟發。而我對於物理學的知識，還只限於青年時期所讀到艾丁敦的《物理世界真詮》一書。

後來還看到一本《比一千個太陽還亮》，是德文書*Heller als tausend Sonne*的中譯本，描述二十年代初一群青年學生在哥廷根大學追隨大師M. Born(玻恩)的遊學生活。那是一戰後，他們的生活清貧而精神世界非常豐富，有點兒類似我們戰時的學生生活，所以深有同感而推薦給他。我還記得林生說，他學物理是從經典物理學開始的，所以想問題總是先從經典物理學入手，直到想不通的時候，才把思路轉移到近代量子論、相對論的軌道上來。他的這個說法給了我啟發。好比我們搞歷史的人，老一輩的從「五德終始」的正統觀念入手，年輕一代則要從五種生產方式入手，一旦成為習慣就再也改不了。無怪Pascal的名言：習慣就是第二天性。先入為主，無疑是給自己的思想纏了足，當已有的思路行不通時，應嘗試轉換思想的座標。

林生是一個勤奮而嚴謹的科學家，但科學性並不能涵蓋人性的全部。他也有細膩甚至脆弱的一面，為一點小事可以背上沉重的感情負擔，甚至是兒時的小事，成人以後還滿懷歉疚。他向我背誦過盧梭《懺悔錄》裏的一段文字，大概那引起了他思想的共鳴。出國後，有一次他給我信，說：「小時候聽老師說過，中國在地球上是美國的另一側，真想有一個長管子插過來，就可以和國內親友見面了。」

感情細膩是經不住狂風暴雨的。大概是高能物理學家的身份保護了他，沒有在文革中受到太大的衝擊，但後來也下了幹校，也被抄家。雖然他沒正面向我談起，但我知道至少有兩件事情很傷他的心。林生也愛好古典音樂，尤其喜歡芬蘭Sibelius(西貝柳斯)的作品，從美國帶了很多唱片回來，可是抄家的時候都給砸了，這讓他很傷心。再有就是把他的小孩說成是狗崽子，對小孩的內心傷害非常大。最近我看了章含之的《跨過厚厚的大紅門》，屬個人感情的事情不去議論，但裏邊有一段故事讓我看了非常生氣。有一次開會，喬冠華把章含之留下來，她以為有甚麼事情，結果喬冠華拿出肖邦的鋼琴曲唱片，請她一起聽。這段文字讓我很反感。文化大革命「破四舊」，把我們的唱片都砸了，可是他們作為高級領導卻在那裏獨自享受，這是說不過去的。

七十年代王浩回國，我請他吃飯，邀林生作陪，他堅決不肯出席。這使我多年引為遺憾，兩個好友自此終生不再見面。當時的法網和文網既嚴且密，陳良璧就叫我不要見王浩。文革末期，外文所的袁可嘉學長(九葉詩人之一)就是因為見了一位美籍老同學，而被戴上了現行反革命的帽子。當然，這已是過去的歷史，袁可嘉近年常居美國，身體健康不佳，恐已無再回國的可能了。

6.「高幹子弟」

舊社會跟新社會有一個很大的不同。解放以後對一個人首先要問家庭成分，問階級、問政治、問思想。舊社會不問這些，即便是最要好的朋友也不大追問，比如「你們家家產多少？」或者「你爸爸是不是處長？」那時候沒這個風俗，大家也不關心這些。

我在中學有個很熟的朋友叫孫念增，後來在清華數學系任教。他的曾祖父是前清的大官，我一直都以為是孫家鼐，吏部尚書兼管學大臣，相當於教育部長了，是京師大學堂第一位校長。直到八十年代我回清華，兩人都成了老頭兒，在一起聊天才知道，原來他的曾祖是內閣學士孫毓汶，軍機大臣，相當於今天政治局委員的地位了，是戊戌變法時候保守派的領袖之一。我和孫念增中學就是同學，交往了那麼多年，可從來都不知道他是孫毓汶的後人。文革時候抄他的家，抄出一堆清朝的官服，黃馬褂、大花翎，後來還拿到展覽館展覽。可是他跟我説，他父親藏的這些東西都沒讓他們見過，直到抄家抄出來才知道。我在初中有個同班同學叫錢家鄒，有一次帶我到他家去玩，那真是深宅大院，重門疊戶的。後來他才説，他的祖父是錢能訓(浙江嘉善人，曾任北洋時期的國務總理)。但是在班裏，錢家鄒從來不顯山、不顯水，是個默默無聞的小孩子。

再比如，經濟系有個女同學叫王民嘉，浙江奉化人，我們中學同班。她的父親是蔣介石的表兄，在貴州做財政廳長，按説她也算高幹子弟了。可是和我們完全一樣，住草棚宿舍，穿一件普通的藍布袍，吃飯沒有一點兒特殊化。有時候見到她，她還像小姑娘似的靦腆，常常不好意思，並沒有高人一等的感覺。還有，譚申祿和我在中央大學附中時也是同學，大學讀機械系，和我同上過兩門課，算是很熟的老同學，現已去世多年。只是兩年前我才聽另一位同學說，他的父親是汪精衛的機要秘書*，相當於解放後胡喬木、周揚的地位了，非常了不起。可是我們以前從來都不知道，可見當年根本就沒有這個風氣，對一個人的出身和成分並不關心。

那時候，同學間受尊敬的是那些業務突出，用北京話講就是「特棒」的人。成績優秀、學問好，當然最受欽佩。或者你體育好，籃球棒，每次上場就看你的了，那也是一種。數學家秦元勳是我們中學同班同學，後來在數學所工作。中學時候他已經把微積分讀完了，老師出題，他會用微積分來算，大家就特別欽佩他。再比如高中時候，有一次我考了第一，和外班的同學在一起時，有個很要好的朋友拍拍我的肩膀，對他們說：「我介紹，這是我們班考第一的主兒。」可是他不會向別人介紹，比如：「這是蔣介石的外甥女。」我聽王浩說，劉峙的兒子在他們班上。劉峙是蔣介石手下「八大金剛」之一，可是他的兒子在班裏總是灰溜溜的抬不起頭，因為功課唸得非常糟，大家看不起他。

我想，觀念的轉變大概和解放後歷次的運動不無關係。解放後政治掛帥，運動中人人爭相自保，這是

* 此處疑有誤。譚申祿祖籍浙江麗水，祖上幾代經商，在當地屬名門望族，祖宅今猶在。

生存的本能了，最保險、最安全的路就是跟着高幹子弟走。比如李訥是學歷史的，假如她在歷史所，跟着她走肯定錯不了。馬克思講得好，「存在決定意識」。高幹子弟的影響力大大提高，這也是不以人的意志為轉移的。可是舊社會沒這個問題，比的就是誰的書唸得棒，或者誰在某方面有特殊的才能，大家就尊敬誰，這是新舊社會一個很大的不同。

第三章
（1946–1950）

教書臺灣

1946年5月，西南聯大正式結束，北大、清華搬回北京，南開回天津。因為那時候非常窮困，沒有辦法大家一起走，所以都分批走。我所在的那一批是從雲南坐汽車到貴州，再到湖南，之後換小火車。何謂「小火車」？因為戰爭剛結束，到處一片殘破，火車頭不夠用，就把汽車換上火車輪子，充做火車頭。可是汽車發動機的牽引力非常小，只能拉一兩節車廂，而且速度非常之慢。我坐小火車從長沙到漢口，又換輪船(即二戰時候美國留下來的登陸艇)沿江到了上海，這也是我第一次到上海。

我有一個很熟的化學系的同學在上海住過好幾年，他總跟我講，上海小市民的、庸俗的習氣實在要不得。所以以前我總有個印象，以為上海是花花世界，這次真是領教了。上海那時候還是有軌電車，分前後兩節車廂，前面那節總是十分擁擠，而後面一節又非常寬鬆，所以我總是上後面的一節。後來有一個人跟我說：「你可不能坐後面那節車。」我問為甚麼，他說：前面那節是頭等車，後面的是三等，只有下層平民才去，有身份的人一般都不會與他們為伍。

我覺得這個想法也很奇怪，何必冒充上等人在前面挨擠呢？不過也讓我體會了一次上海普通人的心理。上海那時候是中國最繁榮的城市了，但也是最窮困的，火車站前面的廣場上睡滿了人。怎麼會有這麼多的旅客？有人跟我講，他們並不都是旅客，有些就是無家可歸的遊民。當時正值盛夏，我不知道到了冬天會怎麼樣，難道也露天睡覺？

本來我是要跟着學校回北京的，可是到了上海收到二姐從臺灣發來的電報，說母親病得實在厲害，於是我決定去臺灣。

1945年8月，日本投降，陳儀帶一批人到臺灣接收主權。我的姐夫是跟着國民黨去接收的，在教育廳工作，二姐就在女子師範學校教書。我的母親也跟着去了，幫她照顧孩子，時患貧血非常厲害，以為快要不成了，所以沒等返京畢業我就去看她。到了冬天，母親的病慢慢好起來，可是內戰又開始了。我就只好留下，在臺北的建國中學裏謀了個教書的差事。前幾年在友誼賓館開了個學術會議，吃飯的時候和幾個臺灣人在一起。他們問我去過臺灣麼，我說我可去得早了，1946年就去了，在建國中學教書。他們非常驚訝，說：「哎呀，你要是不走就好了，你們建國中學的學生現在在臺灣都是大官！」大概那個學校在臺灣是最好的，可那時候我對這些情形一點兒都不知道。我在臺灣只教了很短的一段時間，大概兩個月，接着就是肺病復發，吐血，樣子非常可怕，所以等病稍好一點就回湖南老家了。從1946年的秋天到1947年的春天，我在臺灣前後只待了半年，住院的時候正好趕上「二·二八」。

那時候臺北還很荒涼，這一點給我的印象非常深。大陸人多，走到哪裏都是一大群人。可是到了臺灣，大白天的，幾條主要街道幾乎一個人都看不見，好像剛拉過警報大家都躲起來了一樣，一片死寂，那種感覺很可怕。後來我離開了臺灣，其實也挺偶然。一個原因是臺灣的天氣太壞，到了10月、11月還那麼熱，而且又潮，跟蒸籠一樣，我得肺病特別不舒服。另外就是語言不通。他們不會普通話，我們也不會說閩南話，我一個字都聽不懂，十分隔膜。再者，臺灣已經非常之日本化了。文字是日本的，建築、服裝、習慣也多是日式，連街上招牌都是日文的，就像去了日本一樣，這一點讓我很反感。我剛去的時候報紙還是兩版，一版漢文、一版日文，後來才逐漸把日文版取消。無論如何，日本人統治了臺灣五十一年，那就不止一代人了，甚至於兩代人。日本要把他們都「皇民化」，變成天皇治下的皇民，其實就是日本化。包括臺灣現在的「總統府」，那就是原來日本的總督府，不過就是改裝了一下。再比如李登輝，雖然他的血統是臺灣，但是從小學就學日本文化，後來在日本留學並從軍，實際上他的思想、他的意識完全已日本化了。你要要求他愛國，他就去愛日本，已經完全不是中國人了。

我跟臺灣人沒有真正的接觸，語言不通是個很大的障礙。短期旅遊固然無所謂，可要住上一年半載的話，語言不通就很苦惱，連個東西都買不好。有一件事情讓我印象很深，而且挺傷自尊的。大陸上買東西可以砍價錢，所以我到了臺灣也是這習慣。有一次去商店買東西，我嫌貴，說減點價吧。不想老闆娘會說幾句普通話，答道：「不行，這不是你們中國。」這句話大大傷了我的心，「這不是你們中國」，就是說她不認同跟你是一個國家。我在建國中學教書，校長是臺灣人，但是從大陸回去的。國民黨剛一接收臺灣的時候，有很大一部分人都是這樣，他們有大陸的背景，又有臺灣的背景。校長知道我是大陸來的，就讓我教一班大陸學生的國文。1947年，國民黨請北大的魏建功在臺灣推行國語運動，說普通話、用漢文，據說推廣的還很成功。不過那時候我已經回來了，具體情況就不知道了。

1945年的秋天，日本投降。1947年春天，才過了一年半，「二·二八」就鬧起來了。第一，日本人佔領的時候還沒打仗，所以情形好一點，可是國民黨去接收，把人民生活搞得比日本時候還不如，就引起了普遍的不滿。第二，國民黨到臺灣的時候大陸人並不多，雙方都害怕，所以就高壓統治。可是你越高壓，別人對你越反感。第三，無論是日本人去了，或者後來國民黨去了，都帶一種征服者和勝利者的姿態。比如喜歡發號施令，甚麼都得聽我的，然後底下的人就不服。更何況國民黨是一個腐敗的政府，結果造成和當地人之間感情上的隔膜。另外，陳儀接收臺灣的時候和在大陸有一點不同，他是軍政合一，又是警備司令，又是省主席。據説陳儀本人是清廉的，而且他有一種政治理想，要做一個真正的政治化，而不是像國民黨以前靠軍隊的力量，所以他不帶很多軍隊去。可是作為國民黨的一部分，不可能搞一套完全獨立的東西。比如國民黨發票子，物價天天漲，你發行臺幣，不還得跟國民黨的幣制體系掛鉤，所以也跟着貶值。國內人已經習慣了，從1939年起物價就開始飛漲，早上的行市到了晚上就不一樣。可是臺灣人不習慣，大家都不滿意。「二・二八」就是這樣，平日裏積怨太深，一個小小的緝煙事件不過是個導火索，沒過幾天，很快就哄起來了。沒辦法，趕緊調軍隊過去。當時我正生肺病，住在臺大第二附屬醫院。醫院裏看不到報紙，聽護士講外邊正在「打阿山」，就是打從大陸去的人，勸我千萬不要出去。臺北很快就給鎮壓了，很多人跑到山裏躲起來。

那時候國民黨的政治沒有搞好，所以許多臺灣人對大陸在感情上並不認同。甚麼「把日本人趕走了，我們團聚了」，好像並沒有這種感情，反而是一種敵對的態度。我們對此估計不足，包括現在也有這個問題，陳水扁搞臺獨，這是明擺着的，他的票數竟然也達到了一半。可我們當年提「凡是敵人反對的，我們就要擁護；凡是敵人擁護的，我們就要反對」*，國民黨鎮壓「二·二八」，所以我們就擁護「二·二八」。我覺得，這有點過於政治實用主義了，沒有考慮到它的副作用。畢竟臺灣已經被日本統治了五十一年，跟大陸完全隔絕，國民黨政權去了以後又很腐敗，引起臺灣民眾的不滿，但裏面也包括反大陸的情緒，種下了臺獨的種子，這一點不應該被我們忽略。所以從某種程度講，臺灣一步步走到今天確實也有我們的失誤。政治上實用主義總是免不了的，可是過於實用主義的話，「民無信不立」，從長遠上看總是會吃虧的。包括我們和蘇聯也有過大的反覆，都是一樣的道理。

「二·二八」的時候，我也感到了不安。當地人對外省人好像心裏總有個疙瘩，老讓我覺着自己是個外人，就像去了外國一樣，不能融入它的社會。加之天氣和語言的原因，所以我在臺灣待了半年，1947年春天就和母親一起回老家了。

抗日戰爭末期，國民黨在政治上已經完全垮了，絕大多數青年知識分子都反對它，即使後來跑到臺灣也不像是會持久的樣子。如果不是朝鮮戰爭，共產黨完全有可能打過海峽解放臺灣。那時候美國已經從大陸全部撤出，不會丟了西瓜撿芝麻只保一個臺灣。可是朝鮮戰爭爆發，麥克阿瑟以聯合國的名義出兵朝

* 語出《毛主席語錄》。

鮮，借着這個機緣，連同臺灣一起也給保了起來。

臺灣問題一直延續到今天主要是兩個原因，第一是朝鮮戰爭。這是個偶然的事情，如果不是這件事情，臺灣可能早就解放了。第二，解放以後近三十年大陸進步的速度太慢了。一直到今天，臺灣人均GDP大概有一萬五千美元的樣子，我們才一千多美元，相差十幾倍。解放以後，大陸在很長一段時間裏處於自我封閉的狀態，我們唯一的消息來源就是《人民日報》。不像以前，比如我上聯大的時候，不但國外的報紙雜誌看得到，就連共產黨在重慶發的《新華日報》也看得到。可是解放以後沒有這個自由，對外面的事情一點兒都不了解了。對於臺灣，我們一直還按舊皇曆想，以為臺灣人民生活在水深火熱之中，民不聊生，飯都吃不上，臺灣同胞熱烈地希望解放，根本沒有想到他們的GDP會比我們高十多倍。假設我們大陸今天的GDP是臺灣的十五倍，大概所謂「臺獨」就會自行消亡了，這是我的庸俗唯物論的看法。當然，臺灣的迅速發展也有其自身的優越條件。首先，國民黨從大陸搜刮了一大筆財富，撤退時都帶了去，對於臺灣那麼小的地方來説十分可觀，成了它日後發展的一大筆本錢。其次，一大批上層知識分子都跟着去了臺灣，包括胡適、傅斯年、梅貽琦等等。如果不是這一大批人才，臺灣不會建設得這麼快。

八十年代初期，我問一個剛從臺灣過來的美國人Susan Naquin女士——那時候大陸和臺灣還不能自由往來，倒是美國人可以兩邊隨便跑，這一點我一直覺得挺彆扭。我問：「你剛從臺灣過來，你比較一下兩邊的情況，到底有多大的不同？」她的回答挺出乎我的意料，她說，印象最深的不是兩岸的不同，而是兩岸的相同，「兩邊簡直太一樣了」。我想這一點倒可以證明，其實還是一個國家。雖然閩南話我們聽不懂，但那和上海話、廣東話一樣屬方言，都是中國話，都還是中國人。

日日江樓坐翠微

1947年，我和母親一起回老家，養了一年病，無業遊民一樣，算是賦閒了，心緒很惡劣。病重時還經歷過幾次特殊的、甚至於是有點神秘的體驗。午夜醒來，忽然不知道自己是誰，這是甚麼地方，我怎麼來到此處的？整個記憶全部喪失乾淨，只剩了一個自我意識，或者說只剩下一個「靈明」(王陽明語)，此外便一無所知。我極力要在一片茫無邊際的失憶的海洋之中掙扎，但是枉然無用。好像是掙扎了很久之後，突然一剎那，恢復了全部的記憶，一下子意識到了自己是誰，這是甚麼地方，我為甚麼在這裏。這種現象或許是一種虛弱到極點的失憶，一切都是一片空白，而且經歷了好幾次，深深感到人生之虛無與脆弱。

第二年身體慢慢康復了，但是戰爭打得非常厲害，已經蔓延到全國。北方是回不去了，總得找一個吃飯的地方。大姐夫是湖南省立第十一中學的校長，邀我去他們學校教英文，於是我又重操舊業。湖南中學的國文根底是極好的，大概遠遠超出任何其他地方，連寫英文也大多用毛筆，句末不是點一個句點，而是畫一個大圓圈。我在北京時，小學每天要用毛筆寫一篇大字和一篇小字，入中學後就都改用鉛筆或鋼筆了，那比毛筆、墨盒方便得多。湖南學生都很努力用功，但是比起北京、上海等大城市，條件要差一些，連《大公報》也沒有，圖書、雜誌和其他文化活動都少得多。

做了教師，每月工資剛夠維持一個人的生活，稍微有餘。解放戰爭期間，國民黨的社會已經完全崩潰了，首先便是經濟的崩潰。政府不停地發票子，一沒錢就發票子，可是票子發得越多越不值錢。我一個月工資有七八萬，看上去非常不得了，一領就是一大包，不過都是一塊錢一張的，那得點到甚麼時候？於是用繩子紮成一捆，蓋個圖章，這就是一萬元，誰也不去一張張數。買東西的時候對方也不數，照樣把這一捆錢再給別人。從1939年一直到解放，物價天天漲，所以誰都不要票子，領了工資馬上就去換銀元。本來銀元早已廢止了，也不知是從哪兒冒出來的，忽然又流行起來。銀元販子滿街都是，全是單幹戶，兜裏揣兩塊銀元站在那裏敲，而且早晚行市確實不同。比如早上一千塊錢可以換一個銀洋，到了晚上就變成兩千，再到後來都是上萬上萬的。最有諷刺意味的是，當時的銀元有兩種，袁世凱時代發行的叫「袁頭」，上邊有袁世凱的頭像，後來國民黨政府又發行「孫頭」。「袁頭」成色好，含銀量高，大概實足七錢二的白銀。「孫頭」不值錢，打個七或八折。我想，如果孫中山地下有知一定會感嘆，自己竟然還比不上袁世凱?!

後來湖南省教育廳發錢給各個學校的時候，乾脆直接發銀洋，我能拿到二十幾塊錢。如果用銀元計算，物價並沒有上漲很多。比如飯費在戰前一個月大約是六元左右，到了這時，一個月大約需七八元。我家對門有個麵館，非常有湖南的風味，而且挺大一碗肉絲麵只賣一毛錢，胃口小的話都吃不了。我付一個「袁頭」，老闆應當找我九毛錢，可是沒有九毛錢，他就找我九個竹篾，下次吃就再給他一個竹篾，有點類似上海老虎灶的竹籤。顧客也樂於接受這種辦法，因為它至少可以保證一塊錢吃到十碗麵。如果找回紙幣，當天就能貶值一半，剩下的也許只能吃兩三碗了。換句話說，竹篾就是通貨。一個近代國家，只有中央政府才有發行貨幣之權，連地方政府都沒這個資格。然而在當時，一個小地方的小麵館居然也能發行自己的土貨幣，可見當時的經濟危險到了甚麼地步。

國民黨打敗仗確實不能單純看戰場。日本的軍力比國民黨強得多，國民黨雖然被打敗了，但並沒有垮台。國民黨的軍力又比解放軍強得多，毛澤東說「小米加步槍」指的都是最落後的步槍，數量、質量差很多，而國民黨卻有美式的現代化裝備，包括戰車、坦克、重機槍、空軍。為甚麼國民黨抵抗日本沒有垮台，對弱勢軍隊反倒垮了台？從軍事上講是毫無道理的，主要還是政治、經濟的垮台，最終導致整個社會的崩潰。再比如抓壯丁，抓來又怕他跑掉，拿繩子綁起來連成一長串，這都是我親眼看見的。可是你想，這麼拉來的人發他一支槍，他能在前線賣命往前衝？所以連孫科都公開說：可惜黨內有的同志，一味迷信武力。

1947到1949那兩年，我的心情非常不好。本來以為抗戰勝利後會是一個和平康樂的世界，結果還是亂糟糟的。沒有熟朋友，又回不了北京，於是我想到了出國。當年同學友人紛紛留學，大多去了美國，但是我對歐洲情有獨鍾。美國是個新興的國家，沒有莎士比亞和彌爾頓，沒有帕斯卡爾和盧梭，沒有康德、歌德，也沒有貝多芬。而歐洲是近代西方文明的搖籃，歷史文化的底蘊更深厚得多，能去歐洲當然非常好。於是我給瑞士的Fribourg大學、奧地利的維也納大學寫信，兩家也都回信表示接受。可是一來自己身體有病，二來戰亂交通不通走不了，所以心情很難堪。

岳陽樓是江南三大名樓之一，詩聖杜甫就有「昔聞洞庭水，今上岳陽樓。吳楚東南坼，乾坤日夜浮」的名句，北宋范仲淹〈岳陽樓記〉的「先天下之憂而憂，後天下之樂而樂」更是膾炙人口。我家就在岳陽樓的下邊，只有幾分鐘的路程，下了課沒事，常常一個人到岳陽樓上去坐。杜甫〈秋興〉八首，其中有一句「日日江樓坐翠微」，近曰「翠」，遠曰「微」。杜甫逃難到四川也挺無聊的，於是天天坐在江邊的樓閣上，眺望遠近的翠微。當時我也是這種感覺，每天在岳陽樓上一坐就是一兩個小時，想想每月就拿二十幾個「袁頭」，除了吃飯甚麼也幹不了，百無聊賴，只能借古人的詩句聊以自遣。

這一時期得不到甚麼讀物，手頭僅有的幾部書成為我最大的慰藉和精神寄託。一部是歌德的《浮士德》，一部是《李義山詩集》。德文本《浮士德》當時我還讀不了，但收藏了好幾部英譯本，凡碰到都會買一本。通常大家都只讀他的第一部，演戲也只演第一部，即所謂的Gretchen Tragedy。但我覺得，其實第二部才把讀者從愛情的小世界帶入人生的大世界，真正融入了歌德成熟的思想。世界上「一切消逝的，都只是象徵」，在病榻的百無聊賴之中，正是這種「天行健，君子以自強不息」的精神，給我注入了一縷生活的鼓舞和勇氣。李義山的詩迷離恍惘，有時候感慨深沉，有時候一往情深，乃至往而不返。歷來注家喜歡索隱，總要在他詩的背後找出謎底，我不欣賞這種路數。即使你能找到謎底，又與詩本身何干？正如你聽聆一曲貝多芬的〈月光奏鳴曲〉，只需欣賞它本身就夠了，何必管它是描寫月光，還是向他的情人Julietta傾訴情懷？本來「詩無達詁」，哪怕你就是考證出了這個謎底，也和你享受這支曲子毫無關係。李詩最感動我的，是他的愛情詩和詠史詩。紀曉嵐評他的詩往往毫不留情，比如說某句「油腔滑調」，某句「不成語」之類。我承認李詩並不是每一句都好，然而其中最好的一些真是登峰造極，彷彿把人帶到了另外一個世界，為別人所不可企及。我當時想，詩人大概可分為四等，一般吟風弄月或別愁離恨是低等的，即所謂rhymester (韻文詩人，打油詩人)。李白的詩天馬行空、睥睨一世，氣魄更高一等，而杜詩則歷盡滄桑，感慨深沉，似乎又再高一等。至於那些說出了人生中不可說、不能說的恍惚迷離，乃至腸斷魂銷、心肝破碎的愁苦和哀怨，應該是詩中最高的境界。記得溫德教授曾說，真正能達到藝術的最高境界只有雪萊、濟慈的詩篇和肖邦的音樂。我以為，李商隱也應該是其中當之無愧的一個吧。

這時期伴隨我的另一本書，是法國邵可侶先生編的《近代法國文選》。這是我上大學二年級時的法文教本，編者J. Reclus曾是北大教授，在昆明時任教中法大學，同時又是戴高樂將軍反抗德國法西斯的「自由法國」(後改名「戰鬥法國」)的代表。* 這本書選得非常經典，有莫泊桑的《項鏈》、拉瓦錫的絕命書、夏多布里昂的詩篇等，不啻當年法文教本裏的《古文現止》，不僅供閱讀，更可以背誦。此書原是外文系同級盧如蓮學姊所有，我們當時都認為她是女同學裏

* 邵可侶(Jacques Reclus, 1894–1984)：出身於巴黎著名無政府主義者家庭，1928年來中國教書並從事創作、翻譯，1952年被中國政府驅逐。參與法國抵抗運動的事蹟不詳。

品行最高潔、最值得崇敬的，終日用功讀書，從不張揚。畢業後，她去了重慶工作。1946年復員我路過上海，聽説她在聯合國中國救濟總署工作。有一天在大馬路上，忽然瞥見她珠光寶氣的坐一輛三輪車飛馳而過，竟來不及招呼。我不禁在心頭掠過一絲陰影：難道現在她也變成一個上海的摩登女性了？但願這不是事實。半個多世紀以後，我和北大的許淵沖、關懿嫻學長談起此事，兩位都是外文系同級同學，也都不知她的下落。猜想或許是在海外某處與世相隔，好像這更符合她過去那種獨善其身、出於污泥而不染的風格。

1948、49年之交，國內大局已定，三大戰役獲得決定性的勝利。春末解放軍渡江，8月程潛(國民黨元老，時任湖南省主席)起義，湖南和平解放。我的家鄉岳陽也進駐了解放軍，兵不血刃，避免了一場刀兵。這時我的身體已較好，蟄居故鄉兩年之後，終於有機會再北上，回到自己心中真正的故鄉北京。

上學記・丁：革大學習

1921年秋天我出生在北京，1937年秋天離開時，剛滿十六歲。飄泊了十二年，難以忘懷的還是那段童年記憶，彷彿那裏才是故鄉。1949年我回來了，又是秋天，剛好二十八週歲，嚮往着回到那美好而安靜的北京。可是一下火車就發現和記憶大不相同了，又髒又小又破亂，當然這和多年的戰爭有關，不過多少有些失望。本來還想託人找個教書的工作，可是我的妹妹和妹夫説：「還是要先學習。」我想也對。過去我們生活在舊社會，都是舊社會的習慣。現在是新社會了，生活方式、思想方式都已改變，不學習則無法適應。所以經他們介紹，我進了革命大學。

革大本來在解放區，叫北方大學，是專門訓練幹部的地方。我的妹妹、妹夫1946年從聯大去了以後，都是先到那裏學習，幾個月就畢業了，時間很短，然後就分配工作。解放後，北方大學搬到北京頤和園正門以東的西苑，改名「華北人民革命大學」，簡稱革大。革大老師都是解放區來的，學生分兩部分，有年輕人，也有年紀比較大的人，包括學校的教師，甚至於教授。沈從文先生就在那裏，比我低一班。再比如師大中文系有名的教授李長之，北大外語系的錢學熙，他們進「政治研究院」。名義上高一級，不過就是體育課少一點、吃得好一點。那個時候食堂分為四個等級，大灶、中灶、小灶、特灶。國家領導吃特灶，各級領導吃小灶，政治研究院的學員可以吃中灶。我的年紀不大，但也算不得年輕，所以就進了政治研究院，享受中灶待遇。

當時進革大讀書很容易，考試一概沒有，只要有人介紹就能進，來者不拒。我們同班有一個人以前是國民黨的軍官，職位比較高，來北京以後沒有出路，就給毛澤東寫了一封信。毛澤東看了以後批示：到革大學習。所以大家都知道，他是毛澤東介紹來的。起先我以為革大學習和解放前學校裏一樣，老師指定幾本教科書讓大家閱讀，然後他在上面講，後來發現不是那樣。課堂上學習馬列毛的基本常識，學習階級劃分、土地改革之類的新政策，但主要還是思想改造，這是我事先沒有想到的。畢竟我們是從舊社會來的，多少總帶有一些舊社會的思想。比如過去我們嚮往自由與民主，這些都是資產階級的自由與民主，是假的，所以要改造思想，學習人民民主專政。除了自學、討論，還要當眾做思想檢查，大家來批判。記得有一次，一位同志站起來批評我坐三輪車，説是不人道——不過細想起來，要真是大家都不坐，三輪車夫都失業了，恐怕也麻煩。

總的來説，剛解放的時候政治上並沒有後來那麼嚴厲，「不戴帽子，不打棍子」，還允許有不同的意見，所以真能提出一些問題來。比如討論黨的性質時，有個農民出身的人説：「黨代表最大多數人，中國農民最多，那麼黨就是代表農民的。」這和後來的標準説法當然不一樣，可在剛解放的時候還可以討論。再比如《社會發展史》上説勞動創造世界，我們有個女同學四十來歲，是基督徒，課堂上發言，堅持認為上帝創造世界。如果從純理論的角度講，我覺得「勞動創造世界」這句話確實有些問題，應該改成「勞動創造文明」。世界是客觀存在的，日月星辰、山河大地都不是勞動創造的，如果強説是的話，大概也只能是上帝創造的了。

革大經常請名人講座，動輒數百人聽，一人拿一個小馬紮。不過我覺得，上大課不如上小課的效果好，二三十人的小課可以討論發言，大課就沒有交流了。台上的人一般都很能講，動不動就四五個小時。話說多了難免千篇一律，而且淨是些鼓動宣傳的話，「我們一定要勝利」等等諸如此類。我想這或許是農村的作風，因為大多數農民還沒甚麼文化。我們坐在下邊，同不同意也只好聽他的。按道理說，這不是一個以理服人的講法。政治宣傳本來和學術討論是分開的，學術討論應該有學術自由，只有聽到各種不同的意見才有意思。大家都一個調子，都是完全同意、堅決擁護，時不時還要呼口號，那就不成其為學術討論了。

艾思奇的演講我聽過多次，可是印象並不很好，武斷過多而缺乏論證，或者說，不是一個學者型的人物。包括我做中學時候看他的《大眾哲學》，也是這種印象，覺得他不太講道理。記得有一次演講，他的數字引用很不可信，吃飯的時候一個人問：「艾思奇剛剛講的那個數字對嗎？」旁邊的人就回答他，說：「這是社會主義的統計數字。」這話說得很好笑。還有一次演講，有人提問說：「蘇聯對我們東北好像有野心，會不會是這樣？」剛解放的時候，這些問題還可以提。艾思奇說：「蘇聯是社會主義國家，怎麼會有野心？社會主義國家是不會侵略的，不然，我可以把頭割下來。」這哪裏是講道理，簡直成了發誓賭咒。

就我的感覺，革大的學習氣氛是半真半假。一來整個形勢逼得你不得不做思想檢查，不然過不了關，那就隨大流吧。但另一方面，確實也覺得自己過去的思想裏有些是不正確的，比如清高。以為做了教師就可以脫離政治，這是一種「假清高」，實際上還是「為反動階級培養接班人」。不過現在回想起來，我們這種「改造思想」的想法有時太天真，可以變的只是表面現象，而人的思想一旦定型，就很難改變了。好比語言一樣，家鄉話說了二十多年，忽然讓改成另外一種語言，即便勉強去做，也很難徹底改變。有的人生來就是「紅」的，生在紅旗下、長在紅旗下，思想純粹。而我們是生在白旗下、長在白旗下，然後再打紅旗，有了比較與判斷，所以就比較麻煩。而且有一點讓我覺得非常格格不入，總是要求學員，或者說強迫學員接受他的思想。作為學術來說，馬克思有他非常深刻、非常正確的東西，但我不相信任何人能「字字是真理」。「字字是謬論」的恐怕也極少，古今中外都是這樣，哪能真理都讓你一個人包了？如果真是這樣的話，學問就沒有進步了。

解放後，胡適的小兒子胡思杜並未隨父親南行，在革大和我同班。他是1921年生人，跟我同歲，出生那年杜威離開中國*，為了表示對老師的思念，胡適就給兒子起了這麼個名字。在我的印象中，胡思杜是個

---

* 1919年杜威東遊日本，受胡適等邀請來華，恰逢五四運動爆發，於是決計留下，直至1921年7月離開。

喜歡吃喝玩樂、自由散漫慣了的那種人，有點公子哥兒的派頭，時不時地開開玩笑，好像對甚麼都滿不在乎似的。當然這也很自然，他的家境非常好，並不需要他兢兢業業。胡適做駐美國大使時，胡思杜也在。革大討論會上有一次他揭發，說看見父親的一些甚麼文件之類，我不太記得了。總而言之，那時候已經開始批判胡適了，雖然還沒有形成運動，但個人已經開始表態。包括輔仁大學校長陳垣寫給胡適的公開信，所以胡思杜發言也表態批判他父親。不過，一個人的話有多少是真誠的、發自內心的，多少是假的，這個很難確定。而且在假話裏，有多少只是應付場面，又有多少是真正給你做假的，也很難確定。

畢業以後，胡思杜分到唐山鐵道學院教書。那時候所有學校都增添了政治課，政治教師非常缺，所以革大畢業的同學很多都分配去教馬列主義。1956年我從西北大學調到歷史所工作，和胡思杜見過兩面。當時我租同事劉修業的房子住，她的愛人是北大圖書館學系主任王重民，胡適臨走的時候留下一批書在他那裏，胡思杜就來問這個事情，不過具體情況我不清楚。1957年反右，像他那樣家庭背景的人肯定逃不過。後來聽說，他自殺了。

在革大培訓了大半年，和聯大時候不一樣，沒有哪位老師或同學給我留下特別深刻的印象。我想除了學習時間短，還有一個原因，就是解放後的人不大說真話，說的全是標準的、一樣的語言，冠冕堂皇而又少了個性。到了文革更是這樣，家裏人說話都是「最高指示」，人與人之間、領導和基層之間非常隔膜，彼此不能了解內心真正的想法。甚至於文風都是一樣的，假如一篇文章把作者的名字抹掉，你也看不出是哪個人的作品。1950年夏天，我們畢業了，證書上還有校長劉瀾濤的簽名。劉瀾濤是老革命，以前被國民黨抓起來過。因為凡是被國民黨從監獄裏放出去的都要履行一個手續，表示「我相信三民主義」之類，文革時這就是罪證，所以他也成了「叛徒集團」中的一員。

最後還有一點補充。我是1949年9月初入的革大，算是建國以前參加革命工作的，恰好搭了末班車，年滿以後算離休。現在每月大概多拿八十塊錢，可以報銷一百五十公里的「打的費」，坐地鐵不買票。聽說坐公共汽車也不用買票，不過這項特殊待遇，我沒有享受過。

零敲碎打*

中國人喜歡稱「大」，孫中山是「臨時大總統」，袁世凱是「大總統」，後來歷任都以「大總統」稱呼。其實所謂的「伯理璽天德」(president)原文中並無一個「大」字，沒有說「美國大總統」的。《聊齋志異》裏有一個小故事，說蘇州乾旱老不下雨，求雨的人就問為甚麼沒有雨。龍王爺回答說：「現在『老爺』都稱『大老爺』，你怎麼不給我加『大』字？」求雨的人趕緊加上，說：「大老爺，大老爺，請你下雨。」果然就下雨了†，可見這個「大」字是中國人的創作。

清末民初留學比較普遍。比如我的家鄉湖南，青年出來上學可以到上海、北京，遠一點兒的也可以去日本。我的姑父、大姐夫都是民國初年留學日本，不

---

* 有些零零碎碎的內容頗為有趣，雖不成文，丟掉又覺可惜。特此堆在一起，強名之曰「零敲碎打」。

† 疑出自《聊齋志異》卷八〈夏雪〉：「丁亥年七月初六日，蘇州大雪。百姓皇駭，共禱諸大王之廟。大王忽附人而言曰：『如今稱老爺者，皆增一大字；其以我神為小，消不得一大字耶？』眾悚然，齊呼『大老爺』，雪立止。」

過就是坐上兩天的船，船錢也便宜。而且到了那裏，生活費好像比中國還便宜，所以留學日本非常方便，我們稱這些人為「留東的」。相比之下，西洋留學生就貴多了，包括去歐洲、去美國。第一路費貴，第二生活費貴，可是回國以後待遇也不一樣。留東洋的學生要比留西洋的級別上低一等，工資待遇也低一等。

我上師大附中的時候，發現學校也收女生。但是另外還有一個師大女附中，就在劈柴胡同，當然那裏並不收男生，就覺得很奇怪。後來有一個人跟我解釋，說：「就是要強調女權嘛。」不過這也很奇怪。後來又有一種解釋，說過去有一個師範大學，還有一個女子師範大學。比如魯迅，他曾經就在女師大教課，許廣平是女師大的學生，劉和珍也是女師大的學生。兩個師大都有自己的附中，後來兩所大學合併了，但是各自的附中還存在，我想這個解釋應該是恰當的。

抗戰前，我沒有在南方住久。如果在的話，特別是東南部，比如安徽、江蘇、浙江幾省，也許能感受到國民黨控制力量比較大。而國民黨勢力在北方本來就不強，後來又退出了，所以我小時候沒見過甚麼真正的黨員。也許有地下黨，我就不知道了，反正他們公開的身份都是學生。等到國民黨身份公開的時候，我也沒見過幾個黨性強的人。比如蔣夢麟、梅貽琦都是國民黨黨員，按照國民黨的規矩，凡名牌大學的校長起碼是國民黨中央委員，可是看不出他們有甚麼「黨氣」。我做學生七年，從來沒聽他們嘴裏冒出過「三民主義」之類的說教。有人確實是搞黨務的，黨氣重，我們稱之為「黨棍子」，可只有極少數人吃這碗飯。也許有那種比較理想的、黨性很強的人，不過不是很多，平常見不到。我偶爾見到的，就是當時人們一提起黨部或者黨部的那些老爺，都搖頭。

當時北京的高等院校，北大、清華和燕京是最好的。其中燕京是教會學校，費用比較貴。一般人家的子弟，好一點的上北大、清華，再有就是上師大。過去北京有一句話：「北大老，師大窮，唯有清華可通融。」大概是說北大的學生年齡比較大，師大的學生窮，唯有清華的學生還不錯。也有說此語指擇婿，不可考。還有幾個私立學校，比如孫中山辦的中國大學，那是比較大的，就在今天教育部的地方。再如朝陽大學，它的法科比較好。還有一些很短期的學校，許多現在連名字都沒留下來。我家住在西四，阜城門內有家郁文大學，語出《論語》上孔子的話「郁郁乎文哉」。大概沒幾個學生，辦了幾年就關了，這樣的情況非常多。

過去學校的體制跟現在不一樣，現在的名教授基本不教基礎課了，可是在西南聯大，大師級的名教授都得給一、二年級開課。比如中國通史，那是全校的必修課，是錢穆、雷海宗在教。國文、英文系都是這樣，錢鍾書也得教一年級英文。楊振寧的父親、清華數學系主任楊武之先生教初等微積分，因為教室就在我們隔壁，常聽見他那裏講課。楊武之是安徽人，滿口家鄉話。記得他講到極限的時候，說：「這個觀念的發展，這是人類的大岑民(大聰明)。」

中國的地質學在世界地質學界有比較高的地位。一是中國地方大，地質條件豐富。二是最早有好幾位傑出的地質學家，包括翁文灝、丁文江、章鴻釗，都是清末民初中國地質學界的元老，非常有貢獻。一直到後來的李四光等等，所以中國在地質學上有傳統。當時北大、清華的地質系在中國算是最強的，人比較多，經常下鄉，挺活躍的。有個地質學的同學說：「搞我們這行的，不跑山就沒有發言權，不能淨憑人家的材料。」後來地質系有兩個女同學都是院士，一個是池際尚，一個是郝詒純。

社會學系也經常下鄉，沒有社會調查也沒有發言權。化學系的曾昭掄先生參加過川康邊境的社會調查，回來後跟我們說：「那裏的雨下起來呀，甚麼雨傘、雨衣都不管用，渾身都是濕的。」記得社會系有位女同學，畢業論文的題目叫Slave Girls In Kunming，專門研究那些被賣為家奴的女孩子。

地質系的經常跑山，社會系每星期有半天做社會調查。我在工學院讀一年級時，每星期有半天下工廠勞動，翻砂、製模、打鐵。過去老說知識分子「四體不勤，五穀不分」、「一不耕田，二不做工」，其實也不盡然，只有我們文學院的才關在屋裏不動。

上大學的時候，我忘了從哪裏找來一本《紅樓夢》，把它放在床頭，每天睡覺前翻一翻，零零碎碎地反覆看了一年。《西遊記》、《水滸傳》小學就讀過，孫猴子鬧天宮，梁山好漢劫法場，看着熱鬧就喜歡。可是《紅樓夢》裏都是對日常生活的細緻描寫，小時候不了解，到了上大學才漸漸看進去。中國有古典四大或者五大名著，五大名著裏添了《儒林外史》，專門描寫知識分子的醜態。我也曾想過要寫一本《新儒林外史》，把當年那些知識分子的醜態寫出來，比如自私、嫉妒，爾虞我詐、勾心鬥角，或者總以為自己最高明，相互看不起。知識分子並不都是高尚的，他們也是人，總有光明的一面，也有見不得人的一面。後來何炳棣在美國幾次見到胡適，談他對胡適的印象時，説胡適有一種情結，老以為自己是中國新文化的領軍人物，所以對別人總有些看不起。比如別人提到馮友蘭，他就搖頭，説馮友蘭不行。提到陳寅恪，他説：「陳寅恪別的沒甚麼，就是記憶力好。」[*]總把別人貶得很低。那種話可能都是私下裏講的，正式場合聽不到。

胡適本人其實是個考據學家，自己都說有「考據癖」。不過單純的考據既不是哲學，也不是文學，而是歷史學的一部分。我覺得北大哲學系受胡適的影響太大，走上了考據的路，結果變成哲學史系。從嚴格意義上說，哲學史並不等於哲學，就像數學史不是數學一樣，北大哲學系的路數就成了以哲學史代替哲學。比如湯用彤，湯先生本人的學問非常好，可他搞的只能算是哲學史。馮友蘭雖然在清華教書，但也是北大出身的，寫過一部《中國哲學史》。哲學史有兩種寫法，一種是歷史學家的寫法，從歷史的角度看各家各派，另外一種是哲學家的寫法，用哲學家自己的思想扣古人的想法。馮先生屬後者。西南聯大的時候，馮先生開始寫《貞元六書》，本來想寫三書，結果越寫越多。最後成了六書，系統地發揮了一套自己的哲學，包括人生問題、認識問題、政治問題都談到了。

---

* 閒談間，胡適有言：「陳寅恪就是記性好」、「雷海宗就是笨一點」、「馬寅初每天晚上一個冷水澡，沒有女人是過不了日子的」。何炳棣寫道：「胡先生一生雖以博雅寬宏，處世『中庸』著聞於世，但由於他深深自覺是當代學術、文化界的『第一人』，因此他自有目空一切、粗獷不拘、恣意戲謔、大失公允的一面，而這一面是一般有關胡先生書文中較少涉及的。」參見《讀史閱世六十年》(臺北：允晨文化實業公司，2004)，頁300–332。

錢學熙先生在西南聯大教過文學批評。他對當代的文藝理論非常之熟，學問非常好，可只是個講師，頗有怨氣。我勸他不必計較，有個地方能讀書，不就滿意了嗎？直到後來在北大外文系，他才任教授。可是他不能講英文，只能用中文講，這在外文系很少見。那時候班上只有三四個學生，課後聊天，他曾對我說：「西方當代文藝理論最主要的就是看兩家，一個是I. A. Richards的《文學批評原理》，一個是T. S. Eliot的文集。」Richards文筆好，可是我看了並不欣賞，覺得他在思想性上欠缺一些。Eliot正相反，他本人是文學家，雖然沒有很系統的理論，可有時候思想非常敏銳、非常深刻。

沈有鼎先生是個怪人，學問很好，可是從不寫文章，所以基本沒留下甚麼大著作。過去許多位先生都是這樣，比如張奚若先生、馮文潛先生也不太寫文章，可是大家都知道他們的學問好。我想他們對寫文章的態度是很慎重的，除非有創造性的貢獻，不然寫些沒甚麼價值的東西，浪費筆墨不說，還浪費別人的時間。我想這是一種非常嚴肅的態度。沈先生教形而上學，對於中國古典的和西方中世紀、近現代的東西都非常熟，這是很難得的。但在國家面臨亡國滅種的危機下，最迫切的需要是救亡，他講的東西太玄了，似乎和現實要求扣不上。

再比如張君勱。張君勱是國社黨的領袖，二十年代和丁文江有過「科學」與「玄學」之爭的大討論。其實那個時候，張君勱講的都是西方比較新的東西。一次大戰以前，西方的思想主潮還是沿着十九世紀科學實證主義這條路走，所以後來一直到胡適這代人，基本上都是沿着進化論之類的科學路數。一次大戰給西方的知識分子一個很大的刺激，本來他們對科學實證主義深信不疑，以為科學的進步足以保證人類社會一天比一天更美好，人類社會也要走科學實證的道路，然而一次大戰把他們的夢想給打破了。一戰以後梁啟超去了一次歐洲，寫了《歐遊心影錄》，強調西方「科學萬能」迷夢之破產，可見當時確實有一股人類文明幻滅的思潮。所以唯心主義有一陣子非常流行，即所謂「玄學」，講生命哲學之類，以為人類文明不能光靠科學實證主義了，張君勱講的就是這個。可是中國方面，包括胡適、丁文江在內，走的還是十九世紀科學觀的路數，所以就用「科學」罵「玄學」。

按我現在的理解，中國的社會發展比西方晚了一步，所以中國的思想也比他們晚了一步。我們二十世紀的思想還是他們十九世紀的東西，張君勱講的雖然是西方最新的東西，可是並不符合當時中國的社會需要。西方已經現代化了，所以他們的思想隨之向前進了一步。而當時中國需要的是工業化，在思想上也要有與之相配套的科學實證的東西，於是就把張君勱的主張打了下去。就像走路一樣，思想與社會發展這兩條腿得配合着來。要是你這一步跨度太大，雖然是新東西，但不符合社會的要求，也要摔跟頭的。

而且，我不同意東西文化的劃分方法，那其實是階段的不同。學術作為真理，本質上無所謂中西之分。真理只有一個，大家都要朝着這個方向走，這是人類共同的道路。西方雖然先走了一步，但並不意味着中學、西學有本質的不同，而是階段的不同，所以不能説我們是「西化」。因為人類進步的階段並不是西方所獨有，大家都要走近代化的道路，只是我們比他們落後了一步。如果我們在某一點上比他們先進了，他們也照樣要學我們的。人與人之間、民族與民族之間、文化與文化之間確有不同，不過那是次要的，物質的近代化是大家共同的道路。雖然也有甘地、羅素這樣不喜歡工業文明的人，不過人類的主潮總是不可避免的。

在我們當時的印象裏，有幾位先生是憑老資格吃飯的，毛子水是其中之一。毛子水教科學史，我沒有上過他的課，可是聽同學説他教課不行，而且是右派，和胡適關係很密切，大家都不太喜歡他。

聯大時何炳棣是助教，在歷史系的圖書館裏做事。不過給我的印象，他對學生總是盛氣凌人的。我們去借書，他總是説：「這個書不能借。」「那個書不能借，大家都要用。」老讓我們碰釘子。所以後來我就到外文系去借書，是個叫顧元的女同學負責，她很好，甚麼書都讓借。

西南聯大時候，還有一個對我們思想的成熟很起作用的渠道，就是聽名人講演。1939年我上一年級，那時歐戰剛爆發，英國工黨左派領袖Stafford Cripps到中國訪問，曾在雲南大學做了一次公開講演。當時英國首相還是張伯倫，對希特勒是妥協的，搞綏靖政策。Cripps在演講裏大罵張伯倫和保守黨，這讓我非常驚異，也很開竅。因為我們中國沒有這個傳統，而他居然在打仗的時候，在國外罵自己國家的領袖，讓我覺得挺不可思議。這就好比抗戰期間，要是一個中國人在國外大罵蔣介石，好像也說不過去。可是民主社會說話比較自由，這是我們中國人不能想像的。

體育不算學分，可是必須要唸完八個學期才算畢業。有一年我得闌尾炎開了刀，本來可以免修體育半年，可是我休了一年。畢業的時候缺半年體育，怎麼辦？老師讓我去請示教務長。梅貽琦是校長兼教務長，批示讓我去找馬約翰先生商量，我對馬先生說：「差半年體育畢不了業，太冤枉了，能不能想個辦法？」馬先生說：「體育不及格畢不了業。吳宓是大教授，當年跳遠不及格就沒讓他畢業，又蹲了一年。」我說：「多上一年就為上門體育課，太可惜了。」後來他給了我一本體育書，說：「你去看，寫個報告作為補課成績。」於是我就寫了一份讀書報告，沒有耽誤畢業。

馬先生是留美的華僑，當時大概六十多歲，是體育界的元老了。1936年柏林奧運會，他負責中國體育代表團的工作，把運動員先集中在清華訓練了一陣子，然後由他帶隊去柏林。聯大一年級的體育課都是馬先生教第一節，上課的時候也是中英合璧，又說英文、又說中文，非常有趣，也非常鼓舞大家的情緒。

聯大的時候也有軍訓，由國民黨的軍官調來訓練。講講課，然後正步走、齊步走，集合呼口號，「抗戰必勝」之類，最後總是「蔣委員長萬歲」。不過軍訓大家都不重視，就跟鬧着玩一樣。

自由還有一個好處，可以很快和同學成為無拘無束的朋友。如果政治束縛太緊密的話，不要說和別人做朋友，就是在家裏都變得很危險。

三青團有時候是秘密的，有時候是公開的，掛個牌子，比如「三民主義青年團直屬第十分團部」，可是我不知道他們有甚麼具體的活動。第一，三青團的人數很少，第二，當時沒有黨團領導一切的組織方式。所以，國民黨員或者三青團員在學校裏和我們是一樣的，不是領導、被領導的關係，不像我們後來所理解的「黨是領導一切的」那種關係。

西南聯大的學生大抵有三種，一種是搞學術的，努力向學、真正有高水平，無論在國內或者在國外，現在都已是名家了。比如42級地質系，大約不足二十人，已經有了五六位院士。還有一種參加民主運動或搞政治活動的，解放後大多在各地方、各單位做個大小領導，甚至於比較高的領導。當然也有被政治鬥爭淘汰的，這總難免了。還有一種就是不成材的，包括我在內，或者做教師，或者做點甚麼別的工作。那時候的學生不像現在這樣都想着要出國，個別的也有，比如何炳棣，從小就一心一意想着怎麼出國，現在也成名了。可是我總覺得生活不應該過分功利，而在一種內在的價值，所以一輩子一事無成也是這個原因。

抗戰時前有一首歌，歌詞裏唱道：「帝國主義為了要逃脫深刻的恐慌，他們是這樣地瘋狂，自從侵佔了我們的北方，又進攻我們的長江……」這是當時的進步歌曲，非常流行。我們那時候也真的相信這種說法，認為帝國主義一定要向外侵略，不然就一天也活不下去。不過二戰以後的事實好像多少改變了這種看法，比如戰敗的日本、德國都復興得非常快，但並不是靠對外侵略。應該說，一個國家的繁榮最好是靠你鄰居的繁榮，你的鄰居越繁榮，越有助於你自己的繁榮。反之，鄰居越窮困的話，對你越不利。不過這些都是後來才意識到的，當時我們都相信歌裏的那些觀點。

中國當時自己不能造飛機，空軍用的實際上是美國製造的，供應甚麼我們就用甚麼。當然，他們提供的也不是最優秀的。而且那時候美國沒參戰，沒有大量進行軍工生產，直到美國參戰以後情況才有所改變。1944年，德國的飛機產量是一年三萬八千架，日本是多少我不清楚，大概不會超過這個數字。而美國的飛機生產是一年近十萬架，比他們多出好幾倍，再加上蘇聯和英國的，生產大大高於軸心國。二戰歸根到底就是軍事生產力競賽。美國戰時生產高峰時，它的軍事生產佔全世界的一半，所以二戰的勝利在很大程度上取決於美國是世界的兵工廠。

各個時代都有各個時代的優點，就好像一個人，十全十美的找不到，一無是處的大概也很罕見。可是人們常常走極端，一說這個人好就好得不得了，一說那個人壞就臭得不得了。其實，不見得那麼壞，也不見得那麼好，我想每個時代也是這樣。比如清末的洋務派，張之洞、李鴻章也辦了許多現代的工業、事業，雖然官僚體制的限制不可能讓它有很大的成功，但畢竟向前走了一步。到了國民黨時期，那些官僚資產階級也幹了些事情，比如修了幾條鐵路、統一幣制，也得肯定它。張奚若先生從事民主運動，公開講演時總是罵國民黨，不過他是單幹戶，沒參加任何組織。抗戰剛勝利的時候，我聽他講過一次，他說：

「對蔣先生我只承認他一點功績。」就是指蔣介石始終還是抗日的，沒有當漢奸投降。在這一點上，確實也得承認。

國民黨和共產黨之間的矛盾激化，是從解散新四軍開始的。「皖南事變」之後，矛盾浮到表面上來，成為公開的了。那時候學校總共才一千多人，平日比較出頭露面的、或者進步活動較多的左派同學就都走了，大概有近百個，而且並不全是地下黨。我記得張奚若上課還說：「我聽說很多同學都走了，你們勸他們回來，不要走，沒有問題。」也許他考慮到雲南地方勢力的保護，估計真的是「沒有問題」。後來聽說特務頭子康澤到雲南去，本來是準備抓多少人的，龍雲沒讓他抓，說是會「引起不安」，果然沒有抓。

1946年我去臺灣，那時候國民黨去的人還不多，只是臨解放大局以定，才大舉退往臺灣。我想其中許多人並不一定在政治上有甚麼見解，比如擁護甚麼，或者反對甚麼。有的就是害怕打仗，大部分都很實際。有些人有機會和條件離開大陸，但在臨近解放時，他們選擇了留下。比如北大的向達先生，他是一級教授了，一次和人吵架，說：「我就沒資格去臺灣嗎？」他當然有資格去臺灣，國民黨最後派飛機來，可是絕少有高級知識分子離開。因為那時候大家都認為，國民黨已經沒有前途了。

1949年解放，全國一片歡騰。我想大部分人是真誠的，雖然有的是隨大流，但大部分還是歡欣鼓舞的。因為從1840鴉片戰爭一直到1949年，這一百零九年裏內憂外患，窮困、天災、人禍，不斷的戰爭，不斷的失敗。舊的歷史書上描寫罹亂之後的情景，「天下喁喁望治」，全天下就像魚張着嘴露出水面一樣，希望能夠安定下來，「人民始有生趣」，自此才有了生活的樂趣。其實1945年日本人投降的時候，也是全國一片歡騰。第一，戰爭結束了，終於可以過安定的生活。第二中國是戰勝國，這是近百年來的第一次。

人總得靠希望活着，甚至於很小的希望，比如我想發點小財，想改善一下生活。如果沒有任何一點希望可以寄託的話，人就活不下去了。二戰的時候，我們真誠地相信未來會是一個光明的、美好的世界，一個自由的、民主的世界，一個繁榮富足的世界，好像對這些完全沒有疑問。我想，這種信心對全世界的人民也是一種鼓舞。不過不知道人們是不是太容易受騙了，二戰以後，無論是國際上還是國內都讓我們大失所望，沒有想到會有那麼多的曲折。

後記：把名字寫在水上

文靖

在這個星球上，存在一個偉大的真理：不論你是誰，不論你做甚麼，當你渴望得到某種東西時，最終一定能夠得到。因為這個願望來自宇宙的靈魂，整個宇宙會合力助你實現願望。——《牧羊少年奇幻之旅》

2002年，清華園呆了八年，終於我畢業了。那年，三聯書店總編董秀玉先生退休，我成了她最後招進來的兩個編輯之一。為此我感到無比榮幸，並油生一種莫名其妙的使命感，以為不久就能成為又一個她。現在想來有點可笑，因為「董總」只有一個，她是不可超越的。而我也無能，風吹草動就退縮了。

兩年之後，單位裏進行了一場革命。空降來的「一把手」沒有底線地一通胡搞，樓上樓下劍拔弩張，彼此都撕破了臉。這事關涉出版人的尊嚴，以及對出版管制的不滿，引起媒體人的廣泛支持。總而言之，無知無識又亂拱一氣的主編大人被轟走了，革命以群眾大勝而告終。

雖然不是漩渦中心的人物，我的心緒也在其裏。

本來應該一起歡欣鼓舞，卻有一點不合時宜的別樣心情。「群眾」何曾真的大勝過？都是別人的權宜之計罷了。沒過多久，那位「空降」主編平移它處，繼續禍害別家了。而三聯，至今依舊是「傘兵部隊」一把手。最有成就的幾任主編，范用、沈昌文，包括董總，誰在懷念呢？

作為七十年代生人，一些觀念從小不斷聽、不斷背誦，腦袋裏或多或少留下了印記。比如關於光榮、偉大、正確，關於聽黨的話、做黨的好孩子，關於螺絲釘，關於母親和太陽。一直都以為，這些不過是時代流行語，被濃縮的符號，只為應付考試，自己仍可以做局外人。如果不是單位的那次革命，我真的以為我不在乎。……但其實，沒有一個是局外人，無論接受還是反抗，所有人都褪不下這次底色，成為「你之為你」的一部分。多傻呢，在此之前，我真以為會有一個高高在上的甚麼組織，具有上帝的視角，可以高瞻遠矚，可以無所不知、永遠正確，太陽一樣永遠放光芒。

轟轟烈烈的革命過去了，沒有幾個人會懷念。但如果你是親歷其中的一個，親眼見到了，親身經歷了，那種震驚、惶恐與困惑遠比報紙上讀到柏林牆倒塌、蘇聯解體這些真正的大事件要強烈得多。畢竟，那是遙遠的、別人的事。灰飛煙滅不是浪漫，他們的革命勝利了，於我卻是絕望。就像在車禍中失了一條胳膊或者一條腿，驟然間，難以接受「我是半個我」的現實。

原來，竟然都是欺騙！

那時候單位裏比較混亂，我的心緒也混亂，彷彿迷失在一片轟然倒塌的廢墟中。不知怎的，忽然想起了葛兆光先生。

記得在清華上葛先生的課，他曾不止一次感慨，説應該找一批研究生給老一輩的學者做錄音整理，至少留一份珍貴的史料。之後不久，金克木去世，大家深以為憾。2004年，我想起了葛先生，覺得至少有這樣一件具體的工作值得去做。何況，把時間塞滿就不必胡思亂想了，對別人也是有意義的。

那時候我很年輕，有的是勁頭，只是不知該奔向哪裏。而他的那幾句話，忽然成了黑暗之中一盞遙遠的燈，我便循着光去了。這一次，我覺得我找到了。雖然説不清那是甚麼，但我覺得我找到了我渴望的東西。若干年後，一位叫sjmx的讀者在論壇裏寫道：

> 他（何老）如同一個小孩看街景一般。這個街景是喧鬧的、醜惡的，而他是一個安靜的孩子，只是隔着自家的玻璃窗看兩眼。這個狀態是他一生面對時變世變的態度，始終如一，所以可愛，所以難得。也正因為此，幾十年間的世態浮沉在他眼中就像一個魚缸，金魚海藻一目了然。

我猜，寫下這樣文字的一定是女生。因為女生，都通靈。

何老和善至極，我沒遇到過比他更溫和的老頭兒。從來不憤怒，也不憂愁，看你、或者不看你的時候都笑眯眯的。經常聊着聊着就把自己逗笑了，彷彿這世上發生的一切，都只是笑話。那時候他八十多歲，走起來緩緩的，就像一個八十多歲的老人。只有一次，阿姨煮菜把膠木的鍋把兒燎糊了，傳來一陣燒塑料的味道，很嗆人。他「噌」的一下從他的轉椅上蹦起來，騰騰幾步跑到廚房。那是唯一的一次，我被他的矯捷嚇了一跳。

曾經聽別人打趣，不知確否。說何老年輕時候有個原則，做飯時間不能超過吃飯時間，所以從來不吃魚。的確，他平日裏粗茶淡飯。雖然有人常年照顧，但從沒見飯桌上擺過甚麼「精緻的小菜」，一點兒也不講究。而且那麼長時間了，實在我也想不出他有甚麼癖好，除了滿屋子的書，以及那一排排積塵已久的磁帶。Brahms、老柴、貝多芬，都已經是古董了，不知還能不能放出聲。

乍看起來，他是一個平常至極的老人。無論寒暑，在屋裏也總戴一頂棒球帽，這有一點點奇怪。但是，他有一股神仙氣，跟我周遭的一切都不一樣。

之前二十多年，我生活在一種轟轟烈烈中。大家都使勁跟上節奏，為一個虛幻的目標，力爭上游地活着，哪怕是一種浮誇，沒人質疑這種競技場式的狂歡。但何老的生活完全不是這樣，一進他的房門，我就感受到了——靜謐，他和他的小屋子都散發着書香。他有他的節奏、他的快樂，貌似不足道又實實在在，如下山的涓涓細流，以一種自得其樂的方式流淌着，自哼自唱。外面的世界於他有如街景，他看他們，如看魚缸裏的魚，任其游來蕩去瞎折騰。

他安安靜靜的，不打擾任何人，也不會被任何人打擾。有滋有味的，慢慢享受屬於自己的生活。我很羨慕這種感覺，當時更是心嚮往之。走訪何先生便在這樣的機緣下，糊裏糊塗而又結結實實的，開始了。

何先生的淵博不必說，在他面前，大可不必裝模作樣，只要帶着你的好奇來。就像小時候，搬個馬紮湊到鄰居家的收音機前，捅一下開關，再撥拉撥拉旋鈕，孫敬修爺爺開始講故事了。

他風趣得很，八十多歲依然像孩子一樣滿是奇思妙想。平平常常一件事，被他一類比果然顯出滑稽。說到興起，自己先忍不住咯咯咯的笑，就算一隻路過的蝴蝶也要染上他的快樂。每天陪着這樣一位老人，書房裏的桌椅板凳該是怎樣的幸福呢。有時，我把他想成一顆坐在藤椅裏的椰果，或者一株讓人喜出望外又肅然起敬的芭蕉，釋放很多很多的氧氣，帶着雨後森林中的泥土香。都市裏人聲鼎沸，難得如此一般的安寧與無爭，在大自然本初的慢節奏下，我體味着生命最細微的靈動。

我想我是一個很好的聆聽者，但絕不是一個稱職的採訪者。不會把握進度、不會引導思路，事先擬好的計劃從來沒有實現過。想來也許受了何先生的影響，何必汲汲於事功？不知不覺到了晌午，各家傳來嗶嗶啵啵的炒菜聲，樓上樓下四溢香飄，清華附小的學生們麻雀一樣，在窗根底下嘰嘰呱呱個沒完。這才發現，正題尚未完成一半，又要告辭了。換個有經驗的採訪者，同樣的話題大概只要幾個月就可以完成。我卻斷斷續續用了將近兩年，每星期都盼着見面的日子，以為年復一年，永遠不結束才好。

其實，生活對那一輩的人並不公平。就他本人來說，三個姐妹都是北大、清華出身，一個是地下黨，一個被國民黨抓起來關了一年，一個在抗戰後去了延安。結果若干年後，一個自殺，一個瘋掉，一個漂泊在外二三十年無音信。對於家裏人，何先生很少談起，偶爾提到也是一問一答不肯多說，難以掩飾無可奈何的惋惜。小時候，父親經常對他們講：「政治是非常之黑暗、複雜、骯髒的東西，一定要遠離政治。」這句話給他的印象很深，所以一生游離於各種政治派系之外，追求着更高、更遠、奧妙無窮的精神境界。儘管如此，在知識分子普遍遭殃的年歲裏，他依然被「捎」進了牛棚。

他們這輩人，用何先生的話講，是生在「白旗」下、長在「白旗」下的一代。從小接受的是所謂資產階級的舊民主主義教育，到了而立之年，思想已經定型，社會卻發生了翻天覆地的轉變。自由、民主被貼上「資產階級」的標籤一概否定，要他們徹底否定過去、否定自己，從精神到肉體接受雙重的改造。運動一波比一波來的兇猛，其間有人選擇背叛自己的良心，有人不能禁受這種被逆轉的乾坤，最終選擇了死亡。更多的人，用他們的後半生經歷了一場精神的幻滅。

2004年，我也深陷在一場類似的幻滅之中，雖不能與前輩的磨難並論——最好將來也不要有「並論」的機會。但正是這樣一場風波，已然讓我體味到了信仰缺失的困惑與悲哀。好比腳下的土地，不必刻意去認識它，也未必當真相信、崇拜過。但從降生的那一刻起，你就在用身體接受一個信念：大地的存在毋庸置疑。它不因為你愛它而增一分、恨它而少一分，它就是生活的一部分。忽然有一天，堅實的土地塌陷了。阿拉丁的神燈會變戲法，它把我的腳底板撤空了，留下我和我的困惑，塵埃一樣懸在半空。抬眼望去，四周滿是飛不起來、沉不下去，似乎也無所謂的同類。煙塵四起的一霎那，我的靈魂開始流浪，我聽見我的影子在哭。

老人們說，我們這一代是幸福的，可是我不快樂。何先生那輩人是不幸的，然而戰亂、混亂、錯亂之下，他卻可以活得釋然，愁苦中撿起的是希望，無奈中發現的是有趣，為甚麼呢？有人把這歸因於時間、閱歷或者讀書多少，但我總以為，這都是藉口。時間能沖淡一切，卻不能成為解釋一切的理由。閱歷、讀書之後，畢竟還要歸結於個人的判斷與選擇。不迴避當下，不乞靈於未來，我們的差距一定出在更根本的原因上。

每次拜訪之後，我都得用更多的時間做整理，一句句重溫，一字一字回味。因為太熟悉了，字裏行間全是他的聲音，漸漸的，甚至可以做到用他的聲音來思考。我不斷嘗試用他的聲音來思考，從他的視角看我的世界。在他的故事裏，我在尋找我的答案，尋找我自己的精神家園。

米蘭·昆德拉的小說很有意思，其中很有幾篇值得多讀幾遍。有一天，我隨手從書架上取出《笑忘錄》，看見目錄上〈媽媽〉一篇用鉛筆畫了個大大的三角。那是被自己「隆重推薦」的記號，於是重又讀起來。其中有一段描寫，說：媽媽的視力越來越衰弱了，別人看着很大的東西，她覺得小，別人認為是界碑的地方，在她看來卻成了一些房屋，而且類似的情況絕不是第一次出現。一天夜裏，周邊大國的坦克侵入了他們的國家(1968年8月，蘇聯入侵捷克首都布拉格)。「這事情是如此令人震驚、令人恐慌，以致相當長的一段時間裏，沒有人還能夠去想其他的事情」，可是媽媽卻惦記着他們園子裏的梨。邀請來摘梨子的藥劑師沒有來，而且連個道歉都沒有，媽媽不能夠原諒他。這一點讓她的兒子、兒媳很惱火，指責說：「大家想的都是坦克，而你，你想的是梨子。」後來他們搬走了，在他們的記憶中，媽媽心胸狹隘。……

若干年後，兒子開始問自己：「坦克真的比梨子更重要嗎？」答案似乎並不像他一向以為的那樣顯而易見，於是暗自對媽媽的視野有了某種好感：

> 在媽媽的視野中，前景是一個大梨子，背景上稍遠的地方，是一輛比瓢蟲大不了多少的坦克，隨時可以飛走並且消隱到視線之外。哦，是的！媽媽是對的：坦克易朽，而梨子是永恆的。

或許是心境的原因吧，當我再次讀到這段文字，忽然生出一股熱淚盈眶的感動。是呢，生命中甚麼重要，甚麼不重要，甚麼最重要，這是一個選擇。「坦克」何以就一定比「梨子」更重要呢？大自然的智慧遠勝於人的狡黠，在它看來，人與人的爭鬥和兩隻蟋蟀打架爭交配權沒甚麼兩樣。雖然有些時候，人間的爭鬥會打出一個崇高的、近乎完美的招牌。但是，純潔的理想在「人」的操縱下，難逃肉身之累，也跳不出黑暗、骯髒、複雜的窠臼。所以「人」是不能勝任信仰的使者的。遠古神話中，人位列神和動物之間，人性也在神性與貪婪、自私的獸性之中搖擺。用有限的、多變數的生命，去承載永恆的、盡善盡美的理想，恐怕永遠都是一個mission impossible(不可能的任務)。

或許，我與何先生間的區別正在於此。輕、重之間的選擇，取決於一個人對生活的態度，並在某種程度上，決定了一個人的生命軌跡。

在歷史所工作的時候，何先生有一個很要好的朋友楊超，學問好、人品好，德才兼備，是侯外廬先生的得意門生。1968年抓「五一六」，歷史所揪出將近三分之一，凡被揪出來，幾乎沒有人不承認。但是楊超不承認，並且拒絕交待別人，寫了一張紙條：「我不是『五一六』，我不知道誰是『五一六』。」自殺了，年僅三十九歲。這事給何先生的觸動很大，跟我講過不下五六次，或者更多。每次都用一種非常緩慢、非常惋惜的語調，說：「他就是太認真了。別人都跟演戲一樣隨風轉，他卻來真格的。……非常聰明的一個人，難道你就看不穿嗎？」

這個故事我聽了很多遍，不過從來沒打斷他。說過的話可以再說，聽過的話可以再聽，假如我們能從歷史中吸取哪怕一星半點的教訓，恐怕也不會有今天這麼多的煩惱。

「難道你就看不穿嗎？」

每次聽這句話，都覺得是特特說給我的。大地果然飄散了嗎？踮踮腳，再跳兩下。哦，真實的大地正在腳下。飄散的都是幻象，只是我被迷惑了。我把幻象當作真實，而把實實在在的大地忘記了。

對何先生而言，他的「大地」在哪裏，他的信仰在哪裏？此「信仰」非宗教之信仰，非主義之信仰，或許可以理解為「心靈深處相信甚麼」。在我看來，第一，他相信大自然。

何先生總是笑說自己不懂自然科學，實際上，他從小就受到了非常良好的理科訓練。在當時，師大附中、中央大學附中是全國最優秀的學校，陳景潤的老師、數學家閔嗣鶴先生教過他那一班的數學。他的同學中，後來很有一批成為各領域的專家，而他最要好的朋友、世界級華裔數理邏輯學家王浩，更是影響了他的一生。1939年，何先生以貴陽考區第二名考取西南聯大，在所報考的土木系中排名第四。可以說，上大學之前，他就培養了非常良好的邏輯思維習慣，對大自然的奧妙有了根深蒂固的認識。而且了解越多，越是認識到人的局限，「人定勝天」這樣的豪言壯語，他是說不出的。

比如初中時候，有兩本書讓他「大開眼界」，James Jeans(瓊斯)的《神秘的宇宙》和Arthur Eddington (艾丁敦)的《物理世界真詮》。瓊斯、艾丁敦都是英國的大物理學家，寫過一些通俗的科普作品，其中雜糅了各自認識論方面的哲學思想。這些讓年少的他大受啟發，後來雖然經歷了幾十年思想改造，卻是到老都抹不掉那層唯心論色彩的科學觀。

> 我們那時候不懂科學，以為科學就是「鐵板釘釘子」，但在他們看來，科學並沒有一個客觀的標準。認識是主觀形成的，物理世界不過是你思想中的構造，究竟物理世界是怎麼樣的，裏面有很多的神秘，我們現在理解不了。……

我不懂科學，但因為作者本人是大科學家，我想他們講的或許也有道理，至少開拓了自己的思路。

而且，我能明顯感覺到何先生語言的特別之處。他喜歡用數學、用邏輯，以及宇宙的普遍規律為參照，去和人的行為做比較。在這個大參照系下，人的自以為是就像一隻井底的青蛙，光着屁股還自高自大。因為無知，所以無所畏。那些自戀，自我崇拜式的想像，那些小的心機，在廣闊的天地間顯得何其有限。「人類一思考，上帝就發笑」，把眼光放得高遠些，連人類自己也要不好意思的笑了。

大學二年級以後，何先生轉向文科。所以，他對科學的理解基本停留在牛頓的經典物理體系，以及比較粗淺的高等數學水平上。同窗好友中，數理邏輯學家王浩可以思考「真正的哲學」，高能物理學家鄭林生可以「滿懷驚奇與敬畏」去看待物理世界的神奇。對近代科學的理解直接影響到對世界的認知，何先生以為，這是他的局限。

第二，何先生看重美。雖然他的專業是思想史，對歷史也非常有興趣，但在我看來，真正打動他、一輩子都神往不已的，是對美的追求。

翻看何先生的書單，不難發現，美學作品是他一貫的偏愛。中學時，朱光潛《給青年的十二封信》、《談美——給青年的十三封信》，豐子愷的《孩子們的音樂》、《近世西洋十大音樂家故事》、《西洋建築講話》。這本建築入門書讓他「非常滿意」、「覺着挺有意思」，乃至大學的第一志願填了「土木系」。大學時候，濟慈、丁尼生的詩歌讓他着迷，病榻之上熟讀*Crossing the Bar*，「覺得這才符合我的胃口」。1947到1949那兩年，何先生的心情很差，「本來以為抗戰勝利後會是一個和平康樂的世界，結果還是亂糟糟的。」回不了北京，雖然有留學的機會，但是交通阻斷、身體有病又去不了。於是，手頭僅有的幾部書成了他最大的慰藉和精神寄託，一部是歌德的《浮士德》，一部是《李義山詩集》：

> 德文本《浮士德》當時我還讀不了，但收藏了好幾部英譯本，凡碰到都會買一本。通常大家都只讀他的第一部，演戲也只演第一部，即所謂的Gretchen Tragedy。但我覺得，其實第二部才把讀者從愛情的小世界帶入人生的大世界，真正融入了歌德成熟的思想。世界上「一切消逝的，都只是象徵」，在病榻的百無聊賴之中，正是這種「天行健，君子以自強不息」的精神，給我注入了一縷生活的鼓舞和勇氣。李義山的詩迷離恍惘，有時候感慨深沉，有時候一往情深，乃至往而不返。……紀曉嵐評他的詩往往毫不留情，比如說某句「油腔滑調」，某句「不成語」之類。我承認李詩並不是每一句都好，然而其中最好的一些真是登峰造極，彷彿把人帶到了另外一個世界，為別人所不可企及。

「相信大自然」使他寬容、謙遜，且不爭。「相信美」體現為對精神世界的欣賞，無止境的漫遊。但也不是「追求」，這個詞太事功、太緊張了，甚至有點「革命腔」，與何先生的作風相距甚遠。

閒談中，我發現他(或他那一輩人)對很多詞的理解和我們不一樣。比如「混飯吃」，於我是一個非常難堪的詞，很不光彩。但對他來說，「吃飯」是第一需求，並不丟臉，反而多了一種輕鬆。類似的情況很多。同樣，「追求」二字對何老來說，也太重了，大概會讓他不知所措，以為在說別人。比如小時候，他喜歡朱光潛的文章，其中〈談美〉裏的「慢慢走，欣賞啊！」，這才符合他的人生觀。生活在他好比是看風景，很美，於是情不自禁走過去。並沒有奮力的「追」或者「求」，卻是自然而然就接近了。這就是境界吧，和百米衝刺是不一樣的。

他總說，自己自由散漫慣了，從小到老始終是一種漫無目的的讀書方式，到頭來沒有做出任何成績。也許別人把這當作一句謙辭，不過我以為，他是真心的。因為他知道更高的境界在哪裏，自己的局限在哪裏，這種局限不是出大力、流大汗可以彌補的。而他那些在閒暇之餘完成的「有興趣」的事，別人或許以為了得。但在他自己看來，除了內心的滿足，沒甚麼特別。

幾年前，清華、北大在藍旗營蓋新樓，分給何先生一套三室兩廳的房子，比他現有的條件好許多許多。何老卻婉言拒絕了，笑說：「年紀大了，嫌麻煩。」淡泊事功、淡泊名利，不是每個人都能做到的。當然，生活的標準只可以要求自己，強求別人便近乎邪教了。不過，當你看到一位老人用他的一生做到了，你依然會被感動。

康德的墓誌銘上寫着：「有兩樣東西，我們愈經常愈持久地加以思索，它們就愈使心靈充滿日新又新、有加無已的景仰和敬畏：在我之上的星空和居我心中的道德法則。」至此，我終於體會到了這句話的內涵，同時也明白了，為甚麼何先生可以跨越人生的幻滅。

要信就信永恆、信無限的東西。這個廣闊的宇宙真實存在，你的內心也是無限深遠的真實，那才最值得我們信賴。至於那些人類假想的各種主義，就讓它們留在理論層面吧。所有「理想國」都是一些人的幻想，另一些人的羊頭招牌，私下裏賣狗肉。

潘多拉的盒子，該合上了。

做事拖沓，外加一點私心，讓這部口述自傳拖得太久了些，上、下用了將近兩年。期間，何先生的二姐去世、夫人去世，他本人因股骨頭壞死、突發心臟病兩度住院，一直陪伴他的孫女也出國了。何先生說：「從今往後，我得習慣一個人的生活。」像往常一樣，他說的時候依舊笑眯眯的，好像那是一件快樂的事，我心裏卻不是個滋味。

天若有情，不該讓這樣可敬、可愛的人老去。他卻說：「人生一世，不過就是把名字寫在水上。」*不管你如何奮力、如何着意，還是如何漫不經心，結果都是一樣的。你的名字一邊寫，一邊就隨流水，消逝了。

* 語出詩人濟慈的墓誌銘：Here lies one whose name was writ in water.（這裏躺着一個人，他的名字寫在水上。）

新版後記：橫成嶺，側成峰

文靖

《上學記》2006年一版一印，至今已有好些個年頭。期間一直在加印，一直被閱讀、被摘引，甚至進了某高考模擬試卷，於我總有一點誠惶誠恐。雖說當年的確下了功夫，畢竟初學乍練，尚未成就一番考據的本領。加之當初，查找資料不像今天這樣方便，遺留了一些問題。所以趁此再版之機，費時半年做了修訂。「上窮碧落下黃泉，動手動腳找東西」，從頭到尾梳理一遍，心懷拳拳，以期不負讀者厚愛。

當然，最大的收穫者是我。

記得做研究生時，上過一門「清代學術概論」的課，但完全不能理解古人埋首於故紙堆的樂趣，「為甚麼不去把握大歷史，而在一個個芝麻大的小問題上較勁呢？」其實，真實的人性都在歷史的精微處。文獻不說話，不會直截了當的擺你眼前，而需要你去尋找、去發現。這就好比一次盜墓尋寶，結果完全不可知。甚至於隨着你的深入，可能會得到與印象截然不同的結果，讓你大吃一驚。考據的樂趣正在其中。

此次修訂，加了些許註釋，並且盡量保留口語。

結合當初的幾個稿本，盡量保留那個穿便裝的，而不是經一遍遍文字潤色，西服革履化的何老先生。他曾說，西南聯大時候，有些老師喜歡在課堂上扯閒話，可是他卻喜歡聽，因為那裏有他們的真思想，是書本裏學不來的。此番修訂也秉承這一原則，盡量保留真性情、真思想。另外，個別地方幾幾乎我可以斷定自己是對的，比如Stephen C. Foster的〈老人河〉。何老特別喜歡這首歌，一提起來便情不自禁地哼唱。但我總懷疑他搞錯了，因為他唱的明明是〈故鄉的親人〉。每次請教，他總是搖頭，很認真地想啊想，彷彿掉進記憶的口袋，然後堅持認為就是那樣。那就那樣好了，無非加個註釋，執着於是是非非，不如留一點尊重與溫情，也是為了懷念。

關於馮友蘭的部分，因為遭遇了宗璞先生的駁斥，此次註釋更不敢怠慢，努力做到口說有憑、查有實據。人性是複雜的，每個人都是高尚且齷齪、真誠且虛偽的，但都是「真」。您從近處看到的一面是「真」，別人從遠處看到的另一面未必就是「假」。您之所見，不妨礙別人之所見，而別人之所見，也並不有礙您之所見——因為，本來就不是一個視角。

這裏有一個很哲學的問題，甚麼是「真」？它是不是石頭塊子一樣，清楚明白地擺在那裏？其實，無論是誰，無論從哪個視角，都只能看到「部分的真」。只有將無限數量的視角累加起來，才能恢復「全部的真」，那是上帝才能完成的。所以無論親疏，誰都不要妄言自己看到了「全部的真」，那是絕無可能的。而且，看人要打兩次折扣。一是你之所見，無論如何只是「部分的真」。二是你之所見，因了你自身的緣故，再一次打了折扣。最親近的人未必是最終的詮釋者，就像「情人眼裏出西施」，父母瞅自家孩子都是最優秀的，孩子看父母也是最了不起。「不識廬山真面目，只緣身在此山中」，因為親密，被情感遮蔽了雙眼，才未必看得真。而故意迴避，「沒看見」、「沒聽見」就當「沒發生」，環顧左右而言他，其實就是一種「造假」。

比如關於梁漱溟和馮友蘭的最後一次會面，其後人皆有文章回應，有個細節耐人尋味。宗璞先生寫道：

> (1985年)12月4日，北大哲學系為父親舉辦九十壽辰慶祝會，哲學界人士濟濟一堂。前夕，我家私宴慶祝，親友無不歡喜光臨。在籌辦這次宴會時，父親提出邀梁先生參加。我向政協打聽到地址，打電話邀請，梁先生親自接電話，回答是不能來，天冷不能出門。我也覺得年邁之人確不宜在寒冬出門，道珍重而罷。*

在宗璞先生筆下，梁漱溟算是婉拒了，至少是很客氣的。恰好梁培寬先生正在電話那一旁，從他的記錄看，當時的梁漱溟又是另一種口氣：

---

* 參見宗璞：〈對《梁漱溟問答錄》中一段記述的訂正〉，原載《光明日報》(1989年3月21日)，收錄於《霞落燕園》(北京：作家出版社，2005)。

> 先父接到邀請赴宴電話時，筆者恰在一旁。只聽他一再重複說：「不去」、「我不去」，且面帶惱怒之色。最後再次厲聲說出「我不去」三字，隨即重重地掛上話筒，似未容對方將話再說下去。*

在電話裏，即便宗璞先生見不着梁「面帶惱怒之色」，聽不到他「重重地掛上話筒」，也應該可以察覺對方的那份堅決。但是在她的文字中，看不出這樣的內容。或許我們可以善意的理解為：她已經被她的那份親情融化了，她之所見的那份「真」已經融入了對父親的懷念與不忍，日久彌堅。大概正是如此，何老才未予回應，何況他也不是那種針尖對麥芒的人。做為執筆，好在我的道行淺、輩份低，借用宗璞先生的話，也可以「童言無忌」了。

走筆至此，又有一點擔心。其實馮友蘭部分不是本書的重點，這裏只是為了回應宗璞，才多說兩句。對於一般讀者，我想說，這不是一本拍磚、揭短的書。看書如看人，你渴望甚麼，便看到甚麼。你執着於八卦，你便看到八卦；你關注教育，便看到教育；你渴望心靈，便看到心靈。

書是一面鏡子，其實你看到的是你自己。你渴望甚麼，便看到甚麼；你選擇甚麼，便走近甚麼。然後，你就會慢慢變成你渴望的樣子。

* 參見梁培寬：〈馮友蘭先生與先父梁漱溟交往二三事〉，原載《博覽群書》，第9期（2002）。

以馬內利。

感謝網刊《記憶》主編烏扎拉·啟之。先生百忙，從來不以晚生無知，每問必有答，尤是感激。

感謝徐時霖先生。為關於其祖父徐鑄成的一處註釋，遍查資料，請教了多位相關人士。其務真求實的嚴謹作風令人嘆服，受教了。

感謝《民生報》記者林英喆，先生幾次三番跑臺北圖書館，無以言表之感動。

感謝師兄唐文明教授、同窗梅賜琪教授。總以為打擾你們是最方便的，所以一而再、再而三，特此致謝致歉、致歉致謝。

感謝上海季風書園的嚴搏非先生、北京萬聖書園的劉蘇里先生，感謝奇幻文學家拍岸兄，以及不曾謀面的香港荷花博士。感謝人民文學出版社前輩王培元先生，文學評論家付如初小姐。感謝北京三聯書店前輩吳彬女士、同年劉蓉林主編，以及了不起的玩家王毅、姜仕儂夫婦。

感謝不肯留名的翻譯家東城·哼女生。

感謝牛津大學出版社，感謝了不起的林道群先生。

當然也要感謝國家圖書館文獻中心的遠程服務，感謝孔夫子網。這是一個了不起的時代，循着蜘絲馬跡，總能找到答案。當手段不再成為問題，一切便取決於你心中的那份渴望。